he mirror ～

幕間　世界で一番近い君　～Man in the mirror～

「双子」という言葉から何か特別な関係を想像する人は多いけど、実際のところはそんなに大した物じゃ無い。性格や趣味《しゅみ》が同じになることなんてめったに無いし、離《はな》れていても相手の気持ちや考えが分かるなんて都合が良いことももちろん起こらない。

まして、あいつと私は男と女の二卵性双生児。

ただの姉弟として産まれてくるはずだった二人《ふたり》の子供がたまたま同じ時期に母《かあ》さんの
を共有して、そのまま同じ日に一緒《いっしょ》にこの世界に出てきただけ。
う偶然か顔だけは鏡《かがみ》を見ているみたいにそっくりになったけど、それ以外は何もかも
格は少しも似ていないし、好きな遊びもインドアとアウトドアで正反対。食べ物の好
いしい物なら何でも」というのはいちおう同じだけど、あいつはどちらかと言えば甘
辛《から》い方が好き。私が外に出かける時は、あいつは家で端末の前。あいつが大学の研究
そり忍び込んでいる時は、私は倉庫で一人《ひとり》でフライヤーの整備《せいび》。
りなのは顔だけだな、とは、人生のあらゆる場面でさんざん言われたこと。

だけど、まるっきり別々の姉弟だったのかと訊《き》かれると、そうとは言い切れないところは確《たし》かにあった。

小さい頃《ころ》――それこそ物心がつくかつかないかぐらいの頃から、私にはあいつの気持ちというか、「たぶん次はこうするんだろうな」というのが分かることが時々あった。友人達にも周りの大人達《おとな》にも、父《とう》さんでさえも予想出来ない弟の行動が何故《なぜ》か私にだけは完璧《かんぺき》に理解できる気がして、試しに先回りしてみたらその通りだったということが何度かあった。

たとえば、休日の昼間に民間放送の娯楽番組を観ていた弟が、いきなりその番組とは何の関係もない五百年前のヨーロッパ地方の伝統菓子の再現実験《じっけん》を始めた時。

あるいは、小学校の遠足で遊園地に出かけた弟が、帰ってくるなり南アメリカ地方の行ったこともないシティの自治政府の財務状況について調べ始めた時。

はい、これが要《い》るんでしょ――と必要な調理器具《ちょうり》や資料を差し出す双子の姉に、どうして分かったの？　と驚《おどろ》くあいつの顔を見るのは、幼い私のささやかな楽しみだった。

そして、それは逆も同じ。私が学校の授業をサボって軍の格納庫に忍び込んだ時、何となく思い立って三日がかりで北アフリカのとあるシティの軍事演習を見学に行った時、道の途中に先回りして、忘れ物だよ、と言ってお弁当と一緒《いっしょ》に基地の見取り図や緊急用《きんきゅうよう》の偽造ＩＤを差し出したのはこの弟だった。

私は最初は驚いて「なんで分かったのよ」と弟を問い詰めもしたが、そのうちすっかり慣《な》れっこになって、これは弟が用意してくれるはず、と諸々《もろもろ》の準備を手抜きするようになった。

なぜ、と人に訊かれても、上手《うま》く説明出来た試しはない。いや、訊かれる度に自分の中の筋道に従って説明はするのだが、納得してもらえたことは一度もない。弟に相談《そうだん》してみたら、向こうも同じだと困っていた。確《たし》か、八歳のある夏の日。真夜中のリビングでソファーに並んで座り、私とあいつは、どうしてみんなには分からないのか、父さんや周りの大人は本当は全部分かっていて自分達をからかっているのではないか、なんてことを大真面目《おおまじめ》に話し合った。

テレビに映っていたヨーロッパの風景がたまたま弟が半年前に読んでいた本の挿絵《さしえ》と似ていて、そう思って弟の顔を見ていたらいきなり、あの本に載っていた古いお菓子のことを考えているに違いないと気づいた、とか。

シティ・成都《せいと》のアイドルグループの紹介番組を観ていた姉が、かっこいい、と呟《つぶや》いたから、その時たまたま画面の端に映っていた警備《けいび》部隊の空中戦車が参加する軍事演習をこっそり見学に行くつもりに違いないと確信《かくしん》した、とか。

そういうことが自分達以外の人には本当に分からなくて、分かったとしてもそんな曖昧《あいまい》な理由で普通はいきなり行動を起こしたりしないらしい――子供なりにそう理解した双子は、不思議《ふしぎ》だね、と顔を見合わせて首をかしげた。

……それが、天樹《あまぎ》月夜《つきよ》と、天樹真昼《まひる》の関係。

自分の半身がどうのとか、魂の片割れがどうのとかいうような大層な物では無いけれど。

それでもやっぱり、あいつと私は、どこかで繋《つな》がっていたのだと思う。

天才、というのが、あいつに会った大人《おとな》が抱く第一印象の最たるものだった。

そして、あいつと二言三言でも会話した大人は例外無くその印象を確信《かくしん》に変え、「将来が楽しみですな」なんて言葉を父《とう》さんに残して帰って行くのが常だった。

六歳の頃《ころ》には既に大人向けの専門書を読み漁《あさ》り、七歳の誕生日《たんじょうび》には最初の研究らしきものをまとめていた。一番気に入ったのは数学のようだったが、そうでなくとも「学問」と名のつく物は全《すべ》てあいつの興味《きょうみ》の対象だった。物理学に化学に生物学、工学に医学に経済学に軍事学、果ては文学から歴史学、芸術学に社会学――あいつは電子データの漫画を眺める私の隣《となり》で全く同じ気軽さで難解《なんかい》な論文《ろんぶん》を次々に消化し、その全てを貪欲に吸収していった。

『これ面白《おもしろ》いよ。月夜《つきよ》も読んでみる?』

そんな言葉とともに差し出される論文は私にはどれもこれも「何が書いてあるのかすら分からない」意味不明な単語や数式の塊で、それを心から面白がっている双子の弟は当時の私にとって最大の謎《なぞ》だった。あいつが何に興味を持っているかは何となく分かっても、それの何が面白いのか、どこをそんなに気に入ったのかまでは分からない。私が困惑しているのに気づいたらしい弟はいつの間にか私に論文を薦《すす》めるのはやめるようになったが、その後もなぜか私の側《そば》を離《はな》れることはせず、寝る前には二人《ふたり》でリビングのソファーに並んで座り、私が漫画、弟が論文を読むのが常だった。

人類史上最高の物理学者、天樹《あまぎ》建三《けんぞう》の才能を受け継いだ少年。

途方も無い才能を秘めた、大科学者の卵。

そんな弟が父さんや学校の教師を困らせるようになったのは、確《たし》か、小学校に上がってすぐくらいの頃だった。

『あの人達はどうして、あんな無駄《むだ》なことをしてるの？』

最初は確か、公営放送のニュース番組を見ていた時だと思う。南アフリカのとあるシティが開発した新技術の使用許可に関する訴訟が国際法廷で決着した、という報道をぼんやりと眺めていた弟は、いきなり、テーブルの向かいで紅茶を淹《い》れていた父さんにそんな質問をぶつけたのだった。

『無駄、かね？』

『うん。だって裁判なんかしなくても、この技術の価値とかお互いのシティの財務状況とか真面目《まじめ》に計算したら、シティ・カイロがシティ・ケープタウンに対して年間三十億クレジットぐらい支払う、って結論しか出てこないじゃない』

『そーなの？』

思わず口を挟む私を振り返り、弟は、そうだよ、と解説を始めた。話の内容は私には一割も理解出来なかったが、ともかく、技術を供与するケープタウンと受け取るカイロの双方が納得出来る条件はそこしかあり得ないこと、それを国際法廷に持ち込んだために双方のシティは莫《ばく》大《だい》な裁判費用に加えて技術使用料の一部を二つのシティで折半して毎年シティ連合に供託《きようたく》することになってしまい、要するにどちらも大損をした、ということだけは分かった。

『えー、でもでも』

私はソファーの後ろから身を乗り出し、弟の顔を覗《のぞ》き込んで反論《はんろん》した。理屈はそうでもどちらのシティも少しでも自分たちが得をする方が良いと思ったのでは無いか、世の中そんなに上《う》手《ま》く話し合って解決することばかりではないのでは無いか――そうまくし立てる私に、弟はなんだか困った様子《ようす》で『そうなの?』と首を傾《かし》げ、

『けど、絶対にこっちの方が正解なんだよ? あの人達だって、ちゃんと考えればそれぐらい分かるはずなんだよ? それに……』

『こらこら、そう必死になるな』

なおも言い募ろうとする声を笑い半分に制し、父《とう》さんは大きな手で弟の頭を撫《な》でた。湯気を立ち上らせるティーカップを弟の前に置き、父さんは一つ息を吐いて自分の息子《むすこ》と娘の顔を順に眺めた。

『残念ながら、今回は月夜《つきよ》の勝ちだな。真昼《まひる》の考えは何から何まで正しいが、シティの自治政府にそれが理解出来るとは限らんし、仮に理解出来たとしても国民の賛同《さんどう》が得られる可能性が限り無くゼロに近い』

理屈では動かんのが政治というものだ――最後は独《ひと》り言《ごと》のように呟《つぶや》いてティーカップを傾ける父さんを前に、弟は難《むずか》しい顔で『そう、なのかな』と視線をうつむかせた。

私は自分が何か悪いことをしたような気がして、自分用のお菓子の皿をおそるおそる弟の前に差し出した。弟が『ありがと』と言ってクッキーを一枚口に放り込んだので、私は安心してティーカップに手を伸ばした。

家での出来事はそんなたわいもない会話で収まっても、学校となるとそうはいかなかった。クラスメート同士のけんかや、よくよく考えてみるとどうして在るのか分からないクラスのルール。そんな理屈に合わないこと全《すべ》てに弟は疑問を挟み、それは変でこれが正解だと主張し、自分の主張が受け入れられないことに困惑するようになった。

中でも問題になったのが、学校のクラス会議《かいぎ》での出来事。

学園祭の実行委員と役割分担をみんなで話し合って決めましょう、という会議の最初であいつは自分が考えたクラス全員分の仕事分担表を案として示してしまい、しかもそれが担任の教師が事前に考えていた「ベストな配置はこれだから、出来るだけこれに近い形に収まるように話し合いを誘導《ゆうどう》していこう」という正解そのものだったから、大多数の生徒がそれで納得してしまい、自分はこの役目が良い、この役目は嫌《いや》だと主張する一部の生徒が悪者のような空気になって議論が成立しなくなってしまった。

『真昼君が間違っているとか、悪いとかいうわけでは無いんですが、なんと言いますか……』

窓からこっそり覗《のぞ》き見《み》した放課後《ほうかご》の教室。立体映像のデータ表を挟んで、弟の担任の教師と父《とう》さんは難《むずか》しい顔でため息を吐《つ》いた。私はそんな二人《ふたり》を見つめるうちに、胸に訳のわからない使命感がわき上がるのを感じた。

世の中というのはなんでもかんでも正しい理屈が通ることばかりではない。どんなに賢《かしこ》くても想像すら出来ないような、全く損得の釣り合わない理由でとんでもないことをしでかす人間だって必ずいる。

それを弟に教えなければならない。それが出来るのは自分しかいない——そう思い込んだ私は、翌日からさっそく行動を開始した。

振り返って考えてみるに、あの頃《ころ》の私はかなり頭に血が上っていたというか、平たく言うとムキになっていたのだと思う。いつも難しい本ばかり読んでいて天才ともてはやされる弟に対する対抗意識《いしき》というか、姉として何かしなければという変な意地のような物は多分にあったと思う。ともかく、弟が絶対に予想出来ないことをやってびっくりさせよう、と心に決めた私は、手始めに軍の格納庫に忍び込んで、その日の朝のニュースで見た最新鋭《さいしんえい》の空中戦車に当時気に入っていた漫画のキャラクターを落書きしてやろうと考えたのだった。

軍事方面、というよりスパイ活動的な物には興味《きょうみ》があったから、以前から軍の教本をこっそり仕入れて潜入《せんにゅう》活動や破壊《はかい》工作、射撃《しゃげき》や兵器運用などの訓練は自己流で積《つ》んでいた。作戦立案に半日、準備に二日、リハーサルにもう半日。護身用《ごしんよう》のスタンガンと携帯端末、半分おもちゃみたいな麻酔銃をリュックにしまい込んだ私は、夜中に一人《ひとり》、家を抜け出した。

自分ではよく分からなかったし実を言うと今でもよく分かっていないのだが、どうやら私には弟と違って「そういう方面」に本物の才能があったらしい。見よう見まねで適当に身につけた、と自分では思っていた諸々《もろもろ》の技術は世間的に見れば「軍の特殊部隊のトップエースと比較しても遜色《そんしょく》の無いレベル」に達していたようで、警備《けいび》の兵士達は誰《だれ》一人として闇《やみ》に紛れて動く小さな女の子に気づくこと無く、結局、お守り代わりに持って行った麻酔銃もスタンガンも脅しに使う出番すら無かった。

結果は、大成功。

「十二単《じゅうにひとえ》の着物を羽織《はお》ったウサギ耳の女の子」がでかでかとペイントされた空中戦車の映像が、翌日のニュースのトップを飾ることになった。

泡を食った様子《ようす》で会見に応じる士官の映像を前に、弟はパンを運ぶ途中の姿勢でぽかんと口を開けていた。得意満面で高笑いする女の子の下に殴り書きされたサインが誰の物か、家族なら丸分かりだった。父さんは何か言いかけて『いや、まさかな……』と首を振ったが、弟はひどく困惑した様子でこっちを見つめ、おそるおそるという風に食べかけのパンを皿に置いた。

『……やったの？』

『うん』

この事件が大事にならなかった理由は、もちろん軍の上層部に父さんの知り合いが山ほどいたからというのもあるだろうが、最大の物は「潜入《せんにゅう》工作に使われた技術が見事すぎて、七歳の女の子の単独犯と言っても誰《だれ》にも信じてもらえない」ということだったらしい。軍隊がスポーツ選手のような扱いを受けていた平和な時代ということもあって私は「いたずら好きな女の子」として軍の人気者になり、実質的に施設に出入り自由の立場を手に入れた。

そうなれば、あとはやりたい放題。

弟をびっくりさせる、という大目標のために、私は思いつく限りの無茶《むちゃ》をしでかした。

フライヤーの整備《せいび》の手伝《てつだ》いをするついでに演算機関《きかん》をこっそり改造し、最高速度が通常の三倍で誰にもまともに扱えないお化け機体を作り上げた。軍事演習の見学と称して戦艦《せんかん》の砲塔を勝手に操作《そうさ》し、撃墜機《げきついき》を量産して模擬戦《もぎせん》を再試合に追い込んだ。司令部の端末室に忍び込んで生産プラントの運用計画書をねつ造し、食堂のメニューに激辛《げきから》ラーメンと超激辛麻婆豆腐《マーボーどうふ》を追加させた。「祭典」の出場者の選考会を兼ねた射撃大会に適当な変装で紛れ込み、並み居るベテラン兵士を押しのけて優勝《ゆうしょう》をかっさらった。

特にこの射撃大会の時は大人《おとな》との体格の違いを誤魔化《ごまか》すためにヘルメットと軍服の中に高分子性の動きにくい着ぐるみを着込んでいたのだが、それで全弾命中の歴代トップスコアを叩《たた》き出したものだから他《ほか》の参加者達が恐慌をきたしてしまい、その日のうちに転属を願《ねが》い出る者が続出、残った兵士も全員が再訓練を志願《しがん》したという話を後で聞いた。

『月夜《つきよ》はすごいね。本当にすごいね』

そんな数々の成果を誰よりも喜んだのは、他ならぬ双子の弟だった。私が巻き起こす事件がローカルニュースの話題になる度にあいつは映像端末の前で大笑いし、手を叩いて歓声を上げた。そのうちにあいつは私の作戦を勝手に予想して先回りで準備を進めるようになり、ついには私が食いつきそうな軍事演習や新兵器の情報を仕入れては『こんなの見つけたよ』と私をけしかけるようになった。

そして、そんな弟の変化は、普段《ふだん》の言動にも表れた。

弟は以前ほど理屈や正しさにこだわることが無くなり、一見すると無意味だったり遠回りだったりする世の中の色々なことを積極的《せっきょくてき》に受け入れるようになった。

『まあ、これはこれで面白《おもしろ》いよね』

頭の良いあいつのことだから、本当は私の考えなんてお見通しだったのかもしれない。私が思い詰めてこれ以上無茶なことをしないように、調子《ちょうし》を合わせてくれただけなのかもしれない。

それでも、弟は確《たし》かに変わった。

学校でときおり出くわす理屈に合わないルールやクラスメートの主張——それをあいつは笑顔《えがお》で受け入れ、大問題になりそうな時だけは誰にも気づかれないようにフォローして、あとは事の成り行きを楽しむようになった。

『正しい答えは機械でも出せる。馬鹿《ばか》をやるのが人間の仕事だ……ってね』

父《とう》さんの口癖《くちぐせ》をあいつが真似《まね》するようになったのは、確《たし》かこの頃《ころ》だ。理論《りろん》や知識《ちしき》、理屈が好きなのは幼い頃《ころ》からのそのまま、あいつはそれが受け入れられない状況を楽しみ、時には自ら進んでそこに飛び込んでいくようになった。

そんなあいつの周りには、すぐに大勢の友人が集まるようになった。あいつは友人達が持ち込むどう考えても計算の合わない主張や企《たくら》みに嬉々として付き合い、その度《たび》に担任の教師を『君みたいな頭の良い子がねえ』と呆《あき》れさせ、同時に喜ばせた。

私の弟、天樹真昼《あまぎまひる》は、変わった。

……だけど、それは本当だったのかと、私は今、疑問に思っている。

人間は、そんなに簡単《かんたん》には変わらない。

どんな人だって、何があっても絶対に消せない、その人の本質とでも言うべき部分を心のどこかに持っている。

もちろん私にもそれはある。理屈を考えるより直感に従うのが好き。機械《きかい》を見るとわけも無く心が躍《おど》る——積《つ》み重ねた知識《ちしき》や経験《けいけん》を全《すべ》て取り払った後に残る一番根っこの、底のところは、誰《だれ》に何を言われてどんな出来事に遭遇しても変わらないし、ここぞという場面では必ず顔を出して私の選択を決定する。

だからきっと、あいつも同じ。

あいつは今でも、心のどこかで『理屈』や『正しさ』というものの力を信じている。

もちろんその力が通用しない場面が山ほどあることを、あいつは誰よりもよく知っている。大気制御衛星《えいせい》の暴走《ぼうそう》事故や大戦によって荒廃した世界を見て、シティの軍に追われて大人《おとな》になった今なら尚更《なおさら》だろう。

それでも、変わらないものは変わらない。

あいつの頭の奥には今でも、理屈の通らない世界に困惑していた、幼い頃のあいつがいる。バカにしている、というのでは無いと思う。むしろ、あいつほど「人間」というものを心から信じているヤツはいない。

あいつは世の中の人間全部に、自分の理屈が通じると思っている。

もちろん簡単ではない。目先の損得に惑わされて正しい計算が出来ない人もいるだろう。自分の感情を優先《ゆうせん》して、計算を放り捨てる人もいるだろう。

でも、本当にぎりぎりの瀬戸際《せとぎわ》なら。

それこそ世界が滅びるか滅びないかというぐらいの瀬戸際なら、みんなきっと間違えない。きちんと説明して、説得すれば、最後には必ず分かってもらえると思っている。

ひょっとするとあいつ自身も、はっきりと自覚していないのかもしれない。だけど、私には誰よりも、たぶんあいつ自身よりもそれがよく分かる。賢人会議《けんじんかいぎ》の参謀《さんぼう》を名乗り、シティに戦争を吹っ掛け、「このままだと世界が滅びますけどどうしますか？」と世界に問いを突きつけたあいつの姿が、私には、幼い日にリビングの映像端末の前でふてくされていたあいつの姿に重なって見える。

——正しい理屈は、必ず人に通じる。

あいつは今でも、心のどこかで信じている。

そうでなければ、世界を変えるなんて無茶《むちゃ》なことを、あいつが思いつくはずがないのだ。

第九章　善意の対価　～Stairway to Hell is surfaced with good will～

地鳴りのような人々の足音と怒号が、鉛色《なまりいろ》の天蓋《てんがい》に轟《とどろ》いた。

シンガポール二十階層の円形の外周に等間隔に開かれた三十六の階層間バイパス道、その全《すべ》てからあふれ出た数万の市民は街を十字に走る大通りを東西南北全ての方向から整然《せいぜん》と押し進み、すでに中央区画、賢人会議《けんじんかいぎ》の魔法士《まほうし》達が滞在する迎賓館《げいひんかん》を包囲しつつあった。

軍の警備《けいび》部隊による制止は何ら意味を成《な》さなかった。司令部が混乱した状況で発砲許可を与えられない兵士達は、叫びを上げて押し寄せる人の濁流《だくりゅう》を為す術《すべ》もなく見送った。一部の勇敢な兵士はそれでも市民達を押しとどめようと徒手《としゅ》でこれに立ち向かったが、その行為は幾人かの負傷者を生み、人々の狂乱をいっそうかき立てることとなった。

迎賓館の周囲に集《つど》った市民達はそれぞれに声を張り上げ、自分たちの主張を声高《こわだか》に叫び始めた。大多数の声は『賢人会議が神戸《こうべ》を滅ぼした』という先ほどの放送に対して説明を求め、疑惑の中心である参謀《さんぼう》役の青年の登場を要求するものであったが、中にはここぞとばかりに『同盟反対』と書かれた立体映像のプラカードを振りかざし、賢人会議のシティ外への退去を要求する声もあった。

魔法士《まほうし》に対する反感をぶちまける者、ここにいる魔法士達には関《かか》わり無いはずの大戦中の虐《ぎゃく》殺《さつ》行為に対して謝罪《しゃざい》を要求する者、果ては隣人《りんじん》と肩を組んでシンガポールの国歌を歌い始める者——

響《ひび》き渡る叫び声に断続的な投石の音が入り交じり、警備《けいび》兵《へい》達の制止の声をかき消した。

この建物の中にいるのは一人一人《ひとりひとり》が一部隊、場合によっては一個師団に匹敵する最高レベルの兵器であり、その気になれば自分達など血の一滴すら残さず消し飛ばすことが出来る——その事実を、人々が正しく理解していたかは疑わしい。もちろん知識《ちしき》としては誰《だれ》もが把握していたはずではあるが、市民のほとんどは魔法士と直接遭遇した経験《けいけん》など無いし、当然ながら兵士として交戦したことも無い。

目の前の兵士が構える銃と魔法士が持つI－ブレインとの間に存在する、戦力としての絶望的なまでの差。

それをシンガポール市民が実感としてイメージ出来ないのはやむを得ないことであり、その無知こそが彼らをこの無謀《むぼう》な行動に駆り立てているとも言えた。

賢人会議《けんじんかいぎ》の魔法士達は市民との衝突《しょうとつ》を避けるために警備を自治軍の兵士に委《ゆだ》ねて迎賓館《げいひんかん》の内部に閉じこもっていたが、その対応は市民達をさらに勢いづかせた。いかに魔法士が一級の兵士であると言ってもこれほどの数の人間を制圧する力は持っていないのでは無いか、魔法士達は実は自分達の行動に恐れをなしているのでは無いか——そんな錯覚《さっかく》に突き動かされて市民達は声を張り上げ、手にした立体映像のプラカードを高らかに掲げた。

階層間バイパス道からあふれ出る人の流れはとどまるところを知らず、その数は十万を超えようとしていた。公営放送のカメラが映し出す二十階層の空撮《くうさつ》映像、青ざめた顔で自制を訴えるキャスターの声を背後に人々は次々に家を飛び出し、通りを行く人の流れに乗って魔法士達の居城へと集結していった。

——西暦二一九九年八月二十八日、午後七時。

シティ・シンガポールを覆《おお》う混乱は、加速度的にその密度を増しつつあった。

＊

無数に連なる人々の怒声が、防弾仕様のフライヤーの車体を震《ふる》わせた。

通りを埋め尽くす市民の群れを窓越しに見下ろし、錬《れん》は唇を噛《か》んだ。

「ともかく状況はこちらで打開する！　貴方《あなた》達はそのまま……ディー、聞こえているか？　聞こえているなら——！」

襟元《えりもと》の通信素子に向かって必死に叫んでいたサクラが、舌打ちと共に小さな素子をむしり取る。フライヤーの後部座席、錬の隣席に座った少女は手にした素子を床に叩《たた》き付けようとして寸前で止め、握りしめた自分の手を睨《にら》み付ける。

「敵側の通信妨害だ」前列、操縦席《そうじゆうせき》からフェイの声「先ほどの放送と前後してシティ内の通《つう》信網《しんもう》の中枢《ちゆうすう》が攻撃《こうげき》を受け、迎賓館《げいひんかん》の周囲一帯で有線《ゆうせん》、無線双方の回線が制御不能となった。技術部が復旧にあたっているが、システムが安定するには今しばらく時間を要する」

「例の『神戸《こうべ》の生き残り』の仕業《しわざ》か」サクラは怒りを抑えるように荒く息を吐き「このシティの防衛態勢はどうなっているのだ？　いかに相手がかつては自治軍の正規部隊に属していた手《て》練《だ》れとはいえ、こうもたやすく攻撃を許すとは」

「本来なら有り得ないことだ」フェイは後部座席を振り返ること無くハンドルを操作し「が、自治政府の議員《ぎいん》の手引きがあったとすればその限りでは無い」

「……面倒《めんどう》な」

同感だ、というフェイの呟《つぶや》き。

その声を意識《いしき》の端に、錬《れん》は脳の記憶《きおく》領域を叩《たた》いてシンガポールの地図を引っ張り出す。

現在位置は二十階層北東地区の上空百メートル。錬とサクラ、フェイの乗る軍用フライヤーは軍司令部や政府の主要施設が集中する一帯を離《はな》れ、政府関係者の住居が建ち並ぶ区画に差し掛かっている。周囲には警備部《けいびぶ》のフライヤーが慌ただしく飛び交い、眼下の通りを行く市民の群れに対して最大音量の警告を発し続けている。

目的地はここから北に二キロ、外周にほど近い一画。

そこに、シンガポール自治政府議員リン・リーの邸宅は存在している。

「とにかく、話は分かった」首に繋《つな》がった有機《ゆうき》コードを力任せに引き抜き、視界に二重写しに表示された禿頭《とくとう》の男の画像と邸宅の見取り図を睨んで「この人が同盟反対派のトップで、真昼《まひる》兄《にい》が撃《う》たれたのも誘拐《ゆうかい》されたのも全部この人の仕掛けで、要するに僕らはこの人を押さえれば良いんだね」

一息にそう吐き出して、それ以上余計な言葉が出てこないように口を閉じる。膝《ひざ》に置いた両手に力を込め、震《ふる》えそうになる足を押さえ込む。

焦るな、焦るな、と頭の中で繰《く》り返す。

膨《ふく》れ上がる不安を追い出そうと、何度も荒い息を吐く。

「現状における最善の手段だ」感情を感じさせないフェイの声「誘拐実行犯との連絡手段を特定した上でこちらから直接交渉を行い、参謀《さんぼう》殿を解放させる。その後はリー議員に今回の謀《ぼう》略《りゃく》に関する一切を市民の前で証言してもらい、事態の沈静化を図《はか》ることになる」

「……尋問の準備は？」

「情報部に話は通してある。脳の直接スキャンをすでに手配済みだ」

答えて、男はハンドルを握るのとは逆の手で立体映像のタッチパネルを操作し、

「屋敷《やしき》の構造図は自治政府に正式に登録《とうろく》されているデータだが、実際にはそこに記載されていない区画があると考えるべきだろう。この建物には同盟反対派の議員が度々《たびたび》出入りしていた形

跡がある。会合に利用するために相応のセキュリティを施した隠し部屋《べや》が存在すると考えて間違いない」

「頼りない情報だね」

「リー議員《ぎいん》は自治政府内でも有数の実力者だ。こちらもかなり以前から内偵は行ってきたが、民間人を相手にするのとは話が――」

違う、という言葉が途中で途切《とぎ》れる。フェイは頭上に浮かぶ小さなディスプレイの一枚を目の前に引き寄せ、小さく何事かを呟《つぶや》いてディスプレイを天井《てんじょう》の隅に押しやり、

「代表殿には悪い知らせだ。二十階層に配備されていた警備《けいび》部隊の一つが市民の襲撃《しゅうげき》を受け、数台のフライヤーが奪取された。機内《きない》に積載《せきさい》されていた重火器数十と設置式のノイズメイカーを含めた一個小隊分の装備が市民の手に渡ったことになる」

錬《れん》は目を見開く。

驚《おどろ》いて視線《しせん》を向けると、サクラは険しい表情で目の前の空間を睨《にら》み、

「正確《せいかく》には、市民に紛れた神戸《こうべ》の工作員の手に、だな？」感情を押し殺すように深く息を吐き
「想定の範囲内《はんいない》ではあるが、最悪に近い状況だ。勢いづいた市民が迎賓館《げいひんかん》に攻撃を加えるようなことがあれば、こちらの仲間も抑えが効かなくなる。そうなれば、市民の命の保証は難《むずか》しい」

「承知している。代表殿に言われるまでも無い」

わずかに早口で応じて、フェイは小さな黒い素子を後ろ手に差し出し、

「我が軍で正規に利用しているノイズメイカーの抗体デバイスだ。リー議員が自宅警備に独自パターンのノイズを採用している可能性は当然高いが、気休めに預けておく」

錬は無言でデバイスを受け取り、自分の首に押し当てる。隣《となり》では同様にデバイスを受け取ったサクラが「感謝《かんしゃ》する」と男に視線でうなずき、

「周辺の警備部隊への連絡は？」

「司令部からリー議員の逮捕命令は出ているはずだが、期待は出来ない」フェイはハンドルを巧《たく》みに操作《そうさ》して正面を横切る巡回警備の軍用フライヤーと寸前ですれ違い「市民のデモへの対応で指揮系統が混乱しているのに加えて、例の『賢人会議《けんじんかいぎ》が神戸を滅ぼした』とする放送によって現場の兵士が浮き足立っている。正確な情報が伝達されない状況だ」

「我々の方が議員宅を攻撃する賊《ぞく》と認識《にんしき》される可能性が高いということだな」サクラはうなずき、自分のノイズメイカーを首に接続して「リー議員が既に逃亡した可能性は？」

「動向は完全に押さえている。少なくとも現時点で自宅にいるのは間違いない」答えてフェイはハンドルを切り「が、時間的猶予《ゆうよ》は無いに等しい」

「猶予が無い？」

どういうことかと、サクラが眉《まゆ》をひそめる。

「最大の問題は、リー議員が既に捨て身だということだ」フェイはタッチパネルを叩《たた》いて機体を急加速させ「議員は高潔《こうけつ》で知られる人物だ。手駒《てごま》とした工作員が自決を図《はか》るような策を容認

した以上、自らの保身を考えることは有り得ない。こちらの捜査の手を断ち切り計画を完成させるための最善の手段が何か、既に正しく理解しているはずだ」

それは、とサクラが息を呑《の》む。

ほとんど同時に錬《れん》もその考えに思い至り、

「――自分自身の口封じ」

「話が早い」参謀殿《さんぼうどの》の薫陶《くんとう》か、とフェイは小さく呟《つぶや》き「そして、仮にそうなった場合、事態はより深刻な物となる。そもそも、このシンガポールおいてリー議員《ぎいん》が公然と同盟反対の立場を取っていられるのは、彼が議会全体の四割以上を占める最大派閥《はばつ》のトップだからだ。現状で彼の派閥に属する議員の大半は同盟賛成《さんせい》を掲げているが、その選択は光耀《クアンユー》の予測という大義名分に押さえつけられた妥協の産物に過ぎない」

指先でハンドルを叩《たた》く、かすかな音。

フェイは無表情のまま、ミラー越しに後部座席に視線《しせん》を向け、

「加えて、リー議員は政界に身を転じる以前は軍の幹部として先の大戦にも参加し、次の総司令と目《もく》されていた人物だ。軍には今でも、議員をかつての上官と慕う将校が少なくない。組織《そしき》としてのシンガポール自治軍は賢人会議《けんじんかいぎ》との同盟に協力していても、内部にはリー議員の主張に賛同し、今回の同盟に不満を持つ分子が巣食っているのが現状だ」

とっさに、錬はサクラと顔を見合わせる。

そんな状況で、リー議員が同盟関係を葬り去るために自ら命を絶つ。

それはつまり——

「リー議員が殉教者《じゅんきょうしゃ》になる、同盟反対の象徴に祭り上げられることになる、と？」

「軍と議会に対する抑えが効かなくなる可能性がある」サクラの問いにフェイは無機質《むきしつ》な視線で応《こた》え「賢人会議を取り巻く状況は、先ほどの放送によって大きく変化している。今回の同盟に対する市民の不満、『魔法士《まほうし》』という存在に対する不安が一気に表面化した形だが、ここで軍が一部でも統制を失って敵側に回るような事があれば、もはや事態は収拾不可能だ」

男の手が、機械的な動作でハンドルを切る。

行き交う警備《けいび》部隊のフライヤーを寸前でかわし、フェイは操縦席《そうじゅうせき》の正面を見据えたまま、

「手段は問わない。後の処理は全《すべ》て私が行う。迅速《じんそく》にリー議員の身柄確保《かくほ》を」

「無論《むろん》だ、と言いたいところだが」サクラは前席に身を乗り出し「貴方《あなた》の言葉が正しいとすると、議員は既に命を絶った後では無いのか？　無駄足《むだあし》を踏んでいる猶予《ゆうよ》は我々には無いはずだが」

その言葉に、錬は脳内時計《どけい》の時刻に意識《いしき》を向ける。『賢人会議が神戸《こうべ》を滅ぼした』と主張する放送が始まって既に十数分。少女の言うとおり、リー議員がその気なら時間は十分すぎるほどあったはずだ。

「その点については問題無い」が、フェイは無表情に操縦席の正面を見つめたまま「リー議員

は間違いなくまだ存命だ。保証しよう」

何故《なぜ》、と問い返す間も無く男の手がハンドルを操《あやつ》り、機体《きたい》を大きく傾ける。垂直に地表を向く姿勢になった軍用フライヤーの正面、ナイフのような機首から突き出た荷電粒子砲の砲身が眼下に広がる銀灰色《ぎんかいしょく》の屋根を捉《とら》える。

三人を乗せたフライヤーは、既にリン・リー議員《ぎいん》の私邸、その直上。

本来は太古の神殿に似た佇《たたず》まいであるはずの広大な建造物は全《すべ》ての壁面《へきめん》と屋根を分厚い金属質の隔壁《かくへき》に覆《おお》われ、外壁に等間隔に設置された荷電粒子砲の方向を四方に突き出して完全に要《よう》塞《さい》の様相を呈している。

扉や窓など、入り口として利用可能な部分は一つ残らず隔壁の内側。

公用回線《かいせん》で割り込んできた立体映像の警告《けいこく》メッセージが、敷地《しきち》からの即時退去を要求する。

「どうする？　システムを乗っ取ってセキュリティを解除するなら……」

「その時間が惜しい。ここは手早い手段で行く」

サクラの言葉に簡潔《かんけつ》に答え、フェイは立体映像のタッチパネルを叩《たた》く。小さな半透明のディスプレイがハンドルのすぐ側《そば》に出現し、熱《ねつ》や音響《おんきょう》など複数の要素で眼下の邸宅の内部状況を映し出す。

四階建ての邸宅の少なくとも上半分は、確実《かくじつ》に無人。

後部座席から視線を走らせた錬《れん》がそれを確認すると同時に、行くぞ、というフェイの声と共に機体がこれまでで最大級の加速を見せる。

フライヤーの先端から光がほとばしり、薄闇《うすやみ》の向こうに紫電を散らす。放たれた荷電粒子の光が情報の側からの防護《ぼうご》が施されていると思《おぼ》しき隔壁にわずかな穴を穿《うが》ち、その穴にフライヤーの機首の鋭《するど》い切っ先が突入する。

金属が軋《きし》む異様な音と共に、座席を襲う爆発的《ばくはつてき》な衝撃《しょうげき》。

軍用フライヤーの六メートル余りの機体は速度と質量に任せてチタン合金の隔壁とその内側に隠された屋根を粉砕し、自らも全ての窓を砕かれてプラスチックの破片を撒《ま》き散らしながら邸宅の四階部分を突き破ってさらにその下、三階の大広間にまで到達する。

(運動係数制御デーモン「ラグランジュ」起動。知覚速度を二十倍に設定)

I－ブレインによって加速された錬の視界の中、あらゆる物が衝撃に吹き上がる。建物の天《てん》井《じょう》と床を構成する強化コンクリート、それを覆う壁材、年代物らしき家具の数々、十数メートル四方の広間の中央に設《しつら》えられた巨大な木製のテーブル——行く手に存在するおよそありとあらゆる物を質量に任せて打ち砕き粉微塵《こなみじん》に撒き散らしたフライヤーは、奥の壁《かべ》に激突《げきとつ》してもなお速度を殺しきれず、壁面に火花を散らしながら広間を高速で滑走する。

そんな状況を意識《いしき》の端に、錬は砕けた窓から一挙動に機外に飛び出す。周囲を落下する無数の瓦礫《がれき》を足場に五倍速の動きで大きく跳躍《ちょうやく》し、着地と同時に『仮想精神体制御《チューリング》』を起動。足下の床材を生物化して手のひらほどの穴を開け、内部に隠されたケーブルの束を露出《ろしゅつ》させる。

同時にI―ブレインが警告《けいこく》を発し、攻撃予測を表す赤い光点が視界を二重映しに埋め尽くす。

(攻撃《こうげき》感知。危険)

広大な広間の四方の壁《かべ》、多くの絵画やタペストリーに彩られたそのあらゆる場所から突き出た数百の自動銃座は完全に同じタイミングで錬《れん》を照準し、空気射出のかすかな衝撃音《しょうげきおん》と共に無数の銃弾を雨あられと吐き出し始める。

(ノイズを検出。抗体デバイス作動)

脳内に一瞬《いっしゅん》だけ軋《きし》むような違和感が走り、すぐに消滅して正常な動作を回復する。床下と壁《へき》面《めん》の七カ所に隠されたノイズメイカーによって室内に満ちる電磁《でんじ》ノイズと、それを中和する抗体デバイスの逆位相のノイズ――その二つをI―ブレインの基礎《きそ》領域に認識《にんしき》しつつ、錬はたった今生物化したばかりの床材から巨大な腕を生成。全方位から降り注ぐ銃弾の雨の一部を受け止め、生じた空白地帯に身を滑り込ませ、

(高密度情報制御を感知)

I―ブレインの仮想視界の先、火花を散らして広間を滑り続けるフライヤーの直上を二筋の長い黒髪が躍《おど》る。錬とは反対側のドアから機外《きがい》に飛び出したサクラは空気結晶の鎖《くさり》を足場に広間の天井《てんじょう》すれすれまで跳躍《ちょうやく》。空中に身を反転させつつ、黒い外套《がいとう》の裏に右手を差し入れる。

瞬時に引き抜かれた手には、鈍《にぶ》い銀色《ぎんいろ》の光を放つ投擲《とうてき》ナイフと、同じく銀色の土台に深紅《しんく》の宝石が埋め込まれた幾何学的な意匠の指輪《ゆびわ》。

漆黒《しっこく》の外套を銃弾の間隙《かんげき》に翻《ひるがえ》し、少女は手にしたナイフを一挙動に投げ放つ。

（危険）

銀色の投擲ナイフが少女の目の前で無数の細かな破片に砕け、超高速の弾丸となって四方の壁に降り注ぐ。少女の切り札『魔弾《まだん》の射手』、おそらくはその応用。電磁加速によって放たれた金属片の奔流《ほんりゅう》はとっさに身をかがめる錬の頭上をかすめて四方の壁に突き立ち、針山のごとく突き出た無数の銃身を強化コンクリートの壁ごと吹き飛ばす。

フェイ一人《ひとり》を乗せたフライヤーが、かろうじて広間に残された柱に衝突《しょうとつ》する。

砕けて飛散する強化コンクリートの壁とチタン合金の隔壁の向こうには夜間照明に照らされたシンガポールの街並み。警備部の軍用フライヤー数台が、二十倍加速の視界のはるか先でサーチライトの光をいっせいにこちらに向ける。

――爆発音《ばくはつおん》をかき鳴らさんばかりの勢いで、闇《やみ》の空に鳴《な》り響《ひび》く警告音の嵐《あらし》。

瞬時に脳内に命令を送り、床材の腕を構成していた仮想精神体を移動。衝撃に吹き飛ばされながら自由落下を始める壁と隔壁の破片、それに一瞬前まで自動銃座であった強化カーボンを寄せ集め、外壁と屋根に生じた穴を塞ぐ。

そんな錬の隣《となり》に、宙に身を翻したサクラが着地する。フライヤーによる最初の突入からここまでわずか五秒。少女は既にうなじに接続していた有機コードのもう一方の端を目の前の床に開いた穴に差し入れ、ケーブル束の一本、住居管理システムの回線《かいせん》に一瞬だけ接触させ、

「かなりの防壁《ぼうへき》だ。システム全体を支配する時間は無い」言うと同時に有機《ゆうき》コードを引き抜き、錬《れん》が生物化させたのとは別の床に手のひらを押し当て「ともかく発見した。地下二階奥、壁《かべ》に偽装した隠し部屋《べや》だ」

床を構成するコンクリートと木材が寄り集まり、二人《ふたり》の前に巨大な穴を出現させつつ歪《いびつ》な形状の腕を構成する。のたうつ蛇のように跳ね上がった腕が騎士《きし》の運動加速に匹敵する速度で床の穴に飛び込み、さらにその下、書斎と思《おぼ》しき二階の床に轟音《ごうおん》と共に突き立つ。

立て続けに三度衝撃音《しょうげきおん》が響《ひび》き、自身の力に耐えきれなくなった腕が崩れ落ちる。

後に残るのは、地下二階まで一直線《いっちょくせん》に続く穴。

それを脳の通常部分が認識《にんしき》するより速く、錬の身体《からだ》は跳躍《ちょうやく》する。

(「マクスウェル」起動。容量不足。「チューリング」強制終了)

脳内に『分子運動制御《マクスウェル》』を起動し、周囲の空気分子を集めて氷の盾を幾つか形成する。淡青色の盾を蹴《け》る反動で落下速度を殺し、フライヤーが数台行き来出来るほどの広さの空間に降り立つ。

錬の立つ位置から前後に延びる、金属材むき出しの広大な地下通路。

半瞬《はんしゅん》遅れて隣《となり》に降り立ったサクラと目配せを交わし、少女が先行する形で同時に五倍加速の疾走を開始する。

周囲に無数の銃声が響き、通路を満たす闇《やみ》に火花が散る。I―ブレインの仮想視界が捉《とら》えるのはそこかしこの壁から突き出た自動銃座。撒《ま》き散らされる銃弾のことごとくを空気結晶の盾で弾《はじ》き飛ばし、光源一つ無い空間をひた走り、

「――妙だな」唐突な少女の声。

錬は運動速度を一切緩《ゆる》めないまま、会話のために知覚速度を五倍に落とし、

「ここの警備《けいび》のこと？」

気づいていたか、とこっちの隣に並ぶサクラに錬はうなずく。少女の言う通り、この邸宅の警備状況はどこかおかしい。確《たし》かに無人銃座は数え切れないほど配備されているが、その程度の戦力で魔法士《まほうし》を止めるのが不可能なのは元軍人なら当然理解しているはずだ。

こういう閉鎖《へいさ》状況で最も効果的な対応手段であるはずのノイズメイカーも、どういうわけか自治軍の正規パターンで放置されたまま。

そもそも、シティ議会《ぎかい》の最大派閥《はばつ》のリーダーともなれば、子飼いの私兵や魔法士の数十人も出てこなければおかしいはずだ。

「覚悟を決めた、ってことなのかな」目の前数センチまで迫った銃弾を五倍速の動きで寸前でかわし「これから死ぬんだから、もう護衛《ごえい》は必要ないって」

「ならば、無人の防衛システムも停止させるべきだろう」サクラは黒い外套《がいとう》を翼《つばさ》に変えて後方から追いすがる銃弾を打ち払い「フェイ大使の話を聞く限りでは、リン・リーという人物は優《すぐ》れた政治家のはずだ。銃座を稼働《かどう》させるエネルギーはもちろん、銃弾一つ製造するのに必要な

エネルギーもシティの現状では無視出来る物では無い。本当に覚悟を決めた人間が、自身の最期にそんな浪費を許すとは——」

唐突に言葉が途切《とぎ》れ、少女が通路の途中で立ち止まる。わずかに遅れて錬《れん》も足を止め、身を翻《ひるがえ》すと同時に数発の銃弾を空気結晶の盾で受け止める。

目の前には、一見すると他《ほか》の部分と変わりの無いチタン合金の壁《かべ》。

I—ブレインの知覚が、空気の微細な動きを頼りにその奥に隠された空間の存在を捉《とら》える。

「詮索《せんさく》は後にしよう。フェイ大使の言葉ではないが、今は一刻を争う」

少女の言葉にうなずき、意識《いしき》を一瞬《いっしゅん》だけ通路の後方、自分達が走ってきた方角に向ける。鳴りやまない無数の銃声の遙《はる》か先、かすかな空気の振動をI—ブレインが解析し、幾つものフライヤーの駆動音と駆けつけたらしい警備《けいび》兵《へい》の怒声を錬の脳内に構成する。

時間が無い。

脳内に『仮想精神体制御《チューリング》』を起動。目の前の壁を生物化して直径一メートルほどの穴をこじ開け。少女と並んでその穴に飛び込む。

先に続くのは五メートルほどの細い通路と、この場におよそそぐわない精緻《せいち》な細工が施された木目《もくめ》調《ちょう》の扉。

一跳躍《いっちょうやく》にその通路を駆け抜けて半ば体当たりする格好で扉を押し開け、中に飛び込むと同時に手にしたサバイバルナイフを目の前に構える。

「――何者か」

二十世紀以前の物らしい調度品が幾つも置かれた部屋《へや》の奥で、禿頭《とくとう》の男が声を上げる。安楽椅子《いす》に腰掛けて手にした銃を自分のこめかみに押し当てた格好のまま、男は部屋に飛び込んできた二人《ふたり》の魔法士《まほうし》を凝視《ぎょうし》する。

同盟反対派のトップ、シンガポール自治政府議員《ぎいん》、リン・リー。

銃を持つ手をわずかに下ろし、男がシャンデリアの明かりの下に静かに立ち上がる。

「ほう……。賢人会議《けんじんかいぎ》の代表、自らのお出ましか」

「初めてお目にかかる、リン・リー議員」

投擲《とうてき》ナイフを両手に構えたまま、サクラが錬の隣《となり》から一歩前に進み出る。少女は一瞬だけ視《し》線《せん》を動かしてこっちに合図を送り、慎重な動作でさらにもう半歩、足を進める。

その背後に隠れるように身体《からだ》をずらし、錬は脳内に再び『分子運動制御《マクスウェル》』を起動、リー議員からは見えない位置に数個の空気結晶の銃弾を生成する。

議員の位置は二人の正面、直線距離《きょり》にしておよそ五メートル。手にした銃は未《いま》だに胸の高さに掲げられたまま。議員がその気になれば、自ら銃口を咥《くわ》えて引き金を引くのにおそらく一秒とかからない。

その姿と、議員がまだ生きているという事実に、改めて違和感を覚える。

……死ぬつもり、なんだよね？

外の騒《さわ》ぎはこの部屋《へや》でも聞こえていただろうから、何者かが屋敷《やしき》に入り込んだことには当然気がついたはずだ。状況を考えれば「誰《だれ》が何の目的で」というのは想像が付くだろうから、一刻も早く、と考えるのが自然のはず。死ぬ前の最期の時間を味わっていたにしても自分達がたどり着くまで待つ必要は無いし、仮にその点について納得がいくような理由があったとしても、構えていた銃をわざわざ下ろしてこの会話に付き合う必要は――

「速やかに投降を」思考を遮《さえぎ》るサクラの声「時間が惜しい。天樹真昼《あまぎまひる》の誘拐《ゆうかい》について、全《すべ》て話していただく」

「何の話か皆目見当が付かぬ」そんな少女をリー議員《ぎいん》は悠然と見据え「どうやら誤解があるように見受けるが――ともあれ、我が屋敷《やしき》に土足で踏み行った狼藉《ろうぜき》、釈明いただけるのであろうな?」

戯《ざ》れ言《ごと》を、と呟《つぶや》く少女の声。

錬《れん》が「待って!」と声を上げるよりも遙《はる》かに速く、床を蹴《け》ったサクラの身体《からだ》は五倍加速で疾走を開始する。

同時に部屋の左右の壁《かべ》から銃座が突き出し、衝撃音《しょうげきおん》と共に銃弾の最初の一つが吐き出される。少女の両手が同時に閃《ひらめ》き、放たれた二本の投擲《とうてき》ナイフが二つの銃座のことごとくに突き立つ。入れ違いに飛来した銃弾がたなびく少女の長い黒髪をかすめ、ちぎれ飛んだ数本が宙を舞《ま》う。その髪を後方に置き去りに、少女の体が正面のスーツ姿の男に迫る。

瞬間《しゅんかん》、男の手がわずかに動く。

右手に握られたままの銃が、先端を男自身に向けるような素振りを見せる。

……ああ、もう……！

迷う間もなく錬は動く。手元に隠した空気結晶の弾丸に速度を与え、銃を持つリーの手に照準を合わせて解き放つと同時に五倍加速で疾走を開始。正面を行くサクラの背後に隠れる格好で二歩の距離《きょり》を跳躍《ちょうやく》し、三歩目を大きく左に踏み出して議員の視界に飛び出す。

禿頭《とくとう》の男の視線《しせん》が、五分の一の速度でわずかに反応する。

瞬間、前を行くサクラの足が、錬とは反対側に大きく踏み出す。

黒い外套《がいとう》をたなびかせて跳躍する少女の背後で、淡青色な空気結晶の弾丸が煌《きら》めく。一瞬前まで錬がいた位置から一直線に放たれた弾丸は、同じく一瞬前までサクラの体が存在していた位置を貫通し、狙《ねら》い違《たが》わず男の右手に突き立つ。

弾《はじ》き飛ばされた銃が、五倍加速の視界の先で緩《ゆる》やかに宙を舞う。

手を押さえて苦悶《くもん》の呻《うめ》きを漏らす男の目の前、わずか数十センチの距離に錬はサクラと同時に到達する。

……とにかく確保《かくほ》……！

現実の視界にリーの姿を凝視《ぎょうし》したまま、Ｉ－ブレインの仮想視界にサクラの動きを確認する。黒い手袋に包まれた少女の指が議員の顔に一直線に伸びるのを認め、錬は踏み込んだ足を軸に反転して議員《ぎいん》の背後に回り込む。

舌を嚙《か》み切られるのを防ぐのは少女の役目、議員を気絶させるのは自分の役目——瞬時《しゅんじ》に
そう判断した錬《れん》は無防備な男の首にナイフを持つのとは逆の手を五倍加速で伸ばし、

（ノイズパターンの変化を検知）

突然の警告《けいこく》メッセージが、脳内を駆け巡った。

（演算速度異常低下。I―ブレイン停止まで三、二、）

爆発的《ばくはつてき》な痛みが、額《ひたい》の裏側に膨《ふく》れ上がった。

錬はとっさに側方に飛《と》び退《すさ》り、堪《こら》え切れずに床に片膝《かたひざ》をついた。

「——っ——！」

なおも倒れそうになる体を片手で強引に押しとどめ、あふれそうになった悲鳴を嚙み殺す。

急激《きゅうげき》に加速を失う視界の先、リー議員を挟んだ部屋《へや》の反対側で、サクラが苦悶《くもん》の視線《しせん》をこっちに向ける。壁《かべ》を支えに立ち上がろうとして失敗する少女の前に、先ほど錬が弾《はじ》き飛ばした銃が落ちる。議員が落ち着きを払った態度でスーツの襟元《えりもと》を正し、悠然と歩み寄ってその銃を取り上げる。

……いったい、何が……

脳にかろうじて残った冷静な部分が、ノイズメイカーのパターンの変化だと答える。周囲の

空間を満たす電磁《でんじ》ノイズ、首に接続した抗体デバイスによって影響《えいきょう》を消去されていたそのパターンが全く異なる物に変化し情報制御演算を阻害したのだと、機能《きのう》停止寸前のI―ブレインが状況の分析結果を伝える。

だが、何のために。

自分達の動きを止めたいのなら部屋に突入された段階、いや、それ以前にこちらが屋敷《やしき》の防衛《えい》システムと交戦している真っ最中にこの処置を行うべきではないのか――そう考える錬の前で禿頭《とくとう》の男は一つ息を吐き、

「協力に感謝《かんしゃ》する」二人《ふたり》の魔法士《まほうし》に背を向け、ゆっくりと部屋の奥に歩を進め「なかなかに上《う》手《ま》く踊ってくれた。おかげで良い画《え》が撮《と》れた」

……あ……

その言葉に、頭の中で線が繋がる。

「何を――」と声を上げようとするサクラを視線で制し、リーの背中を見据えたままどうにか立ち上がり、

「面倒《めんどう》なこと考えるんだね」片手に握ったままのナイフを腰の鞘《さや》に収め、目眩《めまい》を堪えてどうにか息を吐き「僕らは、あんたを殺した犯人ってこと？」

何、と息を呑《の》むサクラ。

「察しが良い」リーは部屋の奥、一際豪奢《ごうしゃ》な執務机の向こうで振り返り「左様《さよう》。この命、最後

の使い道ということになる」

錬《れん》から見て左手、壁際《かべぎわ》の大きな書棚からかすかな機械《きかい》の駆動音が響《ひび》く。虹色《にじいろ》の光の揺らめきと共に偏光迷彩が解除され、紙の本の間に隠されていた録画用《ろくがよう》の光学素子の存在が露《あら》わになる。

「馬鹿《ばか》な――！」座り込んだまま叫ぶサクラ「貴方《あなた》の命を奪って我々に何の得がある！　貴方は賢人会議《けんじんかいぎ》の参謀《さんぼう》の誘拐《ゆうかい》に関与した事実を隠蔽《いんぺい》するために自殺を謀《はか》り、我々はそれを止めに来た。少し調《しら》べれば真相は自《おの》ずと明らかになる！　それに……そもそも貴方はまだ存命だ！　仮にそのカメラが我々の動きを記録していたとして、そんな物が何の証拠になると――」

「同盟反対派のトップである議員《ぎいん》が自宅で死を遂げ、そこに強引に押し入った賢人会議の魔法《まほう》士《し》が警備部《けいびぶ》に捕縛《ほばく》された――そういう形が整《ととの》えばそれで良い」

静かな、リーの答え。

男は執務机の隅に手を伸ばし、空中に浮かび上がった立体映像の操作盤《そうさばん》に触れ、

「あとは私の同志が適切に処理する。……真実に意味など無い。貴公らの動きを市民がどう理解しどのような判断を下すか、それだけがこの場における全《すべ》てだ」

重苦しい機械音が頭上から響き、次の瞬間《しゅんかん》、天井《てんじょう》から落下した何かが目の前、議員のいる部屋の奥とこちら側を隔てる位置に突き立つ。続いて後方と左右の壁際《かべぎわ》。気づいた時には既に遅く、錬とサクラは四方を透明な強化プラスチックの壁に塞《ふさ》がれて閉じ込められる格好になる。

声を上げようとする錬の視界の端を、黒い外套《がいとう》が遮《さえぎ》る。

転げるようにして正面の壁に駆け寄ったサクラが必死の形相《ぎょうそう》で手にしたナイフを振り下ろすが、電磁《でんじ》加速の恩恵も無く当たり前の速度で突き立てられたナイフは透明な壁に阻《はば》まれて虚《むな》しい金属音を響かせる。

そんなサクラを巌《いわお》のような顔でしばし眺め、リーは「では、さらばだ」と呟《つぶや》く。壁越しに響くその声に呆然《ぼうぜん》と目を見開く少女にもはや一瞥《いちべつ》をくれることも無く、禿頭《とくとう》の男は末期《まつご》の杯《さかずき》とでもいうように机の上に置かれたウイスキーらしきグラスを取り上げる。

まずい、という思考。

ノイズにまみれてまともに働かない頭を総動員して、必死に考えを巡らせる。

……抗体デバイスの調整《ちょうせい》は……！

間に合わない。I—ブレインの基礎《きそ》領域を操作《そうさ》する能力を備えた錬の脳は抗体デバイスの出力を補正してノイズメイカーの電磁場パターンの変化に対応することが可能ではあるが、今回はデバイスに設定されたパターンと実際のノイズが違い過ぎる。機能《きのう》停止寸前にまで演算速度が低下したこの状態でデバイスの調整を行うには最低でもあと十分はかかる。その辺りの操作については自分よりサクラの方が経験《けいけん》豊富なはずだが、少女にしたところで分単位の時間を要することは間違いない。

情報制御が使えない以上、手持ちの装備で目の前の壁を破壊《はかい》することは不可能。

打つ手が無い。内心で歯がみする錬の前で、リー議員はグラスのウイスキーを静かに傾けて

息を吐き、

「待って！　ちょっと待って――！」

声を張り上げ、透明な壁《かべ》に駆け寄る。

強化プラスチックの壁を力任せに叩《たた》き、禿頭《とくとう》の男を射殺《いころ》さんとばかりに睨《にら》んで、

「こんな作戦、上手《うま》くいくと本当に思ってるの？　こっちには味方がたくさんいる。シンガポール自治政府の議員《ぎいん》だってほとんどは同盟に賛成《さんせい》だ。市民の人たちだって時間がたてばすぐに冷静になる。シンガポールと賢人会議《けんじんかいぎ》の同盟は予定通りに進む。そしたらあんたは犬死にだよ。それでいいの――？」

サクラが驚《おどろ》いた様子《ようす》でこっちを振り返る。口を開きかける少女を無視して「ねえ！」と叫ぶ。もちろん回答を期待しているわけではない。無理を承知の時間稼《かせ》ぎ。ほんの少しでも男の動きが鈍《にぶ》れば予想だにしない勝機《しょうき》が生まれるかも知れないと、自分でも無謀《むぼう》としか思えない望みを託して目の前の壁に再び拳《こぶし》を振り下ろす。

禿頭の男は止まらない。

錬《れん》の言葉を当然のように無視し、男は手にした銃を自分のこめかみに押し当てる。

「待ってってば！　あんたにも仲間とか部下とかいるんでしょ？　そういう人達を全部放っといて、自分だけ死んで本当に良いの？　心残りとかないの？」

勢い任せになおも叫ぶが、男には届かない。リー議員は穏《おだ》やかな顔で息を一つ。引き金にか

けられた指にゆっくりと力がこもり、

「それで、このシティはどうなるの――？」

とっさの声。

錬は握りしめた両の拳をこれ以上無いというくらいの力で壁に打ち付け、

「答えて！　あんたが同盟を認めない、シンガポールは賢人会議の敵になるべきだって言うならそれでもいい。けど、それならあんたはこのシティをどうしたいの？　残り三十年しかないシティの寿命を使って、魔法士《まほうし》をマザーコアにして他《ほか》のシティと戦争して、それで自然に何かが良くなると思ってるわけじゃないんでしょ？　あんたはこのシティを、世界をどうしたいの？」

と、リー議員の表情がわずかに動く。

こっちの言葉のどこに引っかかったのか、禿頭の男は銃口を自身に向けたまま巌《いわお》のような視《し》線《せん》を強化プラスチックの壁越しに投げ、

「小僧。賢人会議の魔法士では無いな」

「え……」

食いついた。

思ってもみなかった反応に錬は一瞬《いっしゅん》だけ戸惑い、

「そうだけど、なんで」

「今の物言い、シティ市民を犠牲《ぎせい》に魔法士《まほうし》の権利を確立《かくりつ》せんとする立場の者の言葉とは思えん」リーは自身に向けた銃口をほんのわずかに逸《そ》らし「末期《まつご》の戯《たわむ》れに訊《き》いておこう。何者だ」

「あんたが誘拐《ゆうかい》した賢人会議《けんじんかいぎ》の参謀《さんぼう》の弟だよ！」

錬《れん》は勢い込んで透明な壁《かべ》に両手を押し当てる。

ほう、とかすかに眉根《まゆね》を動かすリーの顔をまっすぐに見据え、

「それより答えて！　あんたも政治家なら、世界をどうすれば良いかとかシティはどっちに進んだら良いかとか、何かあるんでしょ？　だからこうやって命をかけてるんでしょ？」

言い募る間に一瞬《いっしゅん》だけ意識《いしき》を向け、サクラの様子《ようす》を横目に確認《かくにん》する。少女は既にこちらの意図を把握したらしく、形だけは目の前のやりとりを見守る姿勢を保ったまま、意識を集中するように視線《しせん》を虚空《こくう》の一点に向けている。

それを視界の端に、もう一度「ねえ！」と声を張り上げる。

と、リーはどこか呆《あき》れたような顔で息を吐き、

「小僧。貴様、政治という言葉の意味を履《は》き違えておるな」

「え……」男の意図を飲み込めず、錬は口ごもり「な、何言ってるの！　それがあんたみたいな議員の仕事でしょ？　どうやったらみんなが幸せになるか考えて、そのためにシティはどっちに進んだら良いか考えて……」

「それは市民が選択すべきことだ」

巌《いわお》のような声。

リーは透明な壁の向こうでこっちに向き直り、銃を持つ手を下ろして、

「シティはいかにあるべきか、世界はいかなる姿に向かうべきか、そのために市民は何をすべきか、どのような困難《こんなん》や不遇を許容し甘受せねばならぬか――それを決定するのはあくまでも市民の総意だ。政治家とはな、小僧、その市民の総意を最善の手段で現実の形にするという役目を請《う》け負った代行者に過ぎぬのだよ」

思ってもみなかった言葉。

錬は男の顔を呆然《ぼうぜん》と見つめ、我に返って勢いよく首を左右に振り、

「ま、待って！　変だよそれ！　そりゃ、みんなで話し合って何か決まればそれが一番良いけど、難《むずか》しい問題ならどうしても意見がまとまらないこともあるでしょ？　その時に『こうしよう』って最後に決めて、みんなに命令して責任取るのが」

「それは絶対者たる神や王の振《ふ》る舞《ま》いだ」リーはこっちの顔を見据えたまま「太古の昔、国が一人《ひとり》の王を神の遣《つか》い、至高の存在と崇《あが》め、万民がその足下にかしずいた時代ならばそのような暴挙《ぼうきょ》も許されたであろう。だが、我々は神でも無ければ王でも無い。……シティの主権者はそのシティに暮らす市民自身であり、市民はシティの行く末を決定する権利とその結果に責任を取る義務を負う――それが民主政治だ」

何を、と呟《つぶや》く声が上手《うま》く言葉にならない。

目を見開く錬《れん》の前で禿頭《とくとう》の男は息を吐き、

「小僧。貴様は今、『責任』と言った。政治家は市民に命令を下し、その結果に責を負うべきと。だが、責任を取るとはどういうことか？　シティの機能《きのう》を削減すれば、そのしわ寄せを受ける者は必ず生まれる。本来なら得られるはずの糧《かて》を得られずに苦しむ者、本来なら治るはずの病に命を落とす者。……絶対者たる神ならば、自分の所有物であるそれらの民の『幸福』や『命』に対して責任を取ることも出来よう。だが、政治家はどうする？　彼らの不幸や死の代価として幾ばくかのクレジットを国庫から支払い、公共放送で謝罪《しゃざい》をすれば責任を取ったことになると？」

「だ、だけど！」錬は今の状況も忘れて必死に考え「シティがこのままじゃいけないのはあんたも分かってるでしょ？　賢人会議《けんじんかいぎ》と同盟を結ばなくたって、結局、別な何かの形でシティの体制を変えていかないといけないのは——」

「無論《むろん》だ。だが、その変革を我々が強制することは許されぬ」

静かな答え。

リーはわずかも表情を動かすことなく、

「世界は優《すぐ》れた個人が変えていくべき物ではなく、人々の総意によって自《おの》ずから変わっていくべき物。『未来のために、弱者を切り捨てても変革を行うべし』という意思は、名も無き数多《あまた》の民衆の間から自然に湧《わ》き上がる物でなければならん。そうでなければ、世界は変革に耐えられん。仮に私が認め、シンガポール自治政府に属する全《すべ》ての議員がそれを認めたとしても、民衆の同意が得られぬのであればその変革はいずれ決定的な破局を招くことになる」

それは、という声にならない声が、唇から漏れる。

男が口にした、賢人会議との同盟を否定する理由。

それと同じ理由で真昼《まひる》を止めようとしている人間を、錬はよく知っていた。

……この人、月姉《つきねえ》と……

「——それが貴方《あなた》の信念か」

唐突に投げられる声。

驚《おどろ》いて振り返る錬の前で、サクラは左手、透明な壁《かべ》を支えに立ち上がり、

「初めて貴方という人物が理解出来た。……なるほど、どうやら貴方は敬意に値する人物のようだ——！」

言うと同時に閃《ひらめ》いた少女の右手が、外套《がいとう》の裏から投擲《とうてき》ナイフを二本つかみ出す。腕を振り上げる動作で一投、振り下ろす動作でさらに一投。時間差を置いて放たれた二本のナイフはリー議員と錬達を隔てる壁にまっすぐに進み、次の瞬間《しゅんかん》、ノイズにまみれた錬の脳内にシステムメッセージが浮かび上がる。

(高密度情報制御を感知)

かろうじて知覚速度が加速された錬の視界の中、電磁場《でんじば》の銃身にとらわれたナイフが加速す

る。瞬時《しゅんじ》に高速弾体と化した二本のナイフは紫電を撒《ま》き散らして強化プラスチックの透明な壁《かべ》に突き立つ。

一本目のナイフが、情報の側から強化が施されていると思《おぼ》しき壁に放射状の亀裂《きれつ》を穿《うが》ち、弧を描いて跳ね返る。

二本目のナイフが初めのナイフと完全に同じ位置に突き立ち、透明な壁に今度こそ拳大《こぶしだい》の穴を生じさせる。

最初のものと同様に弧を描いて跳ね返るナイフを追った錬《れん》の視界を、銀色《ぎんいろ》の光が一直線《いっちょくせん》に横切る。少女の手から放たれた三本目のナイフが壁の穴を通過し、部屋《へや》の向こう、リー議員《ぎいん》の右手から銃を弾《はじ》き飛ばす。長い黒髪が翻《ひるがえ》る。完全にI―ブレインの機能《きのう》を回復したらしいサクラはさらなるナイフを両手に構え、正面の壁めがけて五倍加速で疾走を開始し、

(ノイズパターンの変化を検知。補正処理を強制終了)

脳内を駆け巡る激痛《げきつう》。

禿頭《とくとう》の男が傍《かたわ》らの机に手を伸ばし、片隅に立体映像で表示されたタッチパネルに触れると同時に、錬の視界を無数のエラーメッセージが埋め尽くす。

周囲のノイズパターンが直前までと全く異なる物に書き換わり、脳内で構築されかかっていたノイズに対する補正パターンが全《すべ》て消滅する。甲高《かんだか》い金属音が一瞬《いっしゅん》遅れて響《ひび》き、壁に跳ね返ったナイフが錬の目の前に落ちる。両手のナイフを振り下ろす姿勢のまま、サクラが動きを

止める。苦悶《くもん》に顔を歪《ゆが》めた黒髪の少女が、崩れ落ちるようにその場にうずくまる。

「賢人会議《けんじんかいぎ》の代表はノイズメイカーを無効化する能力を持つという情報、真《まこと》であったか」

淡々とした、リーの声。

状況を理解した男がノイズパターンを変化させたのだと、痛みで上手《うま》く働かない頭がようやく理解する。

「とはいえ、その能力の使用にはある程度の時間を要するようだな。そちらの小僧の会話は時間稼《かせ》ぎであったか」

残念だったな、というかすかな呟《つぶや》き。

呆然《ぼうぜん》と見つめる錬とサクラの前で、リーは取り落とした銃に手を伸ばし、

「――いや、十分だ」

この部屋の三人、誰《だれ》の物とも異なる男の声。

驚《おどろ》いて見上げる錬の頭上で精緻《せいち》な細工が施された天井《てんじょう》に亀裂《きれつ》が入り、次の瞬間、粉々に砕けた天井の建材とシャンデリアと共に見知った人物が落下してくる。

シンガポール自治政府議員、フェイ・ウィリアムズ・ウォン。

完璧《かんぺき》なスーツ姿の男は片膝《かたひざ》を付く姿勢で錬の傍《かたわ》らに降り立ち、どこか機械的な動きで瞬時に立ち上がり、

「次回からは情報を共有していただきたい、代表殿。この部屋の位置を特定するのに時間を浪

費した」

「フェ、フェイ大使……?」

うずくまった姿勢のまま顔を起こし、サクラが呆然《ぼうぜん》と声を上げる。コンクリート塊と共に床に叩《たた》き付けられたシャンデリアが甲高《かんだか》い破砕音を撒《ま》き散らし、無数のガラスの破片が光と共に周囲に飛び散る。錬《れん》は事態が飲み込めずに一瞬《いっしゅん》ぽかんと口を開け、すぐに状況を思い出して透明な壁《かべ》の向こうを振り返る。

驚《おどろ》いた様子《ようす》で動きを止めていたリー議員《ぎいん》が、我に返って銃を拾い上げる。

声を上げかけた錬の視界を、黒いスーツが遮《さえぎ》る。

ほんのわずかな機械《きかい》の駆動音を錬は聞く。フェイは通常の人間では有り得ない速度で錬の傍《かたわ》らを駆け抜け、あろうことか、そのまま一切速度を殺すこと無く目の前の透明な壁に突入する。鋼鉄《こうてつ》を上回る強度を有するはずの強化プラスチックの壁が、すさまじい破砕音と共に粉微塵《こなみじん》に砕け飛ぶ。

体勢をわずかも乱すこと無く、顔や頭部を腕でかばうことすらせず、文字通りそのままの姿勢で五メートルの距離《きょり》を駆け抜けたフェイの体はすでにリー議員の目の前。

その指先から荷電粒子らしき閃光《せんこう》が一直線《いっちょくせん》に伸び、禿頭《とくとう》の男が持つ銃が弾《はじ》き飛ばされるのを錬ははっきりと見る。

リー議員に表情を動かす暇すら与えず、フェイは男の背後に回り込む。片手一本、およそ力を込めているようには見えない動きでフェイはリー議員を床にうつぶせに組み伏せ、そのまま両腕を後ろ手に拘束《こうそく》する姿勢に押さえ込む。

「貴公、その力は――」

言いかけたリー議員が、言葉を止める。

禿頭の男は目を見開き、うつぶせのまま限界まで首をひねって背後のフェイを睨み、

「魔法士殺《まほうしごろ》し……抜かったわ、カリム・ジャマールめ！」

そう絞り出したリーの口が次の瞬間《しゅんかん》、奇妙な動きを見せる。が、それより速く手を伸ばしたフェイがリーの首筋に指を当てる。かすかな機械の駆動音が一瞬だけあって、リーがうめき声と共に全身を弛緩《しかん》させる。

力を失ったその口から、毒と思《おぼ》しきカプセルがこぼれ落ちる。

「大使殿……あなたは、いったい」

「シティ・シンガポールの最高機密だ。それ以上の質問は差し控えていただく」

呆然《ぼうぜん》と問うサクラに無表情に答えを返し、フェイは机のタッチパネルに触れる。周囲に満ちていた電磁《でんじ》ノイズが消失し、錬の脳内で痛みが急速に薄《うす》らいでいく。

視界に二重映しに表示される『システム正常化』の文字。

クリアになった頭が、ようやく状況を理解する。

「『リー議員は間違い無く存命』って、そういうこと」振り返るフェイの顔を静かに見上げ

「あんた、僕らを囮《おとり》に使ったね」

なに、と目を見開いたサクラが、すぐに気づいた様子《ようす》で男を睨《にら》み付ける。

そんな少女の視線《しせん》を、フェイは無表情に受け流し、

「リー議員《ぎいん》は命を惜しむ人物では無いが、命を無駄《むだ》に捨てる人物でも無い。君たちが来ていると情報を流せば、自身の『死』の最も効率的な利用法を考えると分かっていた」

そう言って、男は無機質《むきしつ》な瞳《ひとみ》でこっちを見下ろし、

「何か問題が？」

ううん、と首を振る錬《れん》の背後で足音と共に扉が開き、ようやくたどり着いた完全武装の警備《けいび》兵《へい》の一団が部屋《へや》になだれ込んでくる。

「ご苦労」と、何事も無かったかのように言葉を投げるフェイ。

おそらくリー議員を狙《ねら》う賊《ぞく》を捕らえるつもりでやってきたのだろう。状況を飲み込めないらしい兵士達は呆然《ぼうぜん》としたまま、目の前のフェイと、床に倒れ伏すリーに交互に視線を向ける。

「自治政府議員フェイ・ウィリアムズ・ウォンだ。必要ならIDを提示するが」

「いえ、それは存じておりますが……」部隊の隊長らしき男が一歩前に進み出て「閣下、これはいったい」

「リン・リー議員は国家反逆罪の容疑によりたった今、拘束《こうそく》した」フェイは足下で昏倒《こんとう》している禿頭《とくとう》の男を視線で示し、その視線をサクラに移して「賢人会議《けんじんかいぎ》の代表殿には今回の逮捕にご

協力いただいた。状況の一切は、既に司令部でも把握済みだ」

壁際《かべぎわ》に立つ少女の正体にようやく気づいたらしい兵士の幾人かが驚《おどろ》いた様子《ようす》で声を上げる。

それを無視してフェイは部隊長に歩み寄り、

「情報部で取《と》り調《しら》べの準備が整《ととの》っている。すぐに移送を」

「了解であります、が……」

そう言って、部隊長は視線をフェイからサクラへと移す。

「何か」

「いえ、賢人会議の代表がこちらにいらっしゃるというのが……」

無表情に問うフェイに壮年の兵士は眉根《まゆね》を寄せて考える素振りを見せ、何かに気づいた様子で目を見開き、

「閣下、まさかご存じ無いのですか？」

そう言って、兵士が公共放送の中継らしき立体映像を差し出す。

馬鹿《ばか》な、というフェイの声。

男があからさまに表情を動かすのを、錬は初めて見た。

『——ともかく状況はこちらで打開する！　貴方達《あなた》はそのまま……ディー、聞こえているか？　聞こえているなら——！』

＊

ノイズにまみれた少女の声が、甲高《かんだか》い金属音と共に唐突に途切《とぎ》れた。

ディーは無音になった天井《てんじょう》のスピーカーを見上げ、暗澹《あんたん》たる思いで唇を噛《か》んだ。

中世《ちゅうせい》ヨーロッパ風の装飾が施された丸テーブルが幾つも並ぶ迎賓館《げいひんかん》の大広間。集《つど》った魔法《まほう》士《し》達は一様に表情を強張《こわば》らせ、無言で互いの様子《ようす》をうかがっている。

銀糸で縁取《ふちど》られた揃《そろ》いの黒い軍服に身を包んだ魔法士達。大戦前に生まれた壮年の者、戦後に生まれた年若い者——その誰《だれ》もが物言いたげに時折視線《しせん》を動かしながら、実際には誰一人《だれひとり》として声を発することが出来ないまま重苦しい緊迫感《きんぱくかん》だけが降《ふ》り積《つ》もっていく。

防音仕様の窓越しに響《ひび》き渡るのは、人々の怒声。

『賢人会議《けんじんかいぎ》がシティ・神戸《こうべ》を滅ぼした』と主張する謎《なぞ》の放送に対する釈明を求める市民の声は、分秒を追うごとに激《はげ》しさを増していた。

無言で窓際に歩み寄り、カーテンの隙間《すきま》から外の様子をうかがう。シンガポール二十階層、中央区画。市民の群れは警備《けいび》兵《へい》達の制止を力ずくで踏み越え、既にこの場所、賢人会議の魔法士達が滞在する迎賓館を完全に包囲している。初めはわずかと見えた人波は夜間照明の闇《やみ》の向こうで瞬《また》く間《ま》に膨《ふく》れ上がり、今や見渡す限りのあらゆる通り、あらゆる路地を遙《はる》か先まで埋め尽くしている。

迎賓館の周囲だけでも数千。全《すべ》てを合わせればおそらく数万。

狂乱に浮かされた市民達は一切の統制も秩序も無く、ただ口々に自分の主張を叫び、立体映像のプラカードを振りかざす。

そんな市民達から少し離《はな》れた場所、二十階層の天井《てんじよう》すれすれの位置には大型のフライヤーが十数台浮かび、時折、探るようなライトの明かりをこちらに向けている。自分達をこの迎賓館から脱出させるために軍が用意した輸送用機体《ゆそうようきたい》。当初は移動手段に乏《とぼ》しい人形使いや炎使いの子供をこの機体に乗せて外部に逃がそうと考えていたディー達だったが、市民達の中に銃をはじめとした携行火器で武装している者が幾人もおり、その者たちが迎賓館に接近しようとしたフライヤーに対して本当に攻撃《こうげき》を行ってきたことで脱出計画は中断を余儀《よぎ》なくされている。

もちろん、そういった市民達を強引に鎮圧《ちんあつ》することは容易《たやす》いし、抵抗を全て無視して脱出計画を進めることも可能ではある。

が、その動きが市民のさらなる反発を招くのは目に見えているし、何かの間違いで負傷者でも出ればそれこそ取り返しの付かないことになる。

「……とにかく、軽率な動きは避けるべきです」

広間を振り返り、ようやく声を発することに成功する。

傍《かたわ》らの小さな椅子《いす》には、金髪をポニーテールに結わえた少女の姿。

セラは外の騒《さわ》ぎが始まった時からずっと、うつむいたまま一言も発さずにいる。

魔法士《まほうし》達の中でも実験室《じっけんしつ》で生まれて間が無い幼い者二百名ほどは、心労を与えないようにという配慮《はいりょ》でそれぞれの部屋《へや》に戻している。が、少女は賢人会議《けんじんかいぎ》の中枢《ちゅうすう》メンバーの一人《ひとり》であり、一般兵器との戦闘《せんとう》に際しては組織《そしき》の中で最大の攻撃力《こうげきりょく》を有することから、この場に残っている。

それを決めたのは、セラ自身の意思。

が、身じろぎ一つせずに足下を見つめている少女の姿を見ると、やはり無理にでも部屋に戻すべきでは無かったかという後悔が湧《わ》き上がってくる。

……ごめん……

内心で唇を噛《か》み、小さな椅子から目を逸《そ》らす。

どうにか一つ息を吐き、大広間の仲間達に視線《しせん》を巡らせ、

「さっきのサクラの話だと、そのリン・リーという議員を押さえれば事態は解決するはずです。ぼくらはそれまで動かずに、防衛《ぼうえい》に徹《てっ》するべきです」

ノイズまみれの切れ切れの通信を総合すると、そういうことになる。シンガポール自治政府における同盟反対派のトップであり、一連の事件の首謀者《しゅぼうしゃ》と目《もく》される男。その身柄を拘束《こうそく》して実行犯と交渉を行い、真昼《まひる》を解放させると共に謀略《ぼうりゃく》の一切を市民の前で証言させる。

「今は待ちましょう。ここでぼくらが動いて市民を刺激《しげき》するのは、それこそ敵の思うつぼです」

大広間に集《つど》う仲間達に視線を巡らせ、どうにか笑《え》みを作って見せる。

が。

「――そうでしょうか」

ディーの正面、広間の一番後方のテーブルから、唐突な声。

音も無く立ち上がる赤毛の少女を前に、ディーは上《うわ》ずりそうになる声を必死に押さえ込み、

「どういう意味でしょう、サラさん」

「言葉通りの意味です、ディー」

ロンドン自治軍元少佐、サラ・マイヤー。

先天性の魔法士《まほうし》であり、第一級の人形使いである長い赤髪の少女はややためらってからこっちを見返し、

「私たちを取り巻く状況は、シンガポールに入った当初から悪化の一途をたどっています。市民はあの通り冷静さを失い、軍の制止も効果がありません。ここで同盟に反対する人間が残らず逮捕されて、真相が明らかにされたからといって、市民がそれを信じて事態が収束に向かうと考えるのは楽観的《らっかんてき》すぎるのではありませんか？」

え？、とかすかなセラの声。

それを意識《いしき》の端に目を見開くディーの前で、幾人かの魔法士が賛同《さんどう》するようにうなずく。

「ま、待ってください！」

とっさに声を張り上げ、目の前のテーブルを強く叩《たた》いて「あの人達が騒《さわ》いでいるのは敵が流した偽の情報に踊らされているからです！　シティ・神戸《こうべ》みたいにこのシティも滅びるぞ、って脅されて、冷静な判断が出来なくなってるだけです！　だから、そういう誤解が解ければ……」

「その認識《にんしき》は甘い、と俺《おれ》は思います」

左手、壁際《かべぎわ》の席から別な声。

元ベルリン自治軍所属の騎士《きし》、イアンという名の茶色《ちゃいろ》の髪の青年が、自席から音もなく立ち上がる。

その襟首《えりくび》に、実験体《じっけんたい》の認識番号と思《おぼ》しき数字の刻印が見え隠れする。

青年はテーブルの間を縫《ぬ》うようにして広間の中央に進み出ると、周囲の仲間たちにゆっくりと視線《しせん》を巡らせ、

「みんなも考えてみてください。同盟反対派が雇った神戸《こうべ》の工作員は、確《たし》かにシンガポール市民を煽動《せんどう》し、この状況を作り上げました。けど、俺達が窮地《きゅうち》に陥っている原因はそれだけでしょうか？　……例えばの話、市民が本当に今回の同盟に賛同《さんどう》し、俺達を友好国として受け入れる気があったなら、敵の仕掛けはこうも容易《たやす》く成功したでしょうか？」

広間に集《つど》った魔法士《まほうし》達の間に、どよめきが走る。

互いに顔を見合わせ、小声で何事かを話し合う仲間を前に、青年はなおも声を張り上げ、

「敵側の仕掛けが市民の考え方を百八十度変えたわけではありません。奴《やつ》らはただきっかけを与えただけ。最初から今回の同盟に不満を持っていた市民に対して、それを公然と口にする大義名分を与えただけに過ぎません。なら」

「――少し待ちたまえ」

と、割って入る低い男の声。

元シンガポール自治軍大佐、グエン・ウォン。

かつてはこのシティに属していた後天性の騎士である壮年の男は、離《はな》れたテーブルから宥《なだ》めるように青年に向かって両手を広げ、片目を眼帯で覆《おお》った巌《いわお》のような顔をまっすぐに向けて、

「イアン君の言いたいことは分かるし、同意できる部分も少なからずある。だが、あそこに集まっている人間がシンガポール市民の全《すべ》てというわけでは無い。シンガポールの総人口から見れば、あの集団はごく少数の例外。物言わぬ大多数の市民の中には我々と手を取り合う意思を持つ者も少なからずいるはずだ。そのことを……」

「理解しています。理解しているから、俺達は石を投げられ、仲間を撃《う》たれても耐えてきた。……まさにその態度こそが、彼らが歯止めを失った一番の原因ではありませんか？」

青年は傍《かたわ》らの窓の向こう、群れ集う市民の集団を指さす。

識別番号が刻印された首筋に手のひらを当て、どこか疲れたような顔で息を吐いて、

「俺達はこのシティに、対等の同盟関係を求めてきたはずです。ならば、為《な》すべきことはただ

頭を垂れて市民にかしずくことなどでは断じてありません。俺《おれ》達は今こそ、賢人会議《けんじんかいぎ》の本来の行動理念に立ち返るべきです」

「本来の行動理念、とは？」

「暴動《ぼうどう》を俺達の手で鎮圧《ちんあつ》し、このシティの住民に対して賢人会議の力を示します」青年は、外見でも実際の年齢《ねんれい》でも自分より遙《はる》かに年上の男にまっすぐ顔を向け「軍からは何かしらのアクションがあるかも知れませんが、仮に警備《けいび》部隊全《すべ》てが敵に回ったとしても制圧には五分とかからないでしょう。市民を排除した後は同盟反対派の議員《ぎいん》を残らず押さえ、神戸《こうべ》の工作員の動きを封じたところで連中の命の保証と引き替えに真昼《まひる》さんを解放するよう交渉を行う。ここにいる全員の能力を結集すれば、そう難《むずか》しいことではないはずです」

「で、でも……！」

青年のすぐ後ろから、慌てふためいた声。

ルッツという名の人形使いの少年が、椅子《いす》の上に膝立《ひざだ》ちになってテーブルに身を乗り出し、

「そんなことして、市民の人達に恨《うら》まれたらどうするの？　これから同盟組んで色々協力していかないといけないのに、あの人達と仲が悪くなったら……」

「既に最悪に近い状態になっている。今更心配したところで手遅れだ」

答える別な声。

カスパルという名の人形使いの青年が少年の向かいからテーブルに歩み寄り、両手をついて

目線《めせん》を少年と同じ高さに合わせ、

「それにな、同盟という言葉は『無条件に手を取り合って友好を深める』という意味では無い。俺たちは協力する意思がある者には見返りを与えるが、敵対する者には相応の報いを受けさせる。賢人会議とシティの間に必要な関係は、本来そういう物のはずだ」

「えっと……要するにあれ？　飴《あめ》と鞭《むち》、ってこと？」

「良い言葉じゃないが、そういうことだ」自分よりずっと小さな少年の言葉に青年はうなずき「それで同盟が破綻《はたん》するならそれもやむを得ない。世界における魔法士《まほうし》の権利を確立《かくりつ》するためにシティと戦う——それが、賢人会議のそもそもの存在意義のはずだ。そこに集《つど》った俺たちは、必要とあれば力を行使することを厭《いと》わない、戦争も辞さない覚悟を持ってここにいるはずだ」

どうだろう、と周囲を見回す青年。

と。

「——私は賛成《さんせい》よ」

広間の一番手前、ディーの目の前のテーブルから声。

この場でおそらく最も年長の、妙齢《みょうれい》の女性。メルボルン跡地の町で便利屋を営んでいた経歴を持つソニアという名の炎使いが静かに手を上げ、

「私達はシティの市民と友達になったり共感してもらったりするためにここに来たわけじゃ無いし、それが不可能なのもはっきりした。結局はお互いの利害と打算の結果として結ばれた同

盟なんだから、市民には私達を敵に回すことによってどのくらいの『害』が発生するかっていう、その一番大事なところを今のうちに教えておくべきだわ」

そう言って視線《しせん》を返す女に、青年は大きくうなずき返す。広間に集《つど》った魔法士《まほうし》達が近くの者と顔を見合わせ、それぞれに何事かを話し始める。青年の言う通りに打って出るべきだと主張する者と、それを制止する者。幾重にも重なり合う声はすぐに秩序を失い、窓外から響《ひび》く市民の怒号と混ざり合って広間の高い天井《てんじょう》に残響《ざんきょう》し、

「みんな――！　いいから落ち着いて！」

ようやく、本当にようやく、ディーは言葉を挟むことに成功する。

とにかく全員の注意を自分に集めようと両手で強くテーブルを叩《たた》き、

「ぼくらが何のためにここに来たのか、もう一度よく考えてください！　ぼくらはシティと戦いに来たんじゃない、話し合って協力するために来たんです！　それは、あの人達はぼくらを疎《うと》ましく思っているかもしれないけど、シティの機能《きのう》が削減される以上はそういう人が出てくるのは初めから分かっていたことで、だから……その……つまり！　ぼくが言いたいのは……！」

その後が続かない。考えを上手《うま》く言葉にまとめられないのでは無く、本当に何を言えば良いのか分からない。冷たい汗が背中を伝う。無意識《むいしき》にさまよわせた視線《しせん》が窓の向こう、闇《やみ》の中にうごめく市民の群れから離《はな》れなくなる。

同盟反対派の仕掛けに惑わされ、魔法士に対する悪意をむき出しにする民衆。

その姿をどこかで当然の物と認識《にんしき》している自分と、憤《いきどお》りをあらわにする仲間達――その間に存在する決定的な差異にディーはようやく気づく。

……だって、それは……

シンガポール市民が今回の同盟、賢人会議《けんじんかいぎ》の存在に不満を持つのは、残念ながら当然のことだ。シティがマザーシステムの力で運営され、その機能削減が市民の生活レベルの低下に直結する以上、自分達に敵意を向ける者が現れるのは避けようが無い。その現実を受け入れなければ話は始まらない。シティと手を結び、自治政府と互いに協力し合うと決めた以上、そういった名も無き市民の反発は許容しなければならない――少なくとも、ディーはそう考えていた。

が、賢人会議の魔法士、中でもシティの実験室《じっけんしつ》で人間未満の扱いを受けてきた者達にとって、その認識は決して当然のことなどでは無い。

彼らにとってシティとは根本のところで『敵』であり『害悪』なのであり、自分達に善意を持って接してくるならともかく、公然と悪意を向けられて耐えなければならない理由など何一つ存在しない。

「言っていることはわかります、ディー。あなたの立場なら俺《おれ》たちを止めざるを得ないでしょう」壁際《かべぎわ》のテーブル、初めの方に発言したイアンという名の騎士《きし》が立ち上がり「ですが、状況は既にこの有様《ありさま》です。仮にここから全《すべ》ての問題が解決し、真昼《まひる》さんが無事に解放されたとしても、今日《きょう》の出来事は禍根《かこん》としてこのシティと、何より俺《おれ》たちの中に永久に残ります」

そう言って広間を見回す青年に、幾人かの魔法士《まほうし》がうなずく。

青年は視線《しせん》でそれに応《こた》え、正面からディーに向き直って、

「結局、シティに暮らす通常人と俺達の間に友好的な関係など有り得ないんです。あの連中はどこまで行っても魔法士を自分達とは別の存在、便利な道具か兵器としか考えていない。そういう連中を黙《だま》らせるには力で押さえつける以外に道は無い。――マサチューセッツのファクトリーで生み出されたあなたなら、ここにいる誰《だれ》よりもそのことが理解出来るはずです」

「それは……」

ディーは言葉を失う。

一斉に向けられる仲間達の視線を前に、口を開くことが出来なくなる。

青年の言うことはよく分かる。かつての自分なら青年の言葉にうなずいただろう。シティの遺伝子《いでんし》合成プラントで生み出され、自分は市民の生活を支えるための電池に過ぎないと知らされて絶望していた遠い日。あの頃《ころ》の自分なら『魔法士の権利を守るためならシティの住民を傷つけても構わない』という青年の主張を正当なものと感じただろうし、青年を止めようなどとは思わなかっただろう。

だが、今の自分にそれは出来ない。

シティの住民を敵と定め、何の迷いも無く剣を振るうには、自分は多くの物を見すぎた。

恋人をマザーコアとして失いながら、シティを憎むことも世界を呪《のろ》うこともせずただ己《おのれ》の剣の有り様を追い求める男がいた。自分と同じようにシティを支える電池として生み出されながら、シティに暮らす人々を守るために命をかける少年がいた。ニューデリーで出会ったある炎使いは、魔法士を殺さない世界を作るために人生を捧《ささ》げながら最後はシティのために命を投げ出した。戦いの中で敵として出会った悪魔使《あくまつか》いの少年は、シティを肯定することも否定することもせずにその狭間《はざま》で苦悩し続けていた。

本当に、本当にたくさんの人に、ディーは出会った。

そしてなにより。

……セラ……

シティーの下層の街で普通の人間として生まれ、魔法士としてシティとの戦いに身を投じることになった、ディー自身の命よりも大切な少女。

シティに暮らす人々を力で押さえつけ、敵意や反感を踏みつけにして作り上げたその場所では、彼女はきっと笑えない。

だが、そのことをどうやって仲間に伝えればいいのかディーには分からない。自分が今感じている違和感の正体、自分でも上手《うま》く言葉に出来ないその感情を、どうすれば仲間達に理解してもらえるのかディーには見当もつかない。

……ぼくは……

自分が思いもよらない場所に立っていることに、唐突にディーは気づく。セラが幸せになるように、この子がいつも笑っていられるように——それだけを願《ねが》って走り続けてきたその道がとうの昔に自分と少女の二人《ふたり》だけの世界を飛び越え、何万、何億という人々を巻き込む嵐《あらし》の中心、世界にかろうじて保たれてきた秩序が崩れるか否かの瀬戸際《せとぎわ》に自分達を運んでいたことをディーはようやく理解する。

この世界は、どのようにあるべきか。

シティと人類と魔法士《まほうし》は、どこに向かうべきなのか。

そんな大それた問いかけと自分の小さな願《ねが》いが直結していて、自分はその問いに明確《めいかく》な解を見いだす義務を負わされている——これまでずっと目の前にありながら見えていなかったその現実を、今更のようにディーは思い知る。

「……ディーくん……」

消え入りそうな少女の声に、振り返る。セラは小さな椅子《いす》の上で縮《ちぢ》こまったまま、今にも泣き出しそうな顔でこっちを見上げている。

呼吸が止まりそうになる。

ディーは仲間たちに向き直り、何か言わなければと口を開きかけ、

『——ダメだよ！　そんなの！』

天井《てんじょう》のスピーカーから、唐突な声。

驚《おどろ》いて見上げるディーの視界の先、大広間の天井付近に幾つも浮かぶ立体映像ディスプレイの一つに、三人の子供の姿が大写しになる。

「……あれは……」

「……カイル君とテイラー君、それにリノちゃんも……あの子達、何を……」

そこかしこで生まれたささやき声が、次の瞬間《しゅんかん》、驚愕《きょうがく》の呻《うめ》きに取って代わる。

照明が点《とも》り、ディスプレイの向こうで明らかになる三人の周囲の状況。

迎賓館《げいひんかん》の広いエントランスホールと、強化ガラスの大扉をわずか一枚隔てた先にうごめく数千の市民の姿が、賢人会議《けんじんかいぎ》の魔法士達の前に露《あら》わになる。

「何をやってるの――――！」

ディーは声を張り上げる。

事態がまるで飲み込めない。

この混乱した状況で無用の不安を与えないよう、子供達には自分の部屋《へや》に戻って何があっても外に出ないよう命じてあるはずなのに。

「すぐにそこから離《はな》れて！　危ないから！」

『ダメだよ！　ぜったいにダメ！』三人の中央、カイルという名の人形使いの子供が手にした通信素子を振り回し『ずーっと聞いてたら、みんなシティの人たちとケンカすることばっかり！　そんなのダメだからね！　ぼくたち、あの人たちと仲良くなりに来たんだから！』

残る二人《ふたり》の子供が、そーだそーだと両手を振り上げる。と、ディスプレイのこちら側、大広間の隅で悲鳴に似たかすかな声。

青ざめた顔でこっちを見つめる一人《ひとり》の青年。

その手に、子供達が盗み聞きのために仕掛けたらしい通信素子が鈍《にぶ》く光る。

『ぼく、あの人達と話してみる！』そんなこっちの様子《ようす》に気づく気配《けはい》も無く、ディスプレイの向こうの子供は通信素子を襟元《えりもと》に貼《は》り付けて元気に手を振り『大丈夫！ ちゃんと話せばわかってくれるよ！ ぼくたち、悪いこと何もしてないんだから！』

……あ……

その言葉に、記憶《きおく》の糸がようやく繋《つな》がる。

昨日《きのう》の夜、調印式《ちょういんしき》を翌日に控えた迎賓館《げいひんかん》の廊下。

シティに暮らす普通の市民と話がしてみたいと訴えていた、あの子供達――

「待って！ 今は無理なんだ！ ねえ――！」

『行ってきます！』

緊張《きんちょう》気味に手を振って駆け出す金髪の男の子に、残る二人の子供が、がんばれ、というふうにガッツポーズをする。

制止の声を上げる暇も無い。

エントランスホールを突っ切る男の子の前、外はもちろん中からも開かないようにロックされているはずの強化ガラスの扉が生物化し、大きく円形に開いて男の子を送り出す。

『出てきたぞ！』

『お、おい！　下がれ下がれ――！』

　まさか出てくるとは思っていなかったのだろう。慌てふためく市民の声がスピーカー越しに響《ひび》く。正面玄関を外から守っていた軍の警備兵《けいびへい》が唖然《あぜん》とした顔で男の子を振り返り、制止するように手を伸ばす姿がディスプレイの先に小さく映し出される。

　その動きを地面から生み出した強化コンクリートの巨大な腕で遮《さえぎ》り、男の子はゆっくりとした足取りでサーチライトの明かりの下を進む。

　玄関の先に広がる石造りの大階段を一段、また一段と下り、色鮮《いろあざ》やかなタイルが敷《し》き詰められた迎賓館前の広場、半径百メートルを超えるその広大な円形の敷地《しきち》を埋め尽くす数千の市民の前にたどり着く。

「まずい！」

「すぐに止めろ！　まったく、何を考えて！」

　魔法士《まほうし》たちが広間の右手、正面玄関の方角の壁《かべ》に次々に駆け寄る。幾人かの騎士《きし》が剣を片手に窓を開け放ち、眼下の広場に飛び降りようとする。ディーも慌てて後を追う。左右の腰に佩《は》いた『陰』と『陽』の柄《つか》を強くつかみ、脳内に自己領域展開のプロセスを呼び出しつつ窓の外に身を乗り出し、

（ノイズを検知。危険、自己領域展開を終了）

脳内を駆け巡る痛みに一瞬《いっしゅん》動きが止まる。窓枠にかけた足を強く蹴《け》る反動で強引に体を室内に戻し、床に一転してどうにか身を起こす。別な窓から飛び出そうとしていた数人の騎士《きし》が、同様に室内に飛《と》び退《の》く。ディーより少し年下くらいの騎士の少年がバランスを崩して外に落下しそうになり、慌てて手を伸ばした周囲の魔法士《まほうし》たちがその体を強引に引き戻す。

「あっちからも出てきたぞ！」

「魔法士どもの攻撃《こうげき》だ！　撃《う》て、撃て！」

市民の中の数カ所で同時に叫び声が湧《わ》き上がり、幾つもの銃声がそれに続く。迎賓館《げいひんかん》と、それに市民の前に立つ男の子に向かって、どこからともなく銃弾が飛ぶ。数十の銃弾が迎賓館の壁《かべ》に跳ね、あるいは防弾仕様の窓に穴を穿《うが》つ。

「撃ってきたぞ！」

「落ち着いて！　論理《ろんり》回路式の強化弾体。市民に紛れた工作員の仕業よ！」

「くそ！　あいつらノイズメイカーなんてどこから！」

必死の形相《ぎょうそう》で言い合う仲間達の声を意識《いしき》の端に、外の様子《ようす》をうかがう。痛みを堪《こら》えて巡らせた視線《しせん》の先、迎賓館にごく近い高層建築の陰にかすかな金属光沢《こうたく》。ノイズの影響《えいきょう》で処理速度の低下したＩ－ブレインの画像解析が、夜間照明の闇《やみ》に沈む黒塗りの軍用フライヤーと、その機首《きしゅ》に取り付けられた遠隔型のノイズメイカーの存在をどうにか捉《とら》える。

眼下の迎賓館前広場には、水を打ったように静まりかえる市民の群れ。

彼らの視線が向かう先、人形使いの男の子の前で、地面から生《は》えだした巨大な拳《こぶし》がゆっくりと指を開き、受け止めた銃弾の山をまとめて振り落とす。

『あー、びっくりした』

天井《てんじょう》のスピーカーから男の子の声が響《ひび》くが、音声だけではどんな様子かが分からない。と、同時に天井を指さす数名の魔法士。見上げた先、頭上に浮かぶディスプレイの一つに、公共放送のカメラが捉えた迎賓館とそれを取り囲む無数の市民の姿が映し出される。

『……魔法士です！　迎賓館から姿を現した少年はやはり賢人会議《けんじんかいぎ》の魔法士のようです！　その意図は依然として不明ですが、こちらには「武装した市民がこの少年に発砲した」という情報も寄せられており、現場では混沌《こんとん》とした状況が続いて……』

カメラの映像が切り替わり、男の子の姿が夜間照明の闇の中に大写しになる。短い金髪に青い瞳《ひとみ》の、八歳ぐらいの白人の男の子。少なくとも見た目はシティに暮らす普通の子供と何も変わりのないその男の子が、少し怒った顔で周囲の市民を見回し、

『もう、いきなり撃つなんてひどいよ！　ぼく、お話ししにきただけなのに』

両手を頭上で振り回し、男の子が声を張り上げる。

いかにも子供らしい、どうということのない声。

迎賓館前広場を埋め尽くす市民達が、その声に弾《はじ》かれるように一斉に後退《あとずさ》る。

『え？　え？』男の子は今度は驚《おどろ》いた様子《ようす》で左右を見回し『だ、大丈夫だってば！　ぼく、ほんとうに何もしないから！　ぜったい！』

その言葉を合図にしたかのように、立て続けに三度銃声が響《ひび》く。男の子の足下から巨大な手が出現し、正面と左右から飛来した銃弾を難《なん》なく受け止める。

『もー！　だから撃《う》たないでってば！』

ひどく困惑した様子で、視線《しせん》をぎこちなく左右に向ける男の子。

数千からなる市民の群れにざわめきが走り、人波がさらに一歩遠ざかる。

……今の発砲、どこから……

わずか百メートル先の高層建築の陰からはこちらに向けてノイズメイカーが構えられたままで、壁際《かべぎわ》に近づくだけで脳に違和感が走る。それを堪《こら》えて窓に身を寄せ、広場を見下ろす。

いくら目をこらしても、それらしい人物を特定することは出来ない。

銃弾が飛んできた方向を考えれば市民の中に工作員が紛れているのは間違い無いが、夜間照明の闇《やみ》の中、光学的な迷彩と情報の側からの迷彩を同時に展開して数千の市民の中に隠れられてはＩ－ブレインの機能《きのう》を持ってしても発見は容易なことでは無い。

「まずいぞ、この流れは」

「え？」

背後から投げられる声に、驚《おどろ》いて振り返る。

グウェンという名の後天性の騎士《きし》――先ほど、自分達の手で市民を制圧すべきという仲間たちの主張に異を唱えていた壮年の男が、眼帯で片目を覆《おお》った顔を眼下の騒乱《そうらん》に向け、

「あそこにいる市民のほとんどは、本物の魔法士《まほうし》を知識《ちしき》としては知っていても実際に見たことは無い。彼らはI－ブレインや情報制御という物を一般兵が持つ銃や軍用フライヤーと同程度の兵器と勘違いし、警備《けいび》部隊相手にデモ行進をやらかすのと同じ感覚でこの場所に集まっている。……それが、目の前で本物の魔法を見せられて浮き足立っている。このまま家に逃げ帰る程度で済めば良いが、下手《へた》をすれば取り返しの付かない事態になりかねん」

息を呑《の》むディーの背後で、ざわめきが密度を増す。

魔法士達が口々に打開策を話し合う声が、幾重にも連なって大広間の天井《てんじょう》に残響《ざんきょう》する。

「問題はノイズメイカーよ！　あれを何とかすれば」

「フライヤーごと撃ち落とそう。ノイズの影響《えいきょう》下でも、セラなら確実《かくじつ》に」

「落とした先は居住区画、市民の頭の上よ？　間違い無く死者が出るわ！」

「構わないさ。もともとこっちは、市民と一戦交える覚悟だ」

「だから、それは――！」

そんな話し声を意識《いしき》の端に、ディーは必死に考えを巡らせる。市民と敵対すべきか、黙《だま》って耐えるべきか。通常人と魔法士の関係はどうなるべきか、自分は何をすべきか――頭に渦巻く全《すべ》ての問題を隅に追いやり、目の前のことだけに意識を集中する。

握りしめた手に、何かが触れる気配《けはい》。

見下ろす先にはいつの間にか側《そば》に近寄ったセラの姿。うつむいたままぴたりと身を寄せる少女の背中をディーはそっと撫《な》で、

……とにかく、まずあの子を……！

「今すぐ連れ戻しましょう」大広間を振り返り、仲間達を見回して「敵の罠《わな》に自分から飛び込む形になりますが、シンガポール市民と交戦にするにしてもこのまま籠城《ろうじょう》を続けるにしても、あの子を放っておくわけにはいきません。誰《だれ》か、敵のノイズメイカーの配置を」

「たった今、部下と確認《かくにん》した」

大広間の反対側から、ディーを遮る声《さえぎ》。

元ベルリン自治軍少佐、レオン・ブレヒト。賢人会議《けんじんかいぎ》で最も新しいメンバーである男は開け放たれた扉から室内に歩を進め、

「迎賓館《げいひんかん》の周囲に、正面のものと同様のフライヤーが他《ほか》に三機《き》。いずれも破壊《はかい》すれば必然的に市民に被害が出る位置に配置されている。あの広場に突入するためのルートを残らずノイズの効果範囲《はんい》に収めるには十分な数だ」

そう言って、男は視線《しせん》を上に向ける。

ディスプレイの向こう、市民達の前で立ち尽くす男の子を見つめて、

「ノイズメイカーの影響《えいきょうか》下でも活動可能な高ランクの騎士《きし》による正面からの突入を進言する。

最善の手段を模索して手をこまねいていられる状況では無い」

「他《ほか》に手はなさそうですね」ディーはうなずき「この部屋《へや》の窓と一階の正面玄関、二カ所から同時に突入します。こっちはぼくが。一階の指揮はレオンさんに……」

『──みんな、なんで分からないの？』

天井《てんじょう》のスピーカーから、声。

見上げたディスプレイの向こう、男の子は今にも泣き出しそうな顔で周囲を完全に取り囲む人垣を見回し、

『ぼくはみんなとお話ししたいだけなの！　ケンカするつもりなんか無いって言いたいだけなの！　だから……』

『騙《だま》されねえぞ！』

人だかりの中から声が飛ぶ。公共放送のキャスターがヒステリックな声で何事かを叫び、大広間の魔法士《まほうし》たちからもかすかな悲鳴が起こる。

銃を手にしたシンガポール市民が数十人。

男の子を遠巻きに取り囲む分厚い人の壁《かべ》をかき分け、サーチライトの明かりの下に進み出る。

銃を扱う手つきがひどくぎこちない。おそらくは神戸《こうべ》の工作員が軍から奪取した銃をたまま手に入れただけの、完全な素人《しろうと》。歳《とし》も性別も人種もばらばらの市民の一団はそれぞれに手にした銃を男の子に向け、中央の男が全員を代表するように口を開く。

『もうお前らには騙《だま》されねえ。シティと戦争しようってテロリストの集団と同盟って聞いたときからおかしいと思ってたが、やっぱりだ。お前ら、神戸《こうべ》みたいにこのシンガポールも滅ぼす気なんだろう！』

『違うってば！』男の子は必死の形相《ぎようそう》で両手を左右に振り『あれは誰《だれ》かが作った嘘《うそ》なの！　ぼくは神戸《こうべ》なんて行ったこと無いし、他《ほか》の誰も……』

『動くな！』

引きつったような声が飛ぶ。

足を止める男の子の前、銃を手にした市民は一様にその顔を恐怖に強張《こわば》らせ手にした銃を何度も取り落としそうになりながら、

『そ……そうやって近づいて、さっきの変な腕でこの銃を吹っ飛ばそうって腹だろ。そうは行くか！』

『そうよ！　こ、来ないで！』

口々に叫ぶ人々の足が震《ふる》える。引き金にかけた指を小刻みに痙攣《けいれん》させながら、数十人の市民が必死の形相《ぎようそう》で男の子を睨《にら》む。そんな市民達の後ろから、別な幾人かが慌てふためいた様子《ようす》で手を伸ばす。危ない、戻って、というその叫びを振り返ることなく、銃を手にした市民は少しずつ、少しずつ、男の子を威嚇《いかく》するように足を前に進める。

そこにいるのが本当に普通の、ただの人間だということを、唐突にディーは理解する。

何の力も無く、武器を手にしたことすら無い、民衆。

それが、自分達と、もしかしたらそれぞれの家族の暮らしを守るために、なけなしの勇気を振り絞っている。

『みんな……なんで……』

呟《つぶや》いた男の子の目に、涙がにじむ。その涙を腕で拭《ぬぐ》い、男の子が『そうだ』と呟く。

小さな手がポケットをあさる。

身をすくませる市民を前に、男の子は会心の笑《え》みで何かを取り出し、

……そんな馬鹿《ばか》な、というディーの思考。

広げた男の子の手のひら、そこに乗せられた小さな黒い素子に気づいた大広間の魔法士《まほうし》達の間から、幾つもの悲鳴が上がる。

『これ、知ってるよね？　ノイズメイカー。これをつけると魔法が使えなくなるんだよ』

そんな仲間の反応を知る由《よし》もなく、ディスプレイの向こうの男の子は手のひらを自分の目の前に掲げる。人々によく分かるように、とでもいうつもりなのか、男の子は手にした黒い素子をゆっくりと左右に動かす。

ややあって手のひらを胸元に戻し、男の子は一つうなずいて、

『今から自分でこれつけるから。……そしたら、お話聞いてくれるよね？』

その言葉を聞いても、市民の表情に変化は無い。ノイズメイカーという言葉の意味を知らな

いのか、知っていたとしても男の子の言葉が耳に届いていないのか、人々は男の子からわずかも銃口を逸《そ》らすことなく、それぞれに荒い呼吸を繰《く》り返す。

まずい。

とっさに床を蹴《け》った体が窓枠を飛び越え、ディーは五階の高さから迎賓館《げいひんかん》の外へとその身を躍《おど》らせる。

(演算速度低下。運動速度、知覚速度を15倍で再定義)

重力にとらわれた体がぐるりと反転する。眼下の市民達の間から、幾つもの悲鳴が上がる。それを無視してディーは右手の騎士剣《きしけん》『陽』を振り上げ、落下する姿勢のまま目の前の壁《かべ》に突き立てる。情報解体を利用して剣の切っ先を石造りの壁に食い込ませ、その衝撃《しょうげき》を利用して速度を殺す。

わずか数十メートル、地表に到達するまでのその距離《きょり》が、絶望的なまでに遠い。

見上げた頭上の先、大広間の窓から、仲間の騎士達が後に続いて次々に飛び出してくる。

「えっと……ほら、つけたよ!」

眼下の広場から響《ひび》くその声に、上下反転のまま視線《しせん》を向ける。自分の首にノイズメイカーを付け終えた男の子はおそらくは痛みに顔をしかめつつ銃を構える市民に向き直り、

「これでもう、普通の人と一緒《いっしょ》だよ。魔法《まほう》も使えないし、何も出来ないよ。だから」

「動くな!」市民達の中央、男が恐怖に顔を引きつらせたまま「それ以上こっちに来るんじゃ

ねぇ！　う、撃《う》つぞ。脅しじゃねえぞ！」

周囲の他《ほか》の者達が、威嚇《いかく》するように銃口を前に突き出す。男の子が困り果てた様子《ようす》で視線をうつむかせ、すぐに、またぎこちない笑顔《えがお》を作る。

落下を続ける足がようやく地面に到達する。ノイズメイカーの効果範囲《はんい》を抜け出したことでI－ブレインが機能《きのう》を回復する。迎賓館前の広場は目と鼻の先。周囲で悲鳴を上げる市民の群れをかき分け、ディーは五十三倍加速で駆け出し、

「だいじょうぶだよ、ほんとに。……ぼく、みんなと仲良くなりに来たんだ」

自分自身に言い聞かせるような、ささやくような声。

男の子は一つうなずき、小さな足をゆっくりと一歩踏み出し、

「ねえ、お話ししてよ」中央の男に精一杯の笑顔を向け「ぼくカイル。おじさんたちは……」

ひっ、と息をのむ音。

男は一歩後ろに下がろうとしてバランスを崩し、よろけた格好のまま必死の形相《ぎょうそう》で銃を前に突出し、

「――近づくんじゃねえ――！」

銃声が轟《とどろ》いた。

何かが倒れる重く鈍《にぶ》い音が、その後に続いた。

時間が止まるのを、ディーは感じた。

力を失った足が動きを止め、色鮮《いろあざ》やかなタイルが敷《し》き詰められた広場の端、人垣を抜けたその場所でディーは立ち止まった。

夜間照明の闇《やみ》は深く、濃《こ》く、シティの街並みとそこに蠢《うごめ》く無数の市民を包み込んでいた。サーチライトに照らされた広場の中央はそこだけ場違いなほどに明るく、演劇《えんげき》のために設《しつら》えられた舞《ぶ》台《たい》か、神を祀《まつ》る祭壇《さいだん》のようだった。

何もかもが、現実のこととは思えず。

自分自身の存在さえもが、遠いことのように感じられた。

全《すべ》ては、ただの不運の結果であったかもしれない。例えば、男の子が人形使いでは無く騎士《きし》であったなら、自身にノイズメイカーを付けた状態でも銃弾ぐらいは回避《かいひ》できたかも知れない。いや、たとえ男の子が騎士で無くとも、市民が持つ銃が神戸《こうべ》の工作員によって軍から奪われた物では無く、装塡《そうてん》されているのが論理《ろんり》回路式の高速弾体で無ければ何らかの対処が可能だったかも知れない。

男が本当はただの市民ではなく、市民に偽装した工作員だったなら結果は違っていたかもしれない。彼らの目的はぎりぎりの状況で市民と賢人会議《けんじんかいぎ》の対立を煽《あお》ること。その一線《いっせん》を越えてしまえば事態が収拾不可能になるのは、敵にも分かっている。彼らならば、もっともらしい演技で引き金を引くことを止めるか、弾を男の子からわざと逸《そ》らす程度の芸当はやってのけたかもしれない。

あるいは、神戸の工作員による最初の銃撃《じゅうげき》が無ければ良かったのかもしれない。市民に偽装した敵が放った数十発の銃弾と、それをやすやすと受け止める魔法士《まほうし》――その光景を見ていなければ、男も引き金を引くことをためらったかもしれない。だが、男の目の前にいる魔法士はすでに一度、自身に銃弾など効かないということを証明してしまっているのだ。能力を封じたなどと言ってもそれは口だけのこと。銃を構えた人間の前に無防備で立つことが出来る子供など、彼らの常識《じょうしき》では到底信じられる物では無かったに違いない。

もちろん、否は自分にもある。自分がもう少し早く決断し行動を起こしていれば、立ち尽くす男の子の前に飛び出すことが出来たかもしれない。自分が仲間達の言い争いを上手《うま》くまとめられていれば、男の子がこの場所に立つことなど無かったかもしれない。

いや、もっと些細《ささい》なことでも良い。

自分がいた大広間とこの広場の距離《きょり》がもう少し近ければ、自分が降り立った場所の周囲に人がもう少し少なければ、敵が用意したノイズメイカーがもう少し性能の低い物であれば、それだけで自分は数秒の時間を稼《かせ》ぎ、男の子の前にたどり着くことが出来たかもしれない。

本当に、何か一つでも条件が違えば、結末は変わっていたかもしれない。

だが、現実は、そうはならなかった。

――男の子の小さな体が、地面に倒れ伏す。

あふれ出た鮮血《せんけつ》が、敷《し》き詰められたタイルの上に赤い水たまりを作った。

かすかな声が、喉《のど》の奥から漏れる。

「……あ……」

それが自分の物だと理解した瞬間《しゅんかん》、止まっていた時間が動き出す。

右足が自動的な動作で地を蹴《け》り、次の一歩を踏み出す。わずか一瞬、時間にして一秒の数億分の一の思考の断絶、まともな機能《きのう》を取り戻した頭が目の前の絶望的な状況を再認識《さいにんしき》する。

広場の中央に倒れ伏す人形使いの男の子と、それを遠巻きに取り囲む無数の市民。

男の子は自らが生み出した血だまりの中にうつぶせになったまま呻《うめ》き声《ごえ》すら上げること無く、時折、思い出したように指先を痙攣《けいれん》させている。

五十三倍速の運動で駆け寄り、男の子を抱き起こす。土気色《つちけいろ》をした男の子の口元に顔を寄せるが、呼吸の気配《けはい》は無い。胸に開いた穴から止めどなく鮮血があふれ出す。I－ブレインの画像解析が記憶《きおく》領域から男の子が撃《う》たれた時の状況を拾い出して銃痕《じゅうこん》の位置と照合し、銃弾が間違い無く心臓《しんぞう》を貫通しているという事実を冷徹《れいてつ》に告げる。

錆《さび》くさい血臭が立ち上る。滴《したた》り落ちた血が白い儀典服《ぎてんふく》を真《ま》っ赤《か》に染めていく。

目の前が暗くなる。

ともかく男の子の胸の傷を強く押さえ、小さな体を抱えて立ち上がり、

（高密度情報制御を感知）

その目の前を遮《さえぎ》って、夜間照明の闇《やみ》を走り抜ける銀光。

わずか数メートル先、銃を手にしたままこっちを見つめて呆然《ぼうぜん》と立ち尽くしていた男が、え？と不思議《ふしぎ》そうに呟《つぶや》いて自分の手を見る。

その両手首にうっすらと赤い線《せん》が走り、鈍《にぶ》い落下音が二つ、その後に続く。男は地面に転がる銃とそれを握ったままの自分の両手を不思議そうに見つめ、「……あ……」とかすかな声を上げる。

男の両腕、手首から先を失ったその切断面から、鮮血《せんけつ》が噴《ふ》き出す。

もはや声とも判別出来ない引きつった呻きを漏らしてその場にへたり込む男の前には、賢人会議《けんじんかいぎ》の黒い儀典正装を纏《まと》った壮年の騎士《きし》が一人《ひとり》。

元シンガポール自治軍大佐、グエン・ウォン。

先ほどまで市民を攻撃《こうげき》すべしと主張する仲間をいさめていたはずの片目の男が、緩《ゆる》やかに湾曲した片刃の騎士剣を鋭《するど》く虚空《こくう》に振り下ろし、刃《やいば》を濡《ぬ》らす血を一挙動に払い落とす。

周囲の市民達から幾つもの悲鳴が上がる。最前列でいまだに銃を構えていた市民の一団が銃口を騎士に向け、叫び声と共に引き金を引く。騎士は手にした剣を小枝でも扱うように縦横《じゅうおう》に払い、放たれた数十の銃弾、そのことごくを銃を向ける市民自身に弾《はじ》き返す。先ほどの物に倍する悲鳴。自らが放った銃弾を残らず手足に浴びせられた市民達は銃を取り落としてその場に倒れ込み、苦痛の呻《うめ》きを漏らし、あるいは叫び声を上げて地面をのたうち回る。

市民たちの間を走るざわめきが、恐怖を孕《はら》んだ物に変わる。

逃げろ、という誰《だれ》かの声。

広大な円形の広場を埋め尽くす千人近い市民が一歩、また一歩と後退《あとずさ》りし、次の瞬間《しゅんかん》、その全《すべ》てが悲鳴とも怒声とも付かぬ叫びと共にディーと男の子に背を向け、我先にと走り出す。

人々は互いに押し合い、体をぶつけ合い、互いに罵《ののし》り合いながら背後の大通りを目指して突き進む。流れに乗り損ねた幾人もの市民がそこかしこで他《ほか》の市民の群れに弾《はじ》き飛ばされ、地面に倒れ込み、あるいはそのまま他の者達に蹴《け》られ、踏みつけられながら這《は》うようにして逃げ去っていく。

そんな市民の後方からは、後に続く形で広場を取り囲んでいた何千という数の別な市民の一団が姿を現わす。人垣に視界を遮《さえぎ》られて状況が良く理解出来ていなかったらしい一団は、突如として目の前に出現した異様な光景に立体映像のプラカードを振る手を止める。

彼らが見つめる先には、自身が放った銃弾に撃《う》たれて動けなくなった幾人かの市民と、両の手首から先を失ったままうずくまる一人《ひとり》の男。

もはや動くこともままならず、呆然《ぼうぜん》と顔を上げるその男の前で、片目の騎士《きし》は手にした剣を頭上に振り上げ、

(騎士剣「陰陽」完全同調《どうちょう》。「自己領域」展開)

甲高《かんだか》い金属音。

ディーは血まみれの男の子を地面に下ろすと同時に自己領域を展開。光速に限りなく近い動作で男と騎士の間に割り込み、一切の躊躇《ちゅうちょ》なく振り下ろされる剣を寸前で受け止める。

背後でかすかな声が上がる。血だまりに座り込んだままの男は、突然目の前に出現した白い軍服姿の少年を朦朧《もうろう》とした様子《ようす》で見つめる。

その姿を仮想視界の端に、ディーは片膝《かたひざ》を突く体勢のまま両の剣を跳ね上げる。

弾かれた片刃の騎士剣が宙に翻《ひるがえ》り、鋭《するど》い弧を描いて再度閃《ひらめ》き、

——鳴《な》り響《ひび》く剣戟《けんげき》の音。

背後の男めがけて振り下ろされる銀光を、ディーは両手の『陰』と『陽』を交差させる形で受け止める。

「何をしている、ディー」かすかな怒気を孕んだ騎士の声「すぐにあの子の、カイルの手当を。銃弾が心臓《しんぞう》を貫通しているのだ。事は一刻を争う」

「そう思うならグウェンさんも剣を引いてください！」ディーは騎士の後方、広場の中央に取り残された男の子に一瞬だけ視線《しせん》を向け「確《たし》かにぼくもこの人は許せません。だけど、今ここでぼくらがこの人を殺せばここに集まった市民全部が本当にぼくらの敵になります！　そうなったら同盟は——」

「状況が見えていないのは君の方だ、ディー」騎士は両手で構えた剣に力を込め、すさまじい

圧力で刃《やいば》を押し込みながら「事は既にそんな話をしていられる段階ではない。見ろ」

騎士《きし》が力をわずかに緩《ゆる》め、視線《しせん》で背後の迎賓館《げいひんかん》を示す。誘われるようにそちらに意識《いしき》を向け、ディーは息を呑《の》む。

広間の窓を飛び越え、あるいはエントランスホールの大扉をこじ開けて、殺到してくる賢人《けんじん》会議《かいぎ》の魔法士《まほうし》達。

憤怒《ふんぬ》の炎に瞳《ひとみ》を焦がし、仲間の制止を振り切って進む彼らはノイズメイカーの効果範囲《はんい》外に抜け出ると同時に騎士剣の鞘《さや》を払い、あるいは周囲に空気結晶の銃弾やゴーストの腕を生み出して臨戦《りんせん》態勢を取っていく。

「その男の首を刎《は》ねねば彼らは決して収まらん。下手《へた》にその男を逃がせばここに集まった市民全《すべ》てに対する攻撃《こうげき》、いや、一方的な大量殺戮《さつりく》を誘発することにもなりかねん――！」

最後の声と同時に片刃の騎士剣が角度を変え、両腕に均等にかかっていた圧力のバランスが唐突に変化する。『陰』と『陽』がほんの一瞬《いっしゅん》だけ宙を流れ、その間隙《かんげき》に騎士剣の湾曲した刀身が滑り込む。

力で押さえつける動きから一転、こちらの剣に自らの剣を合わせ、力の向きを操作《そうさ》する動き。搦《から》め捕《と》られた『陰』の刀身が側方に流れ、その動きに引きずられる形でディーはわずかに体勢を崩し、

（高密度情報制御を感知）

がら空きになった左側方に新たな警告《けいこく》。

自己領域の半透明な揺らぎと共に出現した別な影《かげ》——先ほど市民を攻撃すべしと主張していた元ベルリン自治軍所属の騎士、イアンという名の茶色《ちゃいろ》の髪の青年が、地面から数十センチの高さに一瞬だけ静止する。

その首筋に刻印された識別《しきべつ》番号が、夜間照明の闇《やみ》の中にはっきりと見える。

青年はディーが手にするのとよく似た小型の騎士剣を緩《ゆる》やかな落下の姿勢のまま振りかぶり、自身の足下、両手を失ったまま血だまりにうずくまる男めがけて一切の躊躇《ちゆうちよ》なく振り下ろす。

……そんな……！

『陰』の刀身を片刃の騎士剣に合わせたまま強引に体をひねり、五十三倍加速で突き出した左手の『陽』をかろうじて男の目の前、飛来する剣の軌道上に割り込ませる。

小型の騎士剣が金属音と共に跳ね返り、瞬時に翻《ひるがえ》って再び男めがけて振り下ろされる。

同時に右手に衝撃《しようげき》。

『陰』の軌道を側方に逸《そ》らす動きを見せていた片刃の騎士剣が唐突に力の向きを変更。こちらの剣を真下に押し込もうとするその刃にこれまでとは比較にならない圧倒的な力がこもり、反射的に抗しようとしたディーの体は今度こそバランスを失って大きく右方に流れる。

『陰』の柄《つか》から手を放し、体勢を立て直そうとするが既に手遅れ。

『陽』の防御が逸《そ》れた男の喉元《のどもと》めがけて、小型の騎士剣が躊躇なく突き込まれる。

五十三倍速の視界を銀光が走り抜ける。I－ブレインが防御が不可能であるという事実を冷徹に告げる。

間に合わない。

必死に左手の『陽』を振り上げるディーの目の前、騎士剣《きしけん》の切っ先は呆然《ぼうぜん》と目を見開く男に向かって一直線《いっちょくせん》に走り、

――澄《す》んだ金属音が響《ひび》いた。

突如として出現した長大な騎士剣の真紅《しんく》の刀身が、その剣を寸前で受け止めていた。

闇色《やみいろ》のロングコートが翻《ひるがえ》る。見上げた先、ミラーシェードで顔を隠した黒髪の男がこちらに背を向けたまま静かに佇《たたず》む。

「……え……？」

鋭《するど》い金属音。

男は手にした真紅の騎士剣を無造作に引き戻し、反動で弾《はじ》かれた小型の騎士剣と共にその持ち手である茶色《ちゃいろ》の髪の青年が大きく後方に跳躍《ちょうやく》する。

「――警備兵《けいびへい》」

低く、良く通る男の声。

騎士、黒沢祐一《くろさわゆういち》は広場の周囲で動けずにいるシンガポール自治軍の兵士達をミラーシェード越しに見回し、

「すぐにこの男を病院へ。他《ほか》の負傷者も同様だ」

兵士達が一瞬《いっしゅん》だけ顔を見合わせ、すぐに我に返った様子《ようす》でこっちに向かって駆け出す。その行く手に閃《ひらめ》く銀光。着地と同時に体勢を立て直した騎士の青年が再度跳躍。半透明な球形の揺らぎに包まれたその体がディーの視界から消失し、ほとんど同時と言っても良いタイミングで祐一の背後、地上から一メートルほどの位置に出現する。

落下と共に、五十倍速で振り抜かれる小型の騎士剣。

──鳴り響く金属音は二つ。

黒衣の騎士は逆手《さかて》に構えた真紅の騎士剣を振り返ることもせず頭上に掲げ、背後から首筋を狙《ねら》う一撃《いちげき》を弾くと同時にその身を反転、回転の勢いに任せて騎士剣を振り抜き、頭上に跳ね返る小型の騎士剣をそれを手にする青年もろとも十数メートルの彼方《かなた》へと弾き飛ばす。

青年は反撃に転じることも出来ぬままかろうじて宙に身を翻して着地し、片膝《かたひざ》を突いてかすかな呻《うめ》きを上げる。ディーのI－ブレインがたった今目の前で起こった一連の攻防──青年の攻撃を受け止め反撃に転じる瞬間、剣を弾き飛ばすと同時にその腹部に叩《たた》き込まれる黒衣の騎士の肘《ひじ》の一撃をようやく認識《にんしき》する。

ようやくたどり着いた兵士達が両手を失った男と他の市民たちを担ぎ上げ、広場を取り囲む

人垣へと走り出す。

広場に殺到しつつあった賢人会議《けんじんかいぎ》の魔法士《まほうし》達が動きを止め、戸惑った様子《ようす》でこちらを凝視《ぎょうし》しながらともかく倒れたままの男の子に駆け寄る。

「……『紅蓮《ぐれん》』。魔女の騎士剣《きしけん》とはな」

唐突に、背後で呟《つぶや》く声。

振り返るディーの前、賢人会議の騎士、グウェン・ウォンは眼帯に覆《おお》われていない方の目をわずかに見開き、

「北極事件《ほっきょくじけん》の映像を見た時にはまさかと思ったが……天樹機関《あまぎきかん》の黒騎士、本物か」

応《こた》えるのはかすかな刃鳴りの音。

黒衣の騎士は長大な真紅《しんく》の騎士剣を緩《ゆる》やかな動作で引き戻し、周囲の全《すべ》ての者——賢人会議の魔法士、シンガポール自治軍の兵士、それに広場を遠巻きに様子をうかがう無数の市民にミラーシェード越しの視線《しせん》を巡らせ、

「元シティ・神戸《こうべ》自治軍『天樹機関』少佐」

淀《よど》みの無い声で名乗りを上げ、手にした剣を高く頭上に掲げ、

「『世界再生機構《せかいさいせいきこう》』代表——騎士、黒沢祐一《くろさわゆういち》。現時刻より、この状況に介入する」

言うと同時に黒いロングコートが翻《ひるがえ》り、金属音が静まりかえった迎賓館《げいひんかん》前広場に響《ひび》き渡る。

夜間照明の闇《やみ》を裂いて閃《ひらめ》く銀光。

神速の踏み込みと共に振り下ろされた騎士剣の真紅の刀身は鋭《するど》い弧を描いて眼帯の騎士の首筋めがけて襲《おそ》いかかり、防御に跳ね上がった片刃の剣に触れると同時に自身の速度を完全に無視して軌道を変更。黒衣の騎士は剣と剣の触れ合った一点を中心に円を描く動作で相手の懐《ふところ》に潜《もぐ》り込み、そのまま、柄《つか》の一撃で眼帯の騎士の体をはるか後方に弾《はじ》き飛ばす。

衝撃《しょうげき》に手を離《はな》れた片刃の剣が宙に一転して地に落ち、甲高《かんだか》い金属音を立てる。

一瞬《いっしゅん》遅れてI―ブレインに警告《けいこく》。

流れるような動作で反転すると同時にこっちの胸めがけて突き込まれる騎士剣『紅蓮』の切っ先を、ディーは左右の『陰』と『陽』を交差させてかろうじて受け止める。

「祐一さん！　どうしてここに……」

「説明している時間はない」

と、剣に込められた力がわずかに緩《ゆる》む。

黒衣の騎士は声を潜《ひそ》め、ロングコートの襟《えり》で口元を隠すようにして、

「上手《うま》く合わせろ。この混乱を収拾する」

何、と目を見開く間もなく真紅の刀身が翻り、弧を描いて首筋めがけて叩《たた》き込まれる。

六十倍速で振り抜かれるその剣の軌道は明らかに致命傷を狙《ねら》うもの。

一切の手加減が感じられないその一撃《いちげき》をかろうじて受け止めるディーを前に、黒衣の騎士は高らかに声を上げる。

「賢人会議《けんじんかいぎ》の魔法士《まほうし》よ、この場は退《しりぞ》け！　あの市民を裁くのはシティ・シンガポールの司法。自らの同胞が犠牲《ぎせい》になったからといって、それに私的な報復を行うことは許されない――」

真紅《しんく》の刀身が跳ねる。

精妙な運動ベクトルの操作《そうさ》によって防御に構えたこちらの剣を弾《はじ》き、無防備になったその手を狙《ねら》って繰《く》り出される六十倍加速の突きを、ディーは数ミリの差でどうにか回避《かいひ》する。

頭上からは、サーチライトの強い光。

この場に居合わせる全《すべ》ての者、報道カメラの向こうで様子《ようす》をうかがう全ての者――数え切れないほどの視線《しせん》が集中する中、黒衣の騎士《きし》は流れるような動作でミラーシェードを外し、

「どうしても退《ひ》けぬと言うなら、この『世界再生機構《せかいさいせいきこう》』が相手になる。――来い」

「……お……思い出しました」

とっさに、ディーは声を上げる。

両の騎士剣を左右に開いて翼《つばさ》のように構え、目の前の男に、というより周囲の全ての人々と頭上高くを飛ぶ公共放送の報道官に向けて言葉を投げる。

「北極事件《ほっきょくじけん》の時に現れた組織《そしき》ですね。衛星《えいせい》の転送システムを管理しているっていう……。それが、どうしてシンガポールに！」

広場を遠巻きに取り囲む市民の間にどよめきが走る。半年前の事件のことをようやく思い出したのだろう。人々は互いに顔を見合わせ、広場の中央に佇《たたず》む男に視線を集中させる。

そして、それは賢人会議《けんじんかいぎ》の魔法士《まほうし》達も同じ。

血まみれの男の子を抱きかかえて必死に呼びかけていた者、なおも攻撃態勢を取ったままこっちに近づこうとしていた者、その全てが驚《おどろ》いた様子で動きを止める。

「我々『世界再生機構』は、世界の現状を変革し、人類の滅亡を食い止めることを目的として結成された組織。北極衛星の管理はその手段の一つだ」祐一はあらかじめ用意していたように淀《よど》みなく言葉を返し「今ここでシンガポールと賢人会議の同盟が破綻《はたん》し、人類と魔法士の関係が破局を迎えることは我々のタイムテーブルに重大な遅滞を招く。――故に、我々はこの状況に介入する」

言葉と同時に『紅蓮《ぐれん》』の刀身がうなりを上げ、下段からのすくい上げるような一撃がこっちの喉元《のどもと》を狙《ねら》う。周囲の者に狂言と悟られないためとはいえ、その攻撃は完全に本気の物。対処を誤れば確実《かくじつ》に致命傷に繋《つな》がるその一撃を、左右の剣を交差させてかろうじて受け止める。

「ディー！」

悲鳴にも似た仲間達の声。

反射的に両の騎士剣を跳ね上げて『紅蓮』の刀身を受け止め、

「大丈夫です！」戦闘《せんとう》態勢のまま駆け寄ろうとする仲間の動きを視線で制し「この人はぼくが押さえます。今はとにかくカイル君を！」

右手の『陰』を真紅《しんく》の騎士剣に合わせたまま、左手の『陽』を迎賓館《げいひんかん》に向ける。切っ先が示す先は一階の中央。迎賓館《げいひんかん》には国外の要人を迎えるための施設にふさわしく医務室が設けられ、そこには緊急用《きんきゆうよう》の生命維持槽《そう》が設置されている。

こちらの意図が伝わったのだろう。男の子を取り囲んでいた魔法士《まほうし》たちが顔を見合わせる。騎士《きし》の少女が男の子を抱きかかえて自己領域を展開、その姿が瞬時《しゅんじ》に視界から消失し、数十メートル後方、迎賓館のエントランス前に出現する。

「あの子の事は心配するな。別働隊が向かっている」

静かな声。

顔を向けるディーに、祐一《ゆういち》は視線《しせん》だけでうなずき、

「……お……おい！　何をやってる！」

広場を取り囲む市民達の間から、唐突に声が上がる。人垣の向こう、ディーの位置からでは視認出来ない後方から神戸《こうべ》の工作員の物と思《おぼ》しき切羽《せっぱ》詰まった叫びが飛ぶ。

「ぼけっとしてる場合か！　チャンスだろ！　みんな、あの男を援護《えんご》しろ！」

市民たちの間に困惑したようなざわめきが広がる。互いに顔を見合わせ、あるいは広場を凝視《ぎょうし》したまま動かない市民達の中、それでも幾人かの者がおそるおそるという風に銃を構えて進み出ようとし、

（高密度情報制御を感知）

どこからともなく響《ひび》く、指を弾《はじ》くかすかな音。

市民の一人《ひとり》が手にした銃が突如として形を失い、砂のように崩れて足下に降《ふ》り積《つ》もる。

悲鳴と共にグリップだけになった銃を放り捨て、初老の市民がその場にへたり込む。かすかな音が響く度に市民の手にした銃が一つ、また一つと粉砕され、そこかしこで悲鳴が上がる。

その後方数キロ、高層建築の屋上からこちらを見下ろす人影《ひとかげ》に唐突にディーは気づく。

仮想視界の画像解析の先、闇《やみ》の中に佇《たたず》む赤髪の青年とその傍《かたわ》らに立つ少女の姿が脳内におぼろげに映し出される。

……あれは……

「聞け！　シンガポール市民よ」

思考を遮《さえぎ》る、祐一の声。

黒衣の騎士は剣を押し込む体勢のまま、射貫くような視線を周囲に向け、

「このシティには市民と魔法士が手を取り合うことを望まず、双方の間に憎しみを駆り立て、争いを生み出そうとする者達がいる。君達は皆、その者に踊らされているに過ぎない」

市民たちの顔に浮かぶ困惑が色濃《いろこ》さを増す。広大な円形の広場、その周囲見渡す限りを取り囲む数千人の市民は一人の例外も無く動きを止め、息を殺して男の次の言葉を待つ。

閃《ひらめ》く銀光。

剣を引き戻しざま繰《く》り出される突きの一撃《いちげき》をどうにか払うディーの前、祐一は跳ね返った『紅蓮《ぐれん》』の切っ先を大きく自身の周囲、市民一人一人をなぞるように払い、

「この無益な騒乱《そうらん》を止《や》め、今すぐこの場を去れ。従うなら良し。抵抗すれば――」

ゆらりと引き戻した剣を正眼《せいがん》に構える黒衣の騎士《きし》。

広場を取り囲む文字通りの人の壁《かべ》が、一歩、また一歩と後退していき、

「――ふざけるな！」

その動きを遮《さえぎ》る声。

迎賓館《げいひんかん》の前、黒衣の騎士の言葉に呑《の》まれて動きを止めていた賢人会議《けんじんかいぎ》の騎士が、我に返った様子《ようす》で剣の鞘《さや》を払い、

「そこの男、勝手なことを言うな！　これだけの扱いを受けて、子供まで撃《う》たれて、それでその連中を生かして帰せると思うか――！」

周囲の他《ほか》の魔法士《まほうし》たちが、賛同《さんどう》するようにうなずく。炎使いが二人《ふたり》と、騎士が二人。いずれも第一級の能力を持つ魔法士達はその瞳《ひとみ》に怒りをみなぎらせ、射殺すような視線《しせん》を黒衣の騎士とその背後の市民達に向け、

(高密度情報制御を感知)

I―ブレインに警告《けいこく》。

仮想視界の先、騎士二人の体が半透明な球形の揺らぎに包まれ、視界から消失する。

同時に二人の炎使いの周囲で大気が軋《きし》み、千を超える数の淡青色な空気結晶が出現する。生み出された結晶の弾体は出現と同時に急加速。前方、黒衣の騎士めがけて一切のタイムラグ無

しに解き放たれる。

五十三倍速の視界の中、高速で迫る無数の弾体。

その行く手、祐一の後方に自己領域の揺らぎが出現。一ミリ秒足らずで空間を渡った二人の騎士は祐一《ゆういち》の左右の背後、回避《かいひ》方向を塞《ふさ》ぐ位置に同時に着地し、ほんのわずかなタイムラグを置いて攻撃動作に入る。

右後方の赤髪の少女が持つのは、幅広の重厚な騎士剣。

左後方の金髪の青年が持つのは、細い刀身の針のような騎士剣。

二人の騎士は、手にした剣をそれぞれの攻撃を補い合う正確《せいかく》な位置に叩《たた》き込む。

……待って……！

仲間の攻撃を妨害すべきか否か、祐一を助けるべきか否か、心に生じる一瞬《いっしゅん》の迷い。

その迷いを見透かしたように、ミラーシェード越しの視線がわずかに横に動く。

同時に黒いロングコートが翻《ひるがえ》り、真紅《しんく》の騎士剣が闇《やみ》を走る。振り返りざまに掲げられた『紅《ぐ》蓮《れん》』の刀身は右後方から襲《おそ》い来る幅広の剣の一撃を切り上げる動作で弾《はじ》き、同時いつの間にか左手に出現した銃が逆方向から突き込まれる細い剣を受け止める。

銃身を鍔《つば》迫《ぜ》り合《あ》いの形に押し込む姿勢のまま、祐一が視線で示す先は男の側方、ちょうど隙《すき》だらけの位置。

……あ……

瞬時《しゅんじ》に意図を理解。五十三倍速で地を蹴《け》り、その位置に飛び込むと同時に右手の『陰』を黒衣の騎士《きし》めがけて振り抜く。

図ったようなタイミングで祐一《ゆういち》が銃を持つ手を跳ね上げ、鍔迫《つばぜ》り合いの形から剣を弾《はじ》くと同時に一転、『陰』の一撃《いちげき》を『紅蓮《ぐれん》』の刀身で受け流す。目標を逸《そ》れた『陰』は狙《ねら》い違《たが》わず祐一の右後方から再度襲《おそ》いかかろうとしていた少女騎士の目の前を横切り、騎士が驚《おどろ》いた様子《ようす》で一瞬だけ動きを止める。

そのわずかな隙《すき》を逃《のが》すことなく、振り返りざま『陰』をかいくぐって踏み込む黒衣の騎士。『紅蓮』の柄《つか》が少女の手から幅広の剣を弾《はじ》き飛ばし、銃のグリップがその首筋を打ち据える。呻《うめ》きを上げて膝《ひざ》を突く仲間の姿に、残ったもう一方の騎士が目を見開く。金髪の青年騎士は針のような細い剣を胸の前に水平に構え、六十二倍加速の神速で黒衣の騎士めがけて一直線《いっちょくせん》に突き込む。

防御に振り返る祐一。六十倍加速で『紅蓮』を引き戻すその側方には、秒速二千メートルでわずか十センチ足らずの位置にまで迫る無数の空気結晶の弾体。

剣の一撃を受け止めれば氷の弾丸をその身に浴びる、必殺の型。

が。

(高密度情報制御を感知)

かすかに響《ひび》く、指を弾く音。

無数の空気結晶の弾体が、黒いロングコートに触れる寸前で一つ残らず消滅する。

青年騎士は一瞬だけ目を見開き、すぐさまその動きを切り替える。疾走の勢いのまま倒れ込むようにして細剣の軌道を下に逸らし、自らも地を這《は》うようにして『紅蓮』の一撃をかいくぐり、一転して立ち上がると同時に黒衣の騎士に背を向けて跳躍《ちょうやく》する。

その行く手に視線《しせん》を向け、ディーは目を見開く。

広場の外、呆然《ぼうぜん》と立ち尽くす市民達の遙《はる》か後方。

両手首を切断され、兵士達の手で助け出されたあの市民が、浮遊式のベッドに乗せられて今にも輸送《ゆそう》用フライヤーに運び込まれようとしている。

青年騎士の体が半透明な球形の揺らぎに包まれ、視界から消失する。とっさに後を追おうとするが、騎士の姿は既にフライヤーのすぐ側《そば》。周囲の市民と兵士に悲鳴を上げる間すら与えず、躊躇《ちゅうちょ》無く突き込まれた細剣の切っ先はぐったりとベッドに倒れる男の喉元《のどもと》めがけて一直線に吸い込まれ——

その行く手に忽然《こつぜん》と出現する白い影《かげ》。

文字通りどこからともなく現れた白いジャケット姿の白髪の少年が、神速で突き込まれる細剣の切っ先を空中に素手で掴《つか》み取る。

唖然《あぜん》となった青年騎士が、剣を持つのとは逆の手を六十二倍加速で少年の首に伸ばす。少年の指がその手に無造作に触れた瞬間、青年騎士の体が文字通り跳ねる。

少年の達人の体術によって投げ上げられた青年の体が、宙に反転して地面めがけて叩《たた》き付けられる。

が、その寸前で身を捻《ひね》った青年はかろうじて体勢を立て直し、騎士剣《きしけん》を摑《つか》んだままの少年の手めがけて空中から蹴《け》りを見舞《みま》う。

その攻撃《こうげき》を透過した少年の手から剣が離《はな》れる。青年騎士の姿が半透明な球形の揺らぎに包まれ、一瞬《いっしゅん》の間を置いて迎賓館《げいひんかん》の前、広場に下る階段の中程に出現する。

怒りの炎ををわずかも陰らせることなく、剣を構える金髪の青年。

その後方からは、さらに十人近い魔法士《まほうし》が殺到しつつある。

「やはり、そう簡単《かんたん》にはいかんな――」

呟《つぶや》く声と同時に振り下ろされる、上段の一撃《いちげき》。

それを大きく跳躍《ちょうやく》して回避《かいひ》するディーの前、祐一《ゆういち》は左手の銃をロングコートの裏に収め、『紅蓮《ぐれん》』の柄《つか》を両手で強く摑み、

「問題はここからだ。この階層に集まった市民十万人、その全《すべ》てがデモを中止して退去するまで、この戦闘《せんとう》を継続する必要がある」

頼むぞ、という呟き。

それに視線《しせん》でうなずき、ディーは五十三倍加速で地を蹴った。

＊

血にまみれた男の子の姿が、エントランスホールの大扉の向こうに出現した。

セラは喉《のど》の奥まで出かかった悲鳴をかろうじて噛《か》み殺し、扉のすぐ側《そば》で立ち止まった。

隅の方でうずくまっていた小さな男の子と女の子が、泣きながらこっちに駆け寄ってくる。

床に両膝《りょうひざ》を突いて二人《ふたり》を同時に受け止め、背後に浮かぶ巨大な物体――医務室から重力制御で運んできた簡易型の生命維持槽《そう》をともかく床に下ろす。

長さ二メートルほどのベッド型の装置の中央、患者を収容するための透明な円筒形の器《うつわ》が大きく左右に開く。

血まみれの男の子を抱えた騎士の少女がエントランスに飛び込み、背後で扉が閉まる。

少女は青ざめた顔で男の子を生命維持槽の中に横たえ、そのままその場にへたりこむ。周囲の魔法士達が駆け寄り、男の子の体に手分けしてケーブル類を接続する。

強化プラスチックの透明な蓋《ふた》がかすかな電子音と共に閉ざされ、内部が瞬時に薄桃色《うすももいろ》の人工羊水で満たされる。

円筒形容器の表面に浮かぶ立体映像のステータス表示が、かろうじて生命反応の存在を知らせる。

「セラお姉《ねえ》ちゃん……わたし……わたし……！」

「お姉ちゃん……カイルが……」

腕の中の二人《ふたり》が、泣きじゃくりながら言葉を吐き出す。その子たちがほんの数分前にこのエントランスで手を振っていた子供——生命維持槽《そう》の中の男の子と共に『シンガポール市民と話し合う』と主張していた残りの二人だということを、混乱した頭がようやく認識《にんしき》する。

「わたしたち、お話ししたかっただけなの……ふつうに……それが、なんで……」

「大丈夫——！　大丈夫です！」

小さな体を強く抱きしめ、叫ぶ。他《ほか》に何を言えば良いのか分からない。どうしてこんなことになったのか、ここからどうすれば良いのか、腕の中の子供達と同様、セラにもまるで分からない。

と、傍《かたわ》らで人が動く気配《けはい》。

見上げた先、生命維持槽の周囲で、重傷の男の子を見つめていた魔法士《まほうし》達が決然とした様子《ようす》で次々に顔を上げる。

黒い制服に身を包んだ賢人会議《けんじんかいぎ》の魔法士たちが、エントランスの大扉に向かって静かに歩き出す。その周囲に高密度の情報制御が渦巻き、剣の鞘《さや》を払う音、空気結晶の弾丸が触れ合う音——戦いの準備を告げるあらゆる種類の音が重なり合って響《ひび》く。

重苦しい足音。

いずれも歴戦の勇士である数十人の魔法士達は視界のはるか先で今なお迎賓館《げいひんかん》を取り囲む市民の群れを睨《にら》み付け、一つ、また一つと歩を進め——

その足が、止まる。

大扉の前には、同じく賢人会議の制服に身を包んだ別な魔法士の一団。

その中央に立つ壮年の騎士《きし》が、鞘に収めたままの剣を行く手を遮《さえぎ》るように眼前に掲げ、

「どうしようというのかね」

「打《う》って出ます」戦闘《せんとう》態勢を取る一団、その先頭を行く炎使いの青年が、わずかの躊躇《ちゅうちょ》も無く答える。「シンガポールとの同盟関係は瓦解《がかい》したも同然。なら、やるべきことは一つです。俺《おれ》達は、俺たちに一番ふさわしいやり方で現状を打破します」

腕の中の二人が小さく息を呑《の》む。呆然《ぼうぜん》と見つめるセラの目の前、同じ制服に身を包んだ魔法士たちが大扉を前に向かい合う。

「このシティを戦場にするつもりか」

「それを望んだのはシンガポール市民自身です」射貫くような騎士の視線《しせん》に炎使いの青年は臆《おく》することなく「ここまでのことを起こしたのです。市民もまさか全《すべ》てが丸く収まって同盟が何事もなく成立するなどと考えてはいないでしょう。それに、他のシティに対する見せしめという意味もある。俺達に敵対する者がどんな運命をたどるか、それを世界に対して示しておくことは……」

唐突に、言葉が途切《とぎ》れる。

青年は二度、三度とかぶりを振り「……いえ」と小さく呟《つぶや》いて、

「そんなことどうでも良いんです、本当は。ただ、俺《おれ》は許せない。敵意も戦う意思も無く、話し合いを求めて来たあの子を撃《う》ち殺した連中が、俺にはどうしても許せないんです」

「待ちたまえ。あの子は、カイル君はまだ」

「手遅れですよ」騎士《きし》の言葉に炎使いは息を吐き「ステータスをよく見てください。形だけは生命反応が残っていますが、時間の問題です。仮に今すぐ軍病院に運んで最高レベルの処置を行ったとしても、手の施しようがありません」

何、と目を見開く壮年の騎士とその一団。子供達が「嘘《うそ》だ！」と叫び、セラの腕をすり抜けて生命維持槽《そう》にとりつく。必死の形相《ぎょうそう》で羊水の中の男の子に呼びかける子供達の前で、ステータス画面に表示されたアイコンの一つが黄色《きいろ》から赤色《あかいろ》の表示に切り替わる。

身体《からだ》の損傷具合を現わす数百のアイコンは既にその半数近くが『危険』を表わす赤で、一割ほどが『治療《ちりょう》不可能』を示す黒。

呆然《ぼうぜん》と見つめるセラの前で、画面表示が黄から赤、赤から黒へと次第に浸食されていく。

……そんな……

透明なガラス筒に顔を押し当て、子供達が半狂乱で泣き叫ぶ。その姿を沈痛な面持《おもも》ちで見下ろし、炎使いの青年が周囲の仲間を視線《しせん》で促して歩き出す。

壮年の騎士が「待ちたまえ！」と声を上げるが、その表情には覇気《はき》が無い。青年が一歩足を進めると、騎士とその仲間は半歩後ろに下がる。わずかの躊躇《ちゆうちよ》も無く進む青年の前で、扉を塞《ふさ》ぐ人垣が少しずつ左右に分かれていく。

もう、止められない。

セラは床にうずくまったまま目を見開き、仲間達の背中を為《な》す術《すべ》も無くただ見送り——

「——はーい！　お待たせ———っ！」

この場に決して有り得ない声が響《ひび》いた。

耳をつんざくような破砕音が、その後に続いた。

対爆《たいばく》仕様の大扉が、粉微塵《こなみじん》に砕けた。

飛《と》び退《の》く賢人会議《けんじんかいぎ》の魔法士《まほうし》達の前、その黒い影《かげ》は飛び散る無数の強化プラスチックの破片と共にエントランスの中央に着地した。

「あいたた……ちょっと失敗……」

大人《おとな》の身長ほどもある紡錘形《ぼうすいけい》の黒い影の表面が大きく左右に開き、巨大な一対の蝙蝠《こうもり》の翼《つばさ》を形作る。その翼の持ち主、淡い照明の中に立ち上がる人物に、セラは言葉を失う。

金糸で龍《りゆう》の刺繡《ししゆう》が施された東洋《とうよう》の民族衣装を身に纏《まと》う、三《み》つ編《あ》みに結わえた長い黒髪の少女。

その腕の中から、短い金髪の男の子がゆったりとした動作で降り立つ。

「……な……なんだ、こいつ……」

呆然《ぼうぜん》と声を上げる炎使いの青年。

と、その背後でロンドン出身の幾人かが息を呑《の》み、

「リ・ファンメイとエドワード・ザイン？」

「ペンウッド教室の！　くそ、どうなってる……！」

迎賓館《げいひんかん》から撃《う》って出ようとしていた一団とそれを止めようとしていた一団、双方の顔に驚愕《きょうがく》が浮かぶ。人形使いの一人《ひとり》が叫びを上げ、床から生みだした巨大な腕をチャイナドレスの少女に叩《たた》き付ける。

その攻撃《こうげき》が、少女に到達する寸前で止まる。

巨大な腕の一撃を止めるのは、同じく床から生み出された螺子《ねじ》。

少女の前、金髪の男の子の周囲から生《は》え出した直径一センチほどの無数の螺子が、タイル材と強化コンクリートの腕を滅多《めった》刺しに刺し貫き、空中に縫《ぬ》い止める。

「ファンメイさん——？　え、えぇっと！」

「説明は後回し！　セラちゃんちょっとどいて！」

思わず声を上げるセラの前を駆け抜け、少女——ファンメイが生命維持槽《そう》に取り付く。その背から蝙蝠《こうもり》の翼《つばさ》が抜け落ち、空中に融《と》けながら見る間に収縮《しゅうしゅく》して小さな黒猫の姿を取る。

少女の両手が、円筒ガラスの表面に触れる。

パスコードによるロックが施されたガラス筒が強引にこじ開けられ、あふれ出た羊水と共にもはや痙攣《けいれん》する力も失った男の子の体が露《あら》わになる。

「小龍《シャオロン》！　お願《ねが》い！」

叫ぶファンメイの背中から頭を飛び越え、黒い子猫が男の子の胸、傷口の真上に降り立つ。

少女が黒猫の背に手を当てるとその体から黒い触手が幾本も生え出し、銃弾に穿《うが》たれた傷口に次々に潜《もぐ》り込む。

周囲の魔法士《まほうし》達が目を見開き、「何を――！」と生命維持槽に駆け寄ろうとする。セラは慌てて両手を広げ、そんな仲間達の動きを押しとどめる。

と、生命維持槽からかすかなアラーム音。

振り返った先、ガラス筒の表面に浮かぶステータス画面の表示に変化が生まれるのを、セラは仲間達と共に見る。

既に全項目の半分近くを『治療《ちりよう》不可能』の黒に塗りつぶされていた画面が、少しずつ別な色に覆《おお》われていく。黒から赤、赤から黄、まるで時間を巻き戻すように、数百からなる項目が『正常値』を表わす青の表示に書き換わっていく。

羊水に濡《ぬ》れる男の子の指が、わずかに動く。

唇の隙間《すきま》から呼気が漏れ出すのを、I―ブレインの重力感知がはっきりと捉《とら》える。

賢人会議《けんじんかいぎ》の魔法士《まほうし》たちの間にどよめきが走る。龍使《りゅうつか》いの能力――『黒の水』を用いた代替《だいたい》臓器《ぞうき》の生成による人体の治療《ちりょう》。だが北極《ほっきょく》事件《じけん》の時に一度それを見ているセラとは違い、この場の魔法士のほとんどにとって通常の情報制御の常識《じょうしき》では理解出来ない目の前の現象はおそらく奇跡に等しい。

生命維持槽《そう》にすがって泣き崩れていた子供達が、歓声とも悲鳴ともつかない声を上げる。二人《ふたり》は泣《な》き濡《ぬ》れた顔のまま抱き合い、互いの背中を何度も叩《たた》く。

「間に合ったぁ……」

黒猫の背から手を離《はな》し、ファンメイが大きく息を吐く。その傍《かたわ》らに金髪の男の子――エドが駆け寄り、労をねぎらうように少女の背中を撫《な》でる。

数秒の沈黙《ちんもく》。

少女は「えっと……何だっけ」と呟《つぶや》き、困った顔で周囲を見回し、

「とりひき」

「そ、そっか！　取り引きだった！」エドの言葉に手を叩き、ファンメイはぎこち無い動作で胸を張って「改めて、わたしはロンドン自治軍のリ・ファンメイ。で、こっちがエドワード・ザイン。初めまして……じゃない人もいるよね？」

そう言ってかつてロンドンに所属していた幾人かの魔法士に視線《しせん》を向け、最後にセラを見下ろして少し照れた表情を浮かべる。

どう反応して良いのか分からず瞬《まばた》きするセラの背後で、ファンメイのことを知っているらしい魔法士達が周囲の仲間に小声で少女のことを説明する。

「そ、それで！」そんな賢人会議の面々を前にファンメイは一つ手を叩き、生命維持槽の男の子を指さして「この子はわたしの力で治したけど、それは体の中に代わりの内臓《ないぞう》を作って無理《むり》矢理《やり》動かしてるだけで、わたしが情報制御をやめると全部元通りなの」

話し声が止まる。生命維持槽の側《そば》で抱き合っていた男の子と女の子が動きを止め、また泣きそうな顔をして龍使いの少女を見上げる。

「カイル……死んじゃうの……？」

「死なない死なない！」ファンメイは慌てた様子《ようす》で両手を振り「だから取り引き！　この子はわたしが今からちゃんと治す。その代わり、みんなは戦うのを止《や》めて外の市民の人達を見逃す。そういう取り引き！」

顔を見合わせる賢人会議の魔法士たち。

少女は不安そうにそれを見つめ、

「んと……どうかな……？」

＊

迎賓館《げいひんかん》のエントランスに突入する黒い影《かげ》が、立体映像ディスプレイに大写しになった。

影は砕けた正面扉の向こうで巨大な黒い翼《つばさ》を形作り、その中心、艶《あで》やかなチャイナドレスを纏《まと》った少女の姿を露《あら》わにした。

ディスプレイの隅に二重窓で表示された公共放送のキャスターが興奮《こうふん》気味に状況の変化を伝える。どうやら勘が良いらしいキャスターは数時間前に行われた調印式《ちょういんしき》の映像を取り出し、少女がロンドン自治軍の魔法士《まほうし》である可能性を伝える。

大使館《たいしかん》の会議室《かいぎしつ》でそれを呆然《ぼうぜん》と見上げる、ロンドン自治政府使節団の面々。

議員の一人《ひとり》がこちらを振り返り、さすがに混乱した様子《ようす》で、

「リチャード博士！　あれはいったい……」

「いやいや、申し訳ありません」

最後列の椅子《いす》から立ち上がり、リチャードは謝罪《しやざい》のポーズとして軽く両手を挙げる。

ポケットに手を伸ばしてタバコを取り出そうとし、この部屋《へや》が禁煙であることを思い出して内心で顔をしかめ、

「本来なら事前に許可をいただくべきところでしたが、何ぶん急を要する事態でしたので。皆

様には事後承諾《しょうだく》となることを了承いただきたい」

　ロンドン自治政府の議員と外交官、そして警護《けいご》部隊の魔法士——会議室に居合わせる全《すべ》ての顔に、困惑の色が浮かぶ。

　先ほどとは別の議員が立ち上がり、まっすぐこっちに向き直って、

「説明を」どうにか平静を保った様子で腕を組み「シンガポールと賢人会議《けんじんかいぎ》の同盟は瓦解《がかい》寸前、市民のデモはいつ暴動《ぼうどう》に発展してもおかしくない状態であり、本国では既に我々に対する帰還《きかん》命令が準備されています。……不用意な介入を避けるべきであることは、博士にもおわかりかと思いますが」

「おっしゃる通り」

　リチャードは深くうなずく。

　一つ息を吐き、正面のディスプレイを視線《しせん》で示して、

「このシンガポールを取り巻く状況は混迷の一途をたどっています。市民と賢人会議の双方に負傷者が出てしまった以上、もはや平和的な手段での事態の収拾は不可能に等しい。……あの『世界再生機構《せかいさいせいきこう》』を名乗る集団は賢人会議側の矛先《ほこさき》を逸《そ》らすつもりのようですが、おそらく焼け石に水でしょうな。迎賓館を取り囲んでいた最前線の市民を排除することはどうにか成功しましたが、残る大多数の市民は状況を把握できぬまま迎賓館を目指して行進を続けている。今後のさらなる衝突《しょうとつ》は避けられない状況であり、同盟関係は既に無いも同然」

そこで言葉を切る。

大げさな動作で両手を広げ、会議室《かいぎしつ》の全員にゆっくりと視線《しせん》を巡らせて、

「まさしく、我がシティ・ロンドンにとって最大の好機《こうき》というわけです」

会議室に下りる一瞬《いっしゅん》の静寂。

使節団の行動に対して決定権を持つ三名の議員とそれを補佐する五名の外交官、そして警護《けいご》部隊の十二名の魔法士《まほうし》──その全員の顔に明らかにこれまでとは性質の異なる色が浮かぶ。

「つまり……」最も近くの椅子《いす》に座る一人《ひとり》がこちらを振り返り「つまりこれは、シンガポールと賢人会議《けんじんかいぎ》の間に我々が割って入り、あの魔法士たちにとっての第一の友好国となるまたとない機会《きかい》であると？」

「『ペンウッド教室』はこれよりロンドン使節団を一時離脱《りだつ》し、賢人会議のサポートのための独自行動に入ります」リチャードはうなずき「幸いなことに『龍使い《りゅうつか》』は負傷者の治療《ちりょう》や拠点防衛《ぼうえい》に優《すぐ》れた能力を持っている。先ほど負傷した子供の問題が片付けば賢人会議側も冷静になるでしょうし、上手《うま》く事態を収拾できればシンガポールに恩を売ることにもなりましょう」

どうか許可いただきたい、と頭を下げるリチャードに、顔を見合わせ小声で何事かを話し合うロンドンの議員と外交官たち。

と、議員の一人、この使節団の代表を務める初老の男がこちらに向き直り、

「本国からの帰還《きかん》命令があれば、我々は直《ただ》ちにこのシティを発《た》つ。その場合ペンウッド教室、

中でも迎賓館《げいひんかん》に潜入《せんにゅう》している魔法士は置き去りとなる可能性がある。そのことは」

「承知しています、無論《むろん》」

数秒。

初老の男は「良かろう」とうなずき、

「『ペンウッド教室』の行動を追認する。が、独断は今回限りに。今後は状況に変化があり次第、逐次報告いただきたい」

了解しました、とうなずき、出口の扉に向かって歩き出す。

と、壁際《かべぎわ》に立つ警護の魔法士の一人、騎士《きし》の少女が慌てた様子《ようす》でその行く手に飛び出し、

「リチャード博士！」

「……何用ですかな、ソフィー・ガーランド中佐」

芝居に気づかれたかと一瞬《いっしゅん》ひやりとし、どうにか平静を装って少女の名を呼ぶ。

「その作戦、私も加えていただきたい」金髪の少女は生真面目《きまじめ》その物の顔でこっちを見上げ「いかに友好関係を築くのが目的とはいえ、敵地に飛び込むのがリ・ファンメイとエドワード・ザインの二名のみというのは心許《こころもと》ない。この混沌《こんとん》とした状況では、騎士の能力が必要となる場面もあるだろう。どうか――」

「心遣《こころづか》いには感謝《かんしゃ》します」リチャードは半ば本気で少女に感謝しつつ「しかし、警護部隊の第一の任務はこの使節団の安全を確保《かくほ》すること。我々の行動はイレギュラーなものであり、そ

のために使節団に危険が及ぶようなことがあれば本末転倒となります。部隊長である中佐には、有事の際の議員《ぎいん》や外交官の方々の安全確保《かくほ》をお願《ねが》いしたい」

それは、と言葉に詰まる少女。

ややあって、「……そうだな」と一つうなずき、

「では、私は本来の任務に専念する。二人《ふたり》には『健闘《けんとう》を祈る』と伝えていただきたい」

その言葉にもう一度、感謝《かんしゃ》します、と応《こた》え、会議室を後にする。

木目《もくめ》調《ちょう》の扉を抜けた先には、大戦以前の調度品に彩られた真紅《しんく》の絨毯敷《じゅうたんじ》きの長い廊下。

高い天井《てんじょう》に靴音を響《ひび》かせ、足早に進むリチャードの目の前に、通信用の小さな立体映像ディスプレイが出現する。

『迫真の演技でしたね』

「こらこら、茶化《ちゃか》すなサースト君」画面の向こうでわざとらしく手を叩《たた》く白衣の青年にリチャードは苦笑し「私は大したことなどしとらん。自治政府にしてもこの状況に流されて使節団がただシンガポールから逃げ出すのでは面白《おもしろ》く無いだろうし、ああいう論法《ろんぽう》に持って行けばお偉方が食いついてくるのは予定通りだ」

最後は肝が冷えたがな、と小さく付け加える。北極事件《ほっきょくじけん》の時にも一度関《かか》わったが、あのソフィーという少女は損得を無視して純粋な善意や正義感で行動する分、半端に頭の回る人間よりも遥《はる》かに行動が御《ぎょ》し難《がた》い。

「確《たし》か、メリル君の友人だったな」リチャードは自分の部下である女学生の顔を思い出し、しばし考え「どうだろう。そのツテで、今度うちの研究室に引き抜きをかけてみるというのは」

『メリルにまた怒られますよ』青年はディスプレイの向こうで笑い、ふと眉間《みけん》にしわを寄せて

『ところで大丈夫なんですか？　さっきの話ですけど、賢人会議《けんじんかいぎ》をサポートするも何も、メイちゃん今頃《いまごろ》「この子の命が惜しかったらすぐに戦闘《せんとう》を止《や》めろ」ってあの連中を脅迫してる真っ最中じゃ……』

「なに、とにかく状況に潜《もぐ》り込む口実さえ付けば、あとはどうとでもなる」

リチャードは即答する。

無人のエレベータに飛び乗り、フライヤーの駐車《ちゅうしゃ》スペースがある地下のボタンに指を触れ、

「欲を言えばもう少し派手《はで》に動き回りたいところだが、今はまだロンドン自治政府の意向を無視するわけにはいかん。ファンメイの体を維持出来るだけの生産力を有するシティは、現状でロンドンをおいて他《ほか》に無いからな」

『先生……』

何やら神妙な顔で口を開きかける白衣の青年。

と、その前を遮《さえぎ》るように別なディスプレイが出現し、

『首尾はいかがですか？　リチャード博士』

「上々といったところです、ルジュナ執政官」

『それは何よりです』答えるリチャードに、小さな画面の向こうの女性はたおやかに笑い『こちらもどうにか本国の執政院を説得しました。あと五時間弱、今日《きょう》の二十四時までなら、ニューデリーへの帰還《きかん》は待っていただけるそうです』

「代わりに、その刻限を過ぎれば首に縄《なわ》をつけてでも連れ帰る、ということですか」

エレベータが地下一階を示す表示と共に停止し、扉が音も無く開く。

駐車《ちゅうしゃ》スペースに飛び出すと同時にポケットからタバコを取り出して口にくわえ、

「一国の指導者《しどうしゃ》というのも、なかなか好き勝手には振《ふ》る舞《ま》えんものですなあ」

『それはもう、市民に対する責任というものがありますから』ルジュナは冗談《じょうだん》めかした口調《くちょう》で答え、すぐに表情を改めて『もしもの場合は手はず通りに。「世界再生機構《せかいさいせいきこう》」の身柄は博士とケイトさんにお預けします。この事態の収拾もお二人《ふたり》にお願《ねが》いすることになってしまいますが……』

「そうならんことを祈りましょう。重労働は体に応《こた》えます」

急ぎ足のままタバコに火をつけ、目当てのフライヤーの後部座席に飛び乗って操縦席《そうじゅうせき》に待《たい》機《き》していた白衣の青年――サーストに軽く手を挙げ、

「ともかく、鍵《かぎ》は天樹真昼《あまぎまひろ》の身柄でしょうな。賢人会議《けんじんかいぎ》の動きを見るに、魔法士《まほうし》達も全員が市民に対する攻撃《こうげき》に賛同《さんどう》しているわけでは無く、一部の者は交戦を避けようとしている節がある。行方不明《ゆくえふめい》の参謀《さんぼう》さえ無事に戻れば、そちら側の主張が通りやすくなる」

『賢人会議の暴発《ぼうはつ》さえ抑えられればあとは通常の市民デモの鎮圧《ちんあつ》。そちらも、例の「賢人会議がシティ・神戸《こうべ》を滅ぼした」という映像について真昼さんから何らかの説明があれば、シンガポール自治軍にも動きようがあるはずです』

世界再生機構の投入によって混乱の最初の一波を退《しりぞ》けることには成功したが、実のところ状況は何一つ改善してはいない。二十階層に流れ込んだ市民のデモ隊はすでに十万を超える規模に膨《ふく》れ上がり、再び迎賓館《げいひんかん》を包囲するのは時間の問題だ。今は祐一《ゆういち》達が緩衝材《かんしょうざい》になっているおかげで賢人会議と市民の双方の矛先《ほこさき》が逸《そ》れている格好だが、それは詐術に近いもの。遠からず再度の衝突《しょうとつ》が発生することは防ぎようが無い。

やはり、抜本的な解決策は彼《か》の青年の奪還《だっかん》。

そのためには、速やかに敵の動きを押さえなければならないが――

「やはり、居所は摑《つか》めませんか」

『クレアさんにもずいぶん頑張っていただいたのですけどね』ルジュナは息を吐き『光耀《クアンユー》の存在によってただでさえこのシンガポールでは情報のノイズが大きいのに加えて、厳戒《げんかい》態勢ということで情報防壁《ぼうへき》が最大限に強化されているそうです。シティ外の状況を観測《かんそく》した限りでは、まだこのシティ内に留《とど》まっているのだけは間違いない、というお話ですが』

「それ以上の情報を得る手段はこちらには無い。市民に紛れた工作員を捕えるのは難《むずか》しく、仮に成功したとしてもその動きが市民を刺激《しげき》することになれば状況はさらに悪化する」フライヤーの低い天井《てんじょう》に紫煙を吐き「やはり大本を叩《たた》くべきでしょうな、ここは」

『そうなりますね、必然的に』

うなずいたルジュナが、不意に眉《まゆ》をひそめる。

これは、と小さく呟《つぶや》き、こちらの手元に別な画面を呼び出して、

『たった今入った情報なのですが……賢人会議《けんじんかいぎ》の代表とシンガポール自治政府の全権大使が連れだって、同盟反対派のリーダーと目《もく》される議員《ぎいん》の私邸に突入したとのことです。もう一人《ひとり》正体不明の魔法士《まほうし》が同行しているとのことですが、おそらく錬《れん》君のことかと』

「考えることは皆同じ、ですか」

ドアが閉まると同時に浮遊感があり、フライヤーが静かに加速を開始する。

リチャードはディスプレイに映る映像——軍司令部を飛び立つ黒塗りのフライヤーと操縦《そうじゅう》席《せき》に座るスーツ姿の男を見つめ、

「魔法士殺し、フェイ・ウィリアムズ・ウォン。なかなか思い切ったことをする人物のようですが」一口吸っただけのタバコを目の前の灰皿に押しつけ「正規の部隊を動かさず自ら乗り込んだとなると、よほど混乱しているようですな。自治軍の指揮系統は」

『神戸《こうべ》の工作員の仕掛けが原因、とばかりも言えないのでしょうね、残念ながら』ディスプレイの向こうのルジュナは一つ息を吐き『光耀《クアンユー》の予言という建前によって不満を押さえ込まれていたのは市民だけでは無い、と理解すべきかと』

うなずき、立体映像のタッチパネルを叩《たた》いて別な画面を目の前に呼び出す。二十階層の階層間バイパス道に設けられた検問所。打ち砕かれたバリケードを踏み越えて、今も多数の市民が迎賓館《げいひんかん》を目指して行進を続けている。

それを遠巻きに見守る自治軍の兵士の動きは、やはり鈍《にぶ》い。

市民を傷つけることを恐れて手を出しかねている、というのとは違う。その様子《ようす》は、自分たちが市民を妨害すべきか、あるいは市民と共にデモに加わるべきか、態度を決めかねているようにも見える。

『現状で最も危惧《きぐ》すべきは、統制を失った軍が市民と共に賢人会議を攻撃《こうげき》する側に回ることです』ルジュナは机の上で組んだ自分の両手をじっと見つめ『光耀《クアンユー》の予言、友好的な同盟関係——そういう建前を全《すべ》て剝《は》ぎ取った時にこのシティに何が残るか。興味深《きょうみぶか》くはありますが、試してみるわけにはいきません』

そう言って、白装束《しろしょうぞく》の執政官は立ち上がる。

豪奢《ごうしゃ》な外套《がいとう》を肩に羽織《はお》り、長い髪を背中に流して、

『私はシンガポール自治政府の首相官邸に。カリム・ジャマール首相に事態打開のための協力を進言します。……ケイトさんには大戦中の人脈から軍の動向を探っていただいていますから、博士はまずそちらに合流して情報を。場合によっては、「世界再生機構《せかいさいせいきこう》」を使って軍を動かすためにもう一芝居が必要になります』

では後ほど、という言葉を残してディスプレイが消失する。

しばしの沈黙《ちんもく》。

「なんか、大事になっちゃいましたね」操縦席《そうじゅうせき》の青年、サーストが振り返り「とりあえず予定通り第八階層に。メリルとセレナ、それにフィアちゃんはもうあっちで待機《たいき》してます」

頼む、とうなずき座席のシートに深く体を預ける。二十階層の混乱を避けるため、拠点として選ばれたのは第八階層の小さな教会。シスター・ケイトの教会と交流があるというその教会の神父は軍に縁《えん》もゆかりも無い一般人だが、教会を臨時《りんじ》の司令室として利用することを承諾《しょうだく》してくれているという。

フライヤーが加速する。

細い通路を抜けて第二十階層の地表に飛び出すと同時に上昇。飛び交う軍用フライヤーの隙《すき》間《ま》を抜けて、一気に天井《てんじょう》付近にまで到達する。

窓の向こうには、鈍《にぶ》い光に照らされるシンガポールの街並。

本来なら夜間照明の闇《やみ》に沈んでいるはずの街路は市民が手にする照明用の発光素子と立体映像のプラカードが放つ光によって埋め尽くされ、直径十キロの外周付近にまでわたって複雑な幾何学模様を描いている。

……これがシンガポール市民の、いや、人類の選択か……

問題は、子供が撃《う》たれた、市民が斬《き》られた、といった表面的なところにあるのでは無い。もっと根本的な、この場にいる全《すべ》ての者の奥に潜《ひそ》んでいる意識《いしき》だ。違和感、疎外感、恐怖心——そんな言葉では明文化することの出来ない、もっと根底の、本能に属する領域の問題。それが、I—ブレインを持たない市民とI—ブレインを持つ魔法士《まほうし》の双方を動かしている。

あえて言葉にするなら、それは『魔法士と人間は別の存在である』という暗黙《あんもく》の了解。

賢人会議《けんじんかいぎ》という劇薬《げきやく》によって世界の潮流《ちょうりゅう》が一変し、あらゆる物が否応なくその流れに巻き込まれていく中で、無言のうちに押し込められてきたその意識が今、悪意という形を成してこの街を塗りつぶそうとしている。

……神戸《こうべ》の工作員どもには、そのことが……

見えていないのだろう、とリチャードは思う。市街地に紛れ、自ら市民を煽動《せんどう》している状況で、デモ全体の規模がどの程度に膨《ふく》れ上がっているかを判断するのは難《むずか》しい。十万人規模、という数は公共放送から知ることが出来ても、その数の意味するところ、自分達が市民と魔法士の中から掘り起こした物の正体を理解するのはおそらく不可能だ。

だが、思惑がどうあれ、彼らは引き金を引いた。

事態は今や同盟反対派の意図を遥《はる》かに超えて、誰《だれ》にも制御不可能な方向へと転がり出そうとしている。

……馬鹿《ばか》どもが。祭り騒《さわ》ぎに浮かれおって……

眼下を蠢《うごめ》く人波を見下ろし、心の中で毒づく。あの市民達には自分達のやっていることが最終的に世界を滅ぼす行為だと理解出来ていない。ここで賢人会議《けんじんかいぎ》とシンガポールの、いや魔法《まほう》士《し》と通常人の間に断裂を生むことが決定的な破局を招き、最後には自分たちの身を滅ぼすことに繋《つな》がるのだと想像すらしていない。

かすかな徒労感。

強化プラスチックの窓に映る自分の顔を見つめ、不意に、その背後を誰《だれ》かが横切ったような気がして息を呑《の》む。

長い金髪をたなびかせる、白衣の女性。

それが、闇《やみ》の向こうから気怠《けだる》そうにこちらを振り返る。

……いい加減にやめておけ、リチャード。科学者は科学のことを考えるのが本分。それ以外のことなど、それ以外の連中にやらせておけ……

「そうもいかんのです、師よ」苦笑し、右手を振って幻を払う。「この歳《とし》になるとおっしゃることも分かるようになりましたが、私にも意地がありますからな」

「何です？　先生」

独《ひと》り言《ごと》に驚《おどろ》いたのか、操縦席《そうじゆうせき》の青年が振り返る。

気にせんでくれ、と首を振り、リチャードはポケットから新たなタバコを取り出し、

「急ぐとしよう。まさしくこれは、人類存亡の危機《きき》というヤツだからな」

＊

ディスプレイの向こうに映し出される迎賓館《げいひんかん》前広場に、剣戟《けんげき》の音が響《ひび》いた。

騎士剣《きしけん》を縦横《じゅうおう》に振るって交戦を続ける祐一《ゆういち》とディー。その映像を背景に解説を続ける公共放送のキャスターの言葉から、錬《れん》はようやくおおよその状況を把握した。

「子供が撃《う》たれた……だと……？」

ようやくという感じで、サクラが声を絞り出す。

少女は全身を震《ふる》わせて大きく息を吐き、ディスプレイを差し出す兵士にゆっくりと視線《しせん》を向けて、

「それで……その後の状況は」

「ふ、不明です！」兵士は一歩後退《あとずさ》り、引きつった声で「負傷した少年は迎賓館の中に！　後を追う形でロンドン自治軍の魔法士が突入したとのことですが、その後の状況は！」

ロンドン、と呟《つぶや》いたサクラの視線が、画面の向こう、迎賓館の正面扉を打ち砕いて着地するチャイナドレスの少女の姿を追う。

数秒。

サクラは大きく息を吐き出し、束《つか》の間《ま》目を閉じて、

「彼女の能力に期待することにしよう」迷いを払うように一つうなずき「フェイ大使、事態は一刻を争う。速やかに天樹真昼《あまぎまひる》の所在の特定を」

「そ、そうだよ！」錬《れん》も慌てて声を上げ「早く真昼兄《にい》を取り返さないと！」

「承知している」

感情を感じさせない声で答えるフェイ。

男は足下に倒れ伏したままのリー議員《ぎいん》を見下ろし、その傍《かたわ》らに片膝《かたひざ》を突いて、

「兵士諸君、しばらく外で待機《たいき》を」

「は……？」

ディスプレイを差し出していた部隊長が、何を言われたか分からなかった様子《ようす》で眉《まゆ》をひそめる。が、フェイに再度促されると慌てた様子で部下を指示し、部屋《へや》の外に消える。

リー議員私邸の地下室、後に残るのは錬とサクラ、フェイ、それに屋敷《やしき》の主である気を失ったままの男。

その男の頭に、フェイは右手のひらを押し当て、

「今から見ることは他言無用に願《ねが》う」

「他言無用、って……」

どういうことかと顔を見合わせる錬とサクラ。

フェイはそんな二人《ふたり》を振り返ることなく、左手で右腕のスーツの袖《そで》を肘《ひじ》までめくりあげ、

「この場で脳のスキャンを行う。簡易的《かんいてき》な装置を使うので断片的な情報しか取得出来ないが、参謀殿《さんぼう》の行方《ゆくえ》がつかめればそれで問題ない」

かすかな機械音《きかいおん》。

リー議員の頭に押し当てられた右手の周囲に、唐突に、幾つかの立体映像ディスプレイが出現する。

……あれは……

突き出されたフェイの右手、リー議員の頭部とのわずかな隙間《すきま》に金属光沢《こうたく》を見た気がして、錬は目を凝《こ》らす。光は二度、三度と瞬《また》き、その度《たび》にディスプレイの表示が切り替わる。

「大使、貴方《あなた》は……」

同じ光を見つめたまま、呆然《ぼうぜん》と呟《つぶや》くサクラ。

フェイは無言で自分の右手を見つめ、ややあって独《ひと》り言《ごと》のように、

「この身は、尋常な人間の物では無い。大戦中に生み出された、今では失われた幾多の技術の結晶体だ」

それだけの、短い説明。

錬は男の背中を見下ろしたまま、おそるおそる口を開き、

「あんたの……その、もともとの体は？」

「魔法士《まほうし》に焼かれた。今では骨も残っていない」

ディスプレイに『解析完了』の文字が浮かぶ。フェイが一挙動に立ち上がり、部屋《へや》の奥、リー議員《ぎいん》の執務机に駆け寄る。隅のタッチパネルを指で複雑な形になぞり、出現したディスプレイにパスコードを入力する。

「神戸《こうべ》の工作員との直通回線《かいせん》だ」こちらを振り返ることもせず、机に両手を突いてディスプレイを食い入るように見つめたまま「すぐに逆探知とハッキングの準備を」

慌ててフェイの背後に駆け寄り、机の表面に視線を走らせる。隅のペン刺しの陰に接続端子を発見して有機《ゆうき》コードを差し込み、反対側の端を自分のうなじに押し当てる。

遅れて駆け寄ってきたサクラが、別な端子に同様に有機コードを接続する。

頼む、という少女の声。

フェイはうなずき、ディスプレイに指を触れた。

＊

部屋《へや》の隅に置かれた旧式の通信端末が、機械合成の鈴の音で着信を知らせた。

真昼《まひる》は床にうずくまった姿勢のまま、視線をわずかにそちらに向けた。

たった今撃《う》たれたばかりの右足に激痛《げきつう》が走る。病室から拉致《らち》された時のままの白い病人着は銃弾によって小さな穴が穿《うが》たれ、止めどなくあふれる血で裾《すそ》の先まで真《ま》っ赤《か》に染まっている。

痛みを堪《こら》えて壁《かべ》に背中を押し当て、体重を預けてどうにか身を起こす。

目の前には、黒い軍服に包まれた細い背中。

この元神戸《こうべ》自治軍の工作員部隊の副隊長、仲間から少尉と呼ばれていた女が、真昼をかばう格好で背を向け、両手に一丁ずつ銃を構えている。

五メートルの距離《きょり》を挟んだ反対側、部屋の扉の前では、一人《ひとり》の男がこちらと対峙《たいじ》する格好で銃を構えている。見覚えのある顔。自分を軍病院から誘拐《ゆうかい》した神戸の工作員。上官であるはずの女に銃を向けてはいるが、照準は女を素通りして後方、こっちの頭部に向けられている。

男の隣《となり》ではではこちらも神戸の軍服を着た別な男が、こちらは徒手で身構えている。自分の上官に銃を向けられたまま顔色一つ変えない男の視線は時折、部屋の隅、床に転がる自分の銃の位置を確《たし》かめている。

通信端末が、鈴の音で着信を知らせる。

三人の神戸の工作員は、互いに銃を向け合ったまま微動だにしない。

頭上、通気口の裏からは、かすかな呼気が漏れ聞こえている。隣の部屋から忍び込んできたあの沙耶《さや》という少女は、通気ダクトの中で身動き出来ないまま様子《ようす》をうかがっている。

銃弾に穿たれた穴から、鮮血《せんけつ》があふれる。

あふれ出た血が、コンクリートの床に小さな水たまりを作る。

意識《いしき》が朦朧《もうろう》として思考がままならない。ともかく傷口を両手で押さえ、止血を試みる。

鳴り止《や》まない鈴の音と、むせるような血の臭《にお》い。

「——これは、どういうことですか」

ようやく、女が口を開いた。

第十章　存在証明　～ Soldiers of Honor ～

天樹真昼《あまぎまひる》は回想する。この、わずか数十分の間に起こった出来事を。

自分の置かれた状況、そこに至る一連の出来事の全《すべ》てを。

入院していた軍病院から拉致《らち》され、どことも知れない狭い部屋《へや》で目を覚ました。神戸《こうべ》の工作員らしき女と話をし、どうしたものかと考え、天井《てんじょう》の通気口の奥に見覚えのある少女を発見して驚《おどろ》いた。

それからわずかの間の、事態の変転――

真昼は回想する。

右足を貫く激痛《げきつう》の、その理由を。

＊

「……なるほどね。それでシンガポールに」

通気口の格子の向こうに姿を現わした少女は、沙耶《さや》と名乗った。

驚《おどろ》く真昼《まひる》に、少女は自分が第八階層の孤児院で暮らしていること、学校から帰る途中に誘拐《ゆうかい》されたこと、今は隣室《りんしつ》に捕らわれていることを告げた。

一年半前の神戸《こうべ》の事件で出会った少女だということは最初に思い出した。少女もこっちの顔をすぐに思い出したようで、あの時の、と驚いた顔をした。

話は自然に、神戸を出てから今日《きょう》までの暮らしについてのものになった。少女は真昼に促されるまま、アジア地方の小さな町に移り住んだこと、その町が雪崩《なだれ》に呑《の》まれて消滅したこと、生き別れになっていた父親に助けられてこのシンガポールの市民権を得たこと、その父親を病で失い、今は一人《ひとり》で暮らしていることを説明した。

訥々《とつとつ》と語る少女の言葉を全《すべ》て聞き終え、真昼は深くうなずいた。

その身に降りかかった多くの不幸について語る少女の表情はどこまでも淡々としていて、それが逆に、少女の悲しみの深さを表わしているようだった。

「色んなことが、あったんだね」

少し迷ってから、そう口にする。大変だったね、とか、頑張ったね、などといった月並みな言葉で少女の一年半を評してしまうのがためらわれる。並大抵の苦しみでは無かっただろう。十歳かそこらという少女の歳《とし》を考えれば、驚嘆《きょうたん》すべきことだ。

「わたしは、みんなに助けてもらっただけだから」沙耶は静かに首を振り「お兄《にい》さんは？　あれからどうしてたの？」

「僕は」

何気なく口を開いたところで、言葉が止まる。この少女は自分のことをどこまで知っているか、あるいは何も知らないのか。捕らわれているというのが偽装で少女も敵の一味、という線《せん》は少女の様子《ようす》を見れば無さそうだが、余計な情報を得たために少女の身に危険が及ぶということもあり得る。

うかつなことは口に出来ない。

「……まあ、色々だよ」

自分でもその場しのぎとしか思えない答えを返し、天井《てんじょう》の隅に視線《しせん》を向ける。監視《かんし》カメラには既に細工が施してあり、自分がベッドで眠っている映像が繰《く》り返し再生されている。指先サイズの素子を使った簡易的《かんいてき》な物だから長く誤魔化《ごまか》し続けることは出来ないが、少女との会話を続ける間くらいなら十分だろう。

「それずるい」沙耶は当然ながら頰《ほお》を膨《ふく》らませ「わたしはちゃんと説明したんだから、お兄さんも教えてよ。お兄さんってシンガポール市民になったの？　それとも、何かのお仕事でここに来たとか」

言いかけた言葉が、止まる。

少女は通気口の向こうで眉《まゆ》をひそめ、何度も首を傾《かし》げて、

「待って……お兄《にい》さんのこと、見たことある」

「ん？」一瞬《いっしゅん》表情を動かしそうになり、すぐに平静を装って「どうしたの？　神戸《こうべ》の事件の時以来だねって、さっき話したとこだよね？」

「そうじゃなくて」が、沙耶《さや》は難《むずか》しい顔のまま「あれ……どこだっけ。確《たし》かこの前の夜に、公共放送のニュースで……」

言葉が途《と》切《ぎ》れる。

少女は驚愕《きょうがく》に目を見開き、金属の格子の向こうからこっちを見下ろして、

「お兄さん、賢人会議《けんじんかいぎ》の……」

「あー、よく言われるんだそれ」困った、というふうに苦笑を作り「参謀《さんぼう》、だっけ。なんだか顔がそっくりで、おまけに向こうも東洋人《とうようじん》らしいってことで勘違いされて、おかげで何度もシティの軍に捕まりそうになるし、本当にさんざんで……」

そんな言葉で誤魔化《ごまか》してみるが、少女は無言のまま視線《しせん》を動かそうとしない。

長い、長い沈黙《ちんもく》。

真昼《まひる》は手錠《てじょう》でベッドに繋《つな》がれた右手と自由な左手の両方を、降参、という形に掲げ、

「……正解」

少女に苦笑を向けたまま深く息を吐く。気づかれてしまった以上、いつまでも誤魔化し続けられるものでもない。

「ほん……もの……？」沙耶は半ば呆然《ぼうぜん》と目を見開いたまま「えっと、だから、お兄さんは世界中のシティに宣戦布告したテロリストの仲間で、シティからマザーシステムを無くすのが目的で……」

「それで、今回はシンガポールと同盟するために仲間と一緒《いっしょ》にここまで来た」真昼はうなずき「だけど、このシティには同盟に反対する人がいるみたいで、その人がシティ・神戸の生き残りの人達を雇って僕を誘拐《ゆうかい》させた。……沙耶ちゃんはそのとばっちりを受けたみたいだね」

少女に向かって、ごめんね、と頭を下げると同時に、右手首のあたりでかすかな電子音が鳴る。手錠に繋がれた右手を目の前に掲げ、電子式の手錠の鍵《かぎ》部分に貼《は》り付けられた小さな素子を左の指でつまんで引きはがす。

かすかな金属音と共に手首を締《し》め付けていた圧力が消え、手錠が腕から抜け落ちる。いざという時のために常に持ち歩いている簡易式《かんいしき》の解錠素子。この病人着にも袖口《そでぐち》の内側に隠しておいたのだが、本当に役に立つとは思ってもみなかった。

……さてと。

固くなった手首を何度か回して具合を確かめつつ、敵の次の一手について考える。調印式《ちょういんしき》の異変に紛れて自分を誘拐したのが相手のそもそもの狙《ねら》いであり、最初の襲撃《しゅうげき》で自分に正確《せいかく》に致命傷一歩手前の傷を負わせたのもそのための準備であったとすると、この先の動きも『賢人会議の参謀の身柄と引き替えに同盟の破棄を要求する』というような単純な物では有り得ない。

こうしている間に何が起こっているか、考えただけでも頭が痛い。

出来ればすぐにでも動き出したいところだが、現状では打てる手がほとんど無い。

少女の話ではここは第八階層と第七階層の間に存在するシティ建設当時の作業区画ということだが、具体的な位置や構造については少女は知らないしもちろん真昼《まひる》も知っているはずが無い。コンクリートむき出しの部屋《へや》にはベッドと机が一つだけ。唯一使えそうな物といえばその机の上に置かれた旧式の通信端末だが、恐ろしく旧式で内部に処理システムも備えていないタイプだから携帯端末でも接続しなければ手の出しようが無い。

袖口《そでぐち》に隠しておいた通信素子は一応動作はしているのだが、この部屋の周囲には恐ろしく強固な通信妨害が施されているらしくいくら調整《ちょうせい》しても全く反応を返さない。

せめて現在の時刻ぐらいは知ることが出来ないかと狭い室内を見回し、すぐに諦《あきら》めて一つ息を吐き、

「ねえ沙耶《さや》ちゃん。そっちの部屋には時計《とけい》とか無い？　時計じゃ無くても、だいたい今が何時かわかればそれで……」

言いながら天井《てんじょう》の通気口を見上げて、ようやく気づく。

難《むずか》しい顔で黙《だま》り込んだまま、身じろぎ一つしない少女の姿。

膝《ひざ》の上で握った自分の両手を見つめたまま、時おり強く目を閉じている。

「沙耶ちゃん」

「え……な、何？」

「何って……」言いかけてあることに思い至り「ごめん、怒ってる？　僕がテロリストの仲間で、マザーシステムを潰《つぶ》そうとしてるから」

少女は元々はシティ・神戸《こうべ》の市民。それがマザーシステムの暴走《ぼうそう》事故によって家族と帰る家を失った。そんな少女にしてみれば、シティで暮らす人々の平穏《へいおん》を奪おうとする自分は極悪人ということになるかもしれない。

急を要する状況とはいえ無神経が過ぎる。どうやら自分は相当疲れているらしい。——そんなことを考えつつ、もう一度、ごめんね、と頭を下げる。

が、沙耶は驚《おどろ》いた様子《ようす》で目を瞬《しばたた》かせ、

「ち、違うの！」

「違う？」

「うん……」少女は小さくうなずき、一つ息を吐いて「マザーシステムが無くなったら大変だって思うし、シティの外の暮らしが大変なのも知ってる。……けど、仕方ないんだっておとうさん言ってた。シティが魔法士《まほうし》にひどいことしてきたのは本当で、だからいつか世界中の魔法士が怒って仕返しにくるかもしれないねって、生きてた頃《ころ》に言ってたの覚えてる」

「お父《とう》さん……沙耶ちゃんの？」

「軍の研究員だったんだって」少女は再び自分の両手を見つめ「マザーシステムに使うための

神戸《こうべ》が無くなったのも罰だって言ってた。自分たちが助かるためにやってはいけないことをやったから、みんながその罰を受けたんだって」

魔法士《まほうし》を作ってて、わたしと同じくらいの子供も何人も殺して。……だから、おとうさん、

「罰、か……」

通気口の向こうの少女を見上げたまま呟《つぶや》く。真剣な顔で考え込む少女の姿に、内心で感嘆の吐息を漏らす。

……賢《かしこ》い子だね……

普通の人間ならこうは行かないだろう。子供はもちろん、たとえ大人《おとな》であっても、シティで生まれ育ったならシティの暮らしを基準に物事を考え、それを脅かそうとする者を悪と断じるのが自然だ。まして少女は住むべきシティを一度奪われ、マザーシステムの恩恵を失うということがどういうことかを身をもって体験《たいけん》している。

本来なら、シティ体制を破壊《はかい》しようとしている賢人会議《けんじんかいぎ》を敵と見なし、憎悪を向けても何の不思議《ふしぎ》も無い。

が、この沙耶《さや》という少女はそれをしない。

自分を取り巻く現実を、そこに生きる様々な立場の人々の存在を、この少女は自分なりに理解し、受け入れようとしている。

……こういうのも、才能、っていうのかな……

世界の全《すべ》ての人に少女と同じ思考を要求するのは、残念ながら不可能だろう。それが出来るなら世界はとうの昔にもう少しマシな状況になっている。自分のような者が策を弄《ろう》する必要も無く、賢人会議のような精鋭化《せいえいか》された組織《そしき》にも出る幕など無いはずだ。

手錠《てじょう》に繋《つな》がれた右手に視線《しせん》を向け、ため息を一つ。

と、沙耶はふいに「ねえ」と口を開き、

「質問、いい？」

「なんでも。答えられるかどうかは別だけどね」

通気口に笑顔《えがお》を向けると、少女はしばし考える素振りを見せ、

「えっと……」何度かためらってから意を決したように大きく深呼吸し「世界は……これからどうなるの？」

「世界？」

思わず問い返す真昼《まひる》に沙耶は「うん」とうなずき、

「シンガポールと賢人会議の同盟が成功して、世界に賢人会議に協力するシティとしないシティが出来て……それからどうなるの？　賢人会議に協力したシティは魔法士の力を借りて残って、それ以外のシティはたぶん無くなって、でもあと三十年たったら残った方のシティも結局無くなって、その後は？」

「それは」

核心を突いた問い。

口ごもる真昼《まひる》に沙耶《さや》はまっすぐな視線《しせん》を向け、

「シンガポールの人達はみんな今日《きょう》とか明日《あした》とかの心配ばっかりで、そんな先の話とか全然考えてない。けど、お兄《にい》さんは参謀《さんぼう》っていうくらいだから偉いんでしょ？　普通の人よりもいっぱい、いろんなこと考えてるんでしょ？」

淡々とした声が、次第に早口になる。

少女は通気口の格子に両手を当て、こっちをのぞき込むようにして、

「教えて。わたし達、これからどうなるの？　やっぱり最後は普通の人はみんな死んじゃって、魔法士《まほうし》だけの世界になるの？　そうならない方法って、何か無いの？」

真剣な眼差《まなざ》しが、真昼を正面から射る。

シティ体制を破壊《はかい》しようとする組織《そしき》の幹部を前にして、泣き言も恨《うら》み言《ごと》も一切無しにただ世界の行く末を問う言葉を発する少女。

その顔を見つめているうちに、ふと、一つの考えが頭に浮かぶ。

……この子に、賢人会議《けんじんかいぎ》の『本当の目的』を教えてみたら……

面白《おもしろ》いかもしれない、と真昼は思う。目の前にいるのは、シティの市民として生まれ育った、当たり前の通常人の少女だ。世界の現状を考えられるだけの公平な視野は持っていても、具体的に世界を動かしていくだけの力をまだ持ち合わせていない——そういう、これからの世界を

作っていくべき貴重な人材だ。

その少女が自分の計画、『賢人会議を平和的な組織へと転換し、通常人と魔法士の間に協力関係を構築する』という目的をどう評価し、どんな感想を持つか。

確認《かくにん》しておくべきだ、という思考が頭に浮かぶ。

幸い、と言うべきか、機密《きみつ》の保持については実はそれほどの問題は無い。神戸《こうべ》の工作員が何の処置も行わずにこの子を解放するはずが無いからだ。一連の事件が終結して少女が解放される際には当然記憶《きおく》の操作《そうさ》が行われるはず。仮にその前に敵側の計画が失敗し、自分達がシンガポール自治軍の手で助け出されることになったとしても、その際には『自治政府の議員《ぎいん》が同盟を阻止するために外部の工作員を引き入れた』という醜聞《しゅうぶん》を隠すために少女にはやはり記憶の操作が行われることになる。

「……お兄さん？」

こちらが自分の問いと無関係なことを考えているのを察したのか、沙耶の声が不審《ふしん》そうな気配《けはい》を帯びる。

真昼は「ああ、ごめん」と手を振り、通気口の向こうの少女をまっすぐに見上げ、

「沙耶ちゃん」

「な、なに？」

「誰《だれ》にも言わないって、約束出来る？」

もちろん少女に秘密を明かすのは少女が後で記憶操作《そうさ》を受けることが前提だからこの口止めには意味が無い。これから話す内容が真実だと理解させるための儀式《ぎしき》のようなものだ。

「え？」

沙耶《さや》は意味が分からない様子《ようす》で、困ったように首を傾《かし》げる。が、「どうかな？」と重ねて問うとぎこちなくうなずく。

「良かった」

真昼《まひる》は笑い、少女に向かって口を開きかけ、

──部屋《へや》の外、遠いところで、かすかな足音が聞こえた。

＊

足音は部屋の前、扉を挟んだ反対側の位置で止まった。

真昼はベッドの上でシーツを頭からかぶり、ゆっくりと呼吸して眠っているふうを装った。

扉が開く軋《きし》んだ音があって、二人分《ふたりぶん》の足音が後に続く。足音はほんの三歩で立ち止まり、扉が再び閉ざされたらしい音が響《ひび》く。

電子音と共に室内の照明が落ち、視界が闇《やみ》に染まる。

「……この状況で良く眠れるもんですね」

押し殺したような男の声。

「好都合だ。騒《さわ》がれると面倒《めんどう》だからな」別な男の声がそれに応《こた》え「手早く済ませてしまおう。少尉が戻るまであまり時間が無い」

物騒《ぶっそう》な発言に眉《まゆ》をひそめる。最初はこちらが妙な動きを見せていないか監視《かんし》に来ただけだと考えたのだが、それにしては様子がおかしい。

いつでもベッドから飛び降りられるように身構えつつ、頭にかぶったシーツをずらす。

闇の向こう、部屋の扉の前に、神戸《こうべ》自治軍の軍服姿の男が二人。自分を軍の病室から誘拐《ゆうかい》した実行犯の中に、確《たし》かどちらも含まれていたはずだ。一人《ひとり》はこっちと同い年くらいで、もう一人はそれより少し若い。

その年上の方の男が上着の裏に手を差し入れ、見覚えのある携帯端末を取り出して、

「問題は、こいつの中身か」

「出来れば見ておきたいですね。賢人会議《けんじんかいぎ》の組織図《そしきず》とか今後の計画とか、その辺の機密《きみつ》情報が入ってるかもしれませんし」

それが自分の物であることにすぐに気づく。病室のベッドの下に隠しておいたはずが、誘拐の際に自分と共に持ち出されたらしい。

男は立体映像のパスワード要求画面を数秒睨《にら》み、息を吐いて一つうなずき、

「……始めるか」

「ですね」

男の手が、携帯端末を軍服の裏にしまい込む。

代わりに取り出される物体を目にした瞬間《しゅんかん》、思考が止まる。

扉の隙間《すきま》から漏れるわずかな明かりに照らされて鈍《にぶ》く光るのは、手のひら大の銃。

闇《やみ》の中、黒い銃口が一切の躊躇《ちゅうちょ》無くこちらの右足を照準し、

――っ――！

転げるようにベッドから飛び降りると同時に銃声が響《ひび》く。闇の中に火花が散り、スチールのベッドに弾《はじ》かれた銃弾が壁《かべ》に小さな穴を穿《うが》つ。

間一髪で攻撃《こうげき》を回避《かいひ》した体は固い床の上。

衝撃《しょうげき》に胸の傷が痛むのに構わず、体にまとわりつくシーツを引きはがして二人《ふたり》の男と自分の間を遮《さえぎ》る形に放り投げる。

男のかすかな舌打ちを意識《いしき》の端に、一挙動に身を起こす。宙を漂うシーツの陰に隠れるようにして向かって右側、壁際《かべぎわ》にたどり着く。同時に取り外したまま隠し持っていた手錠《てじょう》を、銃を持つ男の足めがけて投げつける。長い鎖《くさり》が男の両足に巻き付き、バランスを崩した男の体が大きく前に倒れる。

が、もう一人《ひとり》、年上の男の手がすぐにその体を支える。

舌打ちと共にシーツを払いのける男の手に、最初の男の物と全く同型の銃が光る。

……いったいどうなって……

壁伝いに二人の男の側方に回り込みつつ、思考を巡らせる。今の一撃はあくまでもこちらの足を狙《ねら》ったもの。だが、そんな事実は何の救いにもなりはしない。そもそも自分は既に囚《とら》われの身なのだから、ただ尋問がしたいだけなら銃を持ち出す必要などどこにも無いし、狙いを誤れば致命傷となる可能性もある。

それでも警告《けいこく》無しに発砲してきた以上、その理由は明白。捕虜《ほりょ》から迅速《じんそく》に情報を得る必要があって、かつ、その命について配慮《はいりょ》する必要が無くなった――

こちらの逃走手段と抵抗の意思を奪ってから情報を引き出し、その後で確実《かくじつ》に殺す。この襲《しゅう》撃《げき》はそんな明確な殺意が込められたものだ。

だが、何故《なぜ》。

ここで自分を殺せば賢人会議《けんじんかいぎ》に対する抑止が効かなくなる。そうなれば事態は同盟関係の崩《ほう》壊《かい》などという段階では済まない。魔法士《まほうし》達の報復による市街戦。市民を巻き込んでの全面戦争ということにもなりかねない。

同盟反対派がそれを承知で、賢人会議と完全に敵対する道を選択したのか？――否。その覚悟があるなら彼らは最初から光耀《クアンユー》の予言など放棄し、『同盟を実質的に無意味な物とする』のではなく『同盟締結《ていけつ》を完全に阻止する』ためにもっと直接的な手段を取ることが出来たはずだ。

では神戸《こうべ》の工作員がシンガポール以外のシティと手を結び、この機《き》に乗じてシンガポールと賢人会議《けんじんかいぎ》を共倒れさせるための行動を開始したのか？——否。それならば神戸の工作員達がここまで同盟反対派の計画に従ってきた意味が無い。初めの日の襲撃《しゅうげき》。自分が一番最初に撃《う》たれたあの時に工作員達は自分に致命傷を与えることが出来た。市民の攻撃を装って自分を射殺し、賢人会議とシンガポール自治軍との間に戦闘《せんとう》を誘発すれば、それで事は済んだはずだ。

……可能性！　他《ほか》に可能性は……！

思考が空転する。転げるようにして壁伝《かべづた》いに移動し、二人《ふたり》の男の後方、部屋《へや》の出口を目指す。胸の傷のせいで呼吸がままならない。かすかな金属音。視界の端、闇《やみ》の向こうで、男が手にした銃は完璧《かんぺき》な精度でこちらの足を照準し、

「危ない——！」

天井《てんじょう》の通気口から、沙耶《さや》の悲鳴。男の視線《しせん》がそちらに動き、銃口がわずかにぶれる。紙一重でこちらを避けた銃弾が壁に跳ねて火花を散らす。扉まであとほんの一メートル足らず。限界まで力を込めた足で床を蹴《け》り、最後の跳躍《ちょうやく》を、

——右足を貫く衝撃《しょうげき》。

体がバランスを失い、扉に触れようとした指先が寸前で空を切る。

「手間かけさせやがって」

最初の、若い方の男が額《ひたい》の汗を拭《ぬぐ》い、両足に絡みつく手錠《てじょう》の鎖《くさり》を解《と》く。それでようやく、自

分が撃たれたことを理解する。右足の衝撃はすぐに激痛《げきつう》に変わる。喉《のど》の奥から漏れそうになる悲鳴を嚙《か》み殺し、壁に背を当ててどうにか身を起こす。

その隣《となり》に歩み寄る、年上の方の男。

一瞬《いっしゅん》だけ視線を天井の通気口に向け、年若い相棒に、良くやった、と声を投げて、

「さて……気分はどうだ？」

「最高、とは言いがたいですね。……残念ですけど」

切れ切れに吐き出す軽口に、男は無表情のまま「だろうな」と答える。

一つ息を吐いて銃を上着の裏に押し込み、代わりに先ほどの携帯端末を取り出して、

「早速だが、お前には訊《き》きたいことがある」タッチパネルを何度か叩《たた》き、パスワード入力画面を呼び出して「お前から借りたこの端末、情報を引き出そうとしたのだがどうやっても起動認証を突破できん。出来れば、パスワードを教えてもらいたいんだが」

「……冗談《じょうだん》でしょう」真昼《まひる》はかろうじて苦笑を形作り「この状況で言われた通りにパスワードを差し出して……助かると思うほど能天気じゃありませんよ」

大きく息を吐いて呼吸を整《ととの》え、男をまっすぐに見上げて、

「こっちの態度がどうでも、最終的には殺すつもりでしょう？」

「まあな。だが、同じ死ぬにしても色々な死に方がある」男は淡々とした表情のまま、隣の相棒に視線で指示を送り「痛みを感じる間も無く安らかに死ぬのが良いか、それとも、お願《ねが》いし

ますどうか殺してくださいと泣き叫びながら死ぬのが良いか……一つ、試してみるか」

年若い方の男がうなずき、銃口をこっちの額《ひたい》に向ける。闇《やみ》の中、銃の照準がゆっくりと首から肩、腕の先端へと移動し、こっちの右手、人差し指の先を吹き飛ばす位置で止まる。

痛みに思考がままならない。

真昼《まひる》は虚勢の笑《え》みを顔に貼《は》り付けたまま、必死に周囲に視線《しせん》を巡らせ、
軋《きし》んだ音と共に開け放たれる扉。

飛び込んできた人影《ひとかげ》が、銃を構える男の手を摑《つか》む。


……な……


目を見開く真昼の前、人影は流れるような動作で男の手首を捻《ひね》り、そのまま男の背後に回り込む。振り払おうと突き出された男のもう片方の手を人影が同様に摑み、男は両手を後ろ手に締《し》め上げられたまま拘束《こうそく》される形になる。

男の手から落ちた銃が、床に跳ねる。

人影が右足を伸ばし、その銃を部屋《へや》の隅に蹴《け》り飛ばす。

痛みに朦朧《もうろう》とした視界が、ようやく人影の正体を認識《にんしき》する。男達と同様に神戸《こうべ》自治軍の軍服姿に身を包んだ小柄な女性。この部隊の副隊長を名乗ったあの女。それが若い方の男を盾にし

たまま、もう片方の男から真昼をかばう位置に割って入り――

鳴《な》り響《ひび》く銃声。

年上の方の男は遮蔽《しゃへい》が完成する寸前で盾にされた仲間の脇《わき》の下ぎりぎりの位置に射線を通し、こちらの頭部に向けて引き金を引く。

ほとんど奇跡に近い動きで銃弾をかわし、床を転がって身を起こす。遮蔽物のおかげで攻撃《こうげき》位置が限定できたからこその動き。だが、攻撃を回避《かいひ》したその代償《だいしょう》に真昼の体は再び部屋の奥、ベッドのすぐ側《そば》にまで戻ってしまう。

男は照準をこちらから、自分の上官である女に切り替える。

女は背後から拘束した若い方の男を盾にしたまま、慎重に立ち位置をずらしていく。のしかかるような緊張《きんちょう》に耐え切れず、真昼は無意識に喉《のど》を鳴らす。瞬間《しゅんかん》、計ったようなタイミングで部屋の隅、旧式の通信端末から着信音が鳴り響く。機械《きかい》合成された鈴の音。三人の工作員の動きが一瞬だけ静止し、次の瞬間、その音をかき消すように銃声が鳴り響く。

引き金を引いた男の視線の向かう先は、女の頭部、正確《せいかく》に致命傷を与える位置。

同時に、盾として捕らえられていたもう片方の男が、両手を拘束されたまま激《はげ》しくもがく。

身を捻《ひね》って銃弾を回避した女の手の片方が男の腕から離れる。男がもう片方の手を力任せに振《ふ》り解《ほど》き、身を翻《ひるがえ》すと同時に女の足に蹴りを見舞《みま》う。淀《よど》みの無い動作でその攻撃を回避し、女は数歩後退して再び真昼の目の前に割って入る。

いつの間に取り出したのか、その両手に銃が光る。

女は今度こそこっちに向かう射線《しゃせん》を完全に遮《さえぎ》る位置に立ち、手にした二丁の銃を目の前、自分の部下二人《ふたり》に同時に向ける。

「……これはどういうことですか」

ようやく口を開く女。

それに、年上の方の男は銃を構えたまま、

「その男を殺します」静かな声で答え、息を吐いて「邪魔《じゃま》をしないでいただきたい。我々としても、少尉を撃《う》つことは本意ではありません」

……どう、なってる……？

そのやりとりに、この襲撃《しゅうげき》が神戸《こうべ》の工作員の総意ではないことを理解する。おそらくはここにいる男二人の独断。だが、そうなるとますます分からない。いったい、自分の身に何が起ころうとしているのか。

「何故《なぜ》……こんなことを？」

少尉と呼ばれた女の背後に隠れたまま、壁《かべ》を支えに身を起こす。

止血のために右足の傷を両手で押さえ、大きく深呼吸して痛みを抑え付け、

「僕を殺せばシンガポールは戦場になります。あなた達が同盟反対派とどんな取引をしたのかは知りませんが、市民に犠牲《ぎせい》を出してしまえばその取引も反故《ほご》になるでしょう。それであなた

達に何の得があります？ いったい、あなた達は……」

銃を構える男に向かって声を投げると、少尉と呼ばれた女が同意するようにうなずく。

しばしの沈黙《ちんもく》。

男はこちらにまっすぐ銃を構えたまま視線をわずかに伏せ、

「――得など無い」

わずかも淀《よど》みの無い答え。

「無い、って……」真昼《まひる》は言葉を失い、すぐに頭を振って「待ってください。例えば……そう、あなた達は僕を殺すよう誰《だれ》かに取引を持ちかけられたんじゃないですか？ マサチューセッツかモスクワ辺りから、仲間を裏切るようにって。それなら交渉の余地はあります。あなた達が同盟反対派と手を切って僕を解放するなら、今回の事件は全《すべ》て不問としますし報酬についても僕が自治政府に掛け合って……」

「不要だ」

男が首を振る。

鋭《するど》い視線が真昼を捉《とら》え、

「交渉の余地など無い。誰の利害も関係無い。……シティに暮らす人々を守るため、マザーシステム体制を破壊《はかい》しようとするお前を殺す。それが俺《おれ》達の出した答えだ」

頭の中が真っ白になった。

闇《やみ》の向こうで銃を構える男の顔を、真昼《まひる》は、ただ呆然《ぼうぜん》と見つめた。

……こいつは、今、何を……

利害など関係ない、と言ったか？

シティに暮らす人々を守る、と言ったか？

それが？　答え？　それだけ？

「愚かなことを」女が息を吐き「神戸《こうべ》を滅ぼしたのは天樹《あまぎ》真昼では無い。賢人会議《けんじんかいぎ》がシンガポールを訪れたのは破壊《はかい》では無く交渉のため——そのことはあなたも認めていたではありませんか、佐伯准尉《さえきじゅんい》」

「結果論《けっかろん》です」准尉と呼ばれた男は表情をわずかも動かすこと無く「その男は神戸を滅ぼしたかもしれない。シンガポールの敵となったかもしれない。I—ブレインを持たない通常人でありながら賢人会議に与《くみ》し、マザーシステム体制を否定する危険分子です。……そいつの存在はこの世界にとって重大な禍根《かこん》となる。そのことは少尉も」

「可能性は否定しません」女は部下の言葉を遮《さえぎ》り「ですが、我々はそのような大義よりも目の前の同胞を守ることを決断しました。隊長を失った今も、その決断に変更はありません」

そう言って、女は一歩前に足を進め、

「それとも、あなた達は隊長の遺志《いし》を否定しようというのですか？　佐伯准尉、それに武藤《むとう》上等兵。神戸が滅んだあの日、シティという器《うつわ》を守ることよりも無辜《むこ》の市民を守ることを選んだ我々の判断は誤りであったと？」

「そうは言ってません！」

口を開くのは、徒手で構えるもう一人《ひとり》の男。

どうやら武藤上等兵という名らしい男は苦しそうに表情を歪《ゆが》め、

「言ってませんが、心残りはあります。俺《おれ》達には他《ほか》にも出来ることがあったんじゃ無いか、何かやるべきだったんじゃ無いか。……神戸を出たあの日から、ずっと、そればっかり考えてきました」

よく見れば少年と言っても差し支えない歳《とし》の上等兵は視線《しせん》をうつむかせ、

「佐伯さんに話を持ちかけられた時はチャンスだと思いました。あの日やれなかったことが今度こそやれるかもしれない。自分にも、まだこの世界で出来ることがあるかもしれないって」

言葉が途切《とぎ》れる。

上等兵は顔を上げ、女に向かって胸を張り、

「止めないでください、少尉。……シティの軍人として、いや、この世界に生きる人間として、自分も一度くらいは世界のために戦って死にたい」

その言葉に、佐伯准尉という名らしいもう一人の男が深くうなずく。

それを目の前に、真昼は息をすることすら忘れる。

……こんなことが……

誰《だれ》かがこの状況で自分の命を奪おうとする可能性については、考えていた。神戸《こうべ》の工作員が組織《そしき》としてシンガポールを裏切る確率《かくりつ》は低いにしても、例えば一部の者が他《ほか》のシティの切り崩し工作にあう可能性は十分にあり得る。

もちろん、そういった場合の交渉材料は用意していた。

たとえ状況がどう転び、どんな勢力が介入してきた場合でも、自分にはそれを切り抜けられるだけの用意があった。そのはずだった。

——うかつ、と言われれば確《たし》かにその通りなのだろう。

何の利益も無く、損得の計算すら無く、ただ義憤《ぎふん》に駆られてシティや世界のために自分を殺そうとする者が目の前に現れる可能性を、真昼《まひる》は、この瞬間《しゅんかん》まで全く考慮《こうりょ》に入れていなかった。

……馬鹿《ばか》な……

自分がここで死に、シンガポールと賢人会議《けんじんかいぎ》の同盟が破綻《はたん》したとする。ではその結果は。賢人会議との友好関係を望んでいたロンドンをはじめとする幾つかのシティも今回の失敗によってその方針を見直すこととなり、全《すべ》てのシティと賢人会議の対立が深まる。シティではマザーシステム体制が維持され、市民生活には何の影響《えいきょう》もないまま、自治政府が従来通り何ら抜本的な対策を打ち出すことが出来ないまま、シティの機能《きのう》はやがて三十年の寿命を迎え、その先、世界と人類の未来はどうなるのか。

問うたところで答えが返ってくるはずがない。

シティの軍人である彼らにとって、それを考えるのは自分達ではなく政治家の役目だから。

軍人の役目はその力を『正しく』行使し、今、目の前にある物を守ることだから。

……どうすれば……

交渉は通じない。いかなる利害も得失も、目の前の二人《ふたり》には意味を持たない。唯一可能性があるとすれば自分の『本当の目的』を明かし、彼らを協力者とすること。だが、この状況で唐突にそんな秘密を打ち明けたところで信用されるはずが無い。

となれば、あとは何らかの手段で目の前の二人を排除する以外に手は無いが……

「これ以上の話し合いは無意味のようですね」

思考を遮《さえぎ》る声。

少尉の階級を持つ女は両手に銃を構えたままゆっくりとこちらの側まで後退し、

「腰のポーチに鎮痛剤《ちんつうざい》があります。まずはそれを。あなたに動いてもらわないことには埒《らち》があきません」

「え……？」何を言われたのか分からず、女の背中を見上げて「助けるんですか？　僕を」

「あなたを逃がすつもりはありません」少尉は背を向けたまま、固い声で「が、これは部下の不始末です。上官として責任は取ります」

それはどうも、と呟《つぶや》き、女の腰に下がったポーチに手を伸ばす。中から鎮痛剤のアンプルと薬液注入用の簡易《かんい》注射器を取り出し、右足の傷口付近に押し当ててスイッチを押す。内部に銃弾が残ったままの傷口から焼けるような痛みが消え去り、右足がどうにか動かせる状態になる。

慎重に立ち上がり、少尉の背に隠れるように身をかがめたままいつでも動けるように構える。

「他《ほか》の……その、神戸《こうべ》の工作員の皆さんは？」

「いません。私と、そこの佐伯《さえき》と武藤《むとう》以外は全《すべ》て市街地に出向いていています」

つまり市街地で何らかの陽動作戦が行われている最中か、と頭の中でうなずく。

そんなこちらの気配《けはい》を察したのか、少尉はわずかに温度の低い声で、

「今はこちらに集中してください。命を狙《ねら》われているのはあなたですよ」

そんな言葉と共に、少尉はゆっくりと足を右に踏み出す。軍服に包まれた背中が数センチ横に移動し、真昼《まひる》は慌ててその陰に隠れるように動く。それを背中越しに察したのか、少尉が足を更に踏み出す。一歩、また一歩。正面で銃を構える男を中心に円を描くように、細い背中が部屋《へや》の外周沿いを移動していく。

「少尉！　邪魔《じゃま》をしないでください！」

「不可能です。佐伯准尉《じゅんい》」女は動きながらも両手の銃の照準を一切ぶれさせることなく「どうしてもというのであれば撃《う》ちなさい。……この距離《きょり》で私に勝てる自信があるなら、ですが」

男は自分の上官を睨《にら》んだまま、悔しそうに奥歯を鳴らす。どうやら個人の戦力において、目

の前の女はこの場の全員の中で最も上位に位置しているらしい。

沈黙《ちんもく》に支配された室内に、通信端末の呼び出し音が響《ひび》く。

息が詰まるような緊張《きんちょう》。

それを——

「……あ……」

ちょうど頭上、通気口の裏から、かすかな声。

おそらく緊張に耐え切れずに漏らしたのだろう少女のその声に、この場で唯一少女の存在に気づいていなかった少尉だけが反応してしまう。

ほんのわずか、一秒の数分の一にも満たない時間、動きを止める細い背中。

そのわずかな隙《すき》に、扉のすぐ側《そば》、徒手で様子《ようす》をうかがっていた上等兵が反応する。

黒い軍服に包まれた細身の体軀《たいく》が倒れ込むように右に跳躍《ちょうやく》する。真昼よりいくらか年下らしき青年は自分に向けられた銃の存在にも構わず、部屋の隅、床に転がる自分の銃に向かって飛びつく。

ほんのわずかなタイムラグがあって、銃声が室内に轟《とどろ》く。一瞬《いっしゅん》の隙から立ち直ったらしい少尉が左手に構えている方の銃の引き金を容赦無く引き、上等兵の足から鮮血《せんけつ》が飛び散る。

佐伯准尉が驚《おどろ》いた様子で「武藤！」と叫ぶ。

上等兵は足をもつれさせて床に倒れ込みながら、それでも伸ばした手で銃のグリップを摑《つか》む。

振り返りざま闇雲《やみくも》に放たれた銃弾は目標を大きく逸《そ》れて天井《てんじょう》の通気口を塞《ふさ》ぐ格子に命中し、

……沙耶《さや》の悲鳴。

銃弾によって鍵《かぎ》部分を破壊《はかい》された格子が大きく下に開き、そこに手を突いて様子《ようす》をうかがっていた少女はバランスを失って下へ——真昼《まひる》の頭上へと落ちてくる。

「沙耶ちゃん——！」

とっさに広げた両手で少女の体を受け止めた瞬間《しゅんかん》、右足の膝《ひざ》ががくりと折れる。力の入らない足では衝撃《しょうげき》を受け止めることが出来ず、片膝を突いた真昼は弾みで少女の体を取り落としてしまう。

床に二転して、苦痛の呻《うめ》きを漏らす少女。

ぎこちなく身を起こすその背後に、佐伯《さえき》准尉《じゅんい》が滑るように近づく。

え？と不思議《ふしぎ》そうに振り返る少女の肩を、准尉は後ろから強く押さえる。片手に銃を構えたまままもう片方の手と足で少女の体を瞬《また》く間に床に組み伏せ、准尉は腰の鞘《さや》から引き抜いたナイフを少女の首筋に押し当てる。

「お、お兄《にい》さん——？」

少女は首だけで振り返り、驚《おどろ》いた様子《ようす》で自分を組み伏せる男を見上げる。准尉はそんな少女に「すまんな」と言葉を返し、こっちに視線《しせん》を向けて、

「にしても驚いた。まさか、そっちも顔見知りとはな」

好都合だ、という小さな呟《つぶや》き。

その言葉に、真昼は自分のミスを悟る。

この場の状況を考えれば、少女とは見ず知らずの他人を装わなければならなかった。慌てて、何のことか分からない、という顔をして見せるがすでに遅い。

准尉は苦しそうに呻く少女を押さえつけたまま、威嚇《いかく》するでも勝ち誇るでも無い静かな声で、

「抵抗を止《や》めてその場に跪《ひざまず》け。……少尉もです。銃を置いていただきます」

「佐伯准尉！」

初めて、少尉が声を荒げる。

女は両手の銃を自分の部下二人《ふたり》に向けたまま大きく息を吐き、

「准尉……あなたは自分のやっていることが」

「無論《むろん》、取り返しの付かないことです。残念ながら他《ほか》に選択の余地はありませんが」

淡々と答える准尉の後ろに、上等兵が片足を引きずりながら近づく。

年若い上等兵はこちらに銃の照準を合わせつつも、床に押さえつけられた少女を見下ろして困惑した表情を浮かべ、

「佐伯さん……」

「腹をくれ、武藤《むとう》」准尉は振り返ることもせず声を投げ、こっちに、というより自分の上官に鋭《するど》い視線を向けて「もう一度言います。銃を置いてください」

「通ると思いますか？　その要求」少尉は銃口をわずかも動かすこと無く「人質を取る者とは決して交渉しない。教練の初歩の初歩のはずです」

「通りますよ」

男の声が、冷えた鉄のような固さを帯びる。

うつ伏せに押さえられた格好の沙耶《さや》が、「お兄《にい》さん？」と不思議《ふしぎ》そうな声を上げ、

――閃《ひらめ》く銀光。

ナイフによって切り裂かれた少女の手首から、鮮血《せんけつ》が飛び散る。

少女は何が起こったのか分からない様子《ようす》で、「痛っ！」と悲鳴を上げる。うつ伏せのまま視《し》線《せん》を動かし、自分の体の下に広がり始めた血だまりを発見し、少女は訳の分からない悲鳴を上げて狂ったように暴《あば》れ出す。

「動脈を切断しました」ひどく落ち着いた男の声。「すぐに手当てをしなければ失血死は免《まぬが》れない。この子の体の大きさなら、正確《せいかく》に十五分といったところです」

「佐伯《さえき》――！　あなたは――」

「言ったでしょう、選択の余地が無いと」射貫くような上官の怒声に、准尉《じゅんい》は顔色一つ変えることと無く「降伏してください。勝手な言いぐさですが、この子に死なれては我々もあの世で隊長に顔向けが出来ません」

長い、長い沈黙《ちんもく》。

少尉はこっちを振り返り、「すみません」と頭を下げる。

二丁の銃が順に少尉の手を離《はな》れ、足下に転がる。准尉が素早《すばや》く足を伸ばし、それを部屋《へや》の隅に蹴《け》り飛ばす。

「跪《ひざまず》いて両手を頭の後ろに」

准尉の指示に従って、軍服姿の女が膝《ひざ》を折る。

どうすることも出来ずに見守る真昼《まひる》の前、男は一つうなずき、

「武藤《むとう》、この子を。まだ手当はするな」

年若い上等兵が片足を引きずったまま、慌てた様子で沙耶に近づく。

それを背後に、准尉は銃を正確にこちらの頭部に照準し、

「さて、話の続きだ」上着の裏からもう一度真昼の携帯端末を取り出し「こいつの認証パスワードを教えてもらう。かかっているのはその子の命。返答の期限はその子が死ぬまでだ」

立体映像の小さな認証画面が、闇《やみ》をほのかに照らす。無表情に「返答は？」と問う准尉を前に、真昼は立ち尽くしたまま必死に考えを巡らせる。

……何か、何か打つ手は……！

男が手にする端末には、実は男が望むような情報は入っていない。今回の調印式《ちょういんしき》の最初、賢人会議《けんじんかいぎ》の本拠地を出発する前の段階で、機密《きみつ》保持のために重要なデータのほとんどはバックアップに移してその端末からは消去してしまっている。

どうしても持ってこなければならなかった幾つかのファイルについても、昨夜のサクラとの一件の後で安全のために削除済み。

だから、目の前の端末には、本当に重要と言えるデータはもう一つしか残されていない。

……けど、それは……

ウィッテンの最後の研究、『雲を除去する方法』に関する詳細な資料。フェイ大使に説明するために本拠地から持ち出してきたそのデータだけは、今も携帯端末の記憶《きおく》領域の中に保存されている。

昨夜のうちに他《ほか》のデータと共に消去出来れば良かったのだろうが、その資料についてはまだシンガポールで使うあてがあった。ニューデリーのルジュナ・ジュレ執政官をはじめとした、このシティに集《つど》っている面々――自分の一連の行動に疑問を持ち、接触を図ってくる誰《だれ》かに真意を明かし協力を求めるためには、『ウィッテンの研究』を手元に残しておく必要があった。

その計画が、裏目に出た。

……どうする……

選択肢は限られている。最悪か、より最悪かのどちらかだ。端末の中に収められた資料が明るみに出れば、シティと賢人会議《けんじんかいぎ》、いや人類と魔法士《まほうし》の対立は絶望的な物となる。だが、仮に秘密を守り通したとしても最悪という点では状況は同レベル。自分がここで死ねば怒りに駆られた賢人会議の魔法士達は暴走《ぼうそう》し、シンガポールは戦場となる。そうなれば、今後の世界情勢はやはり絶望的だ。

どちらに転んでも最悪の状況、なら――

刹那《せつな》の、おそらく一秒の百分の一にも満たないわずかな間の思考。

真昼《まひる》は意を決し、准尉《じゅんい》の顔を正面から見据えて口を開く。

「――分かりました」

ほう、と准尉が意外そうに眉《まゆ》をひそめ、

「意外に物わかりが良いな」

「選択の余地がありませんから」真昼は、降参、と言うように両手を挙げ「その代わり、約束は守ってもらいます。その子の、沙耶《さや》ちゃんの命は」

「保証する。俺《おれ》達だってこの子を殺したくは無い」准尉はうなずき、視線《しせん》を一瞬《いっしゅん》だけ背後に向け「武藤《むとう》、油断するな。ほんのわずかでも異常を感じたら、迷い無くこの男を撃《う》て」

上等兵がうなずき、手にした銃を構えなおす。

それを確認《かくにん》した准尉は半透明なディスプレイに視線を集中し、

「操作《そうさ》はこちらが行う。パスコードを」

男の言葉にうなずき、三重のロックの解除に必要なコードを順に口にする。画面に表示された三つのアイコン全《すべ》ての隣《となり》に「OPEN」の文字が表示される。

チャンスは一度。

細心の注意を払って右足を数センチ前に動かし、目の前に跪《ひざまず》く女少尉の足を後ろからつま先で蹴《け》って合図を送る。

何かを察したらしい少尉は、頭の後ろに回した両手の人差し指を数センチ動かして合図を返す。その前で、ディスプレイの表示が書き換わる。初期起動を完了した携帯端末の画面に、幾つかの見慣《みな》れたアイコンが並ぶ。

おお、と感嘆の声を上げる上等兵。

それを「気を抜くな！」と叱咤《しった》し、准尉《じゅんい》は軍服の裏から取り出したディスクを端末に差し入れてタッチパネルを叩《たた》き、

「……妙なプロセスは無し。完全にただのデータファイルか」呟《つぶや》き、ディスプレイを手元に引き寄せ「念のため、中身を確認《かくにん》させてもらうぞ」

そう言って伸ばした准尉の指先がアイコンの一つ、『予定表』と書かれたファイルに触れ、

――目の前に広がる光。

突然出現した数百の立体映像ディスプレイが、室内を瞬時《しゅんじ》に埋め尽くす。

「な――」

なんだ、という形に口を開きかけた上等兵が、次の瞬間、手にした銃を取り落とす。苦痛に顔を歪《ゆが》めてうずくまる上等兵の右手に突き立つ投擲用《とうてきよう》ナイフの刀身が、ディスプレイの光に鋭《するど》く光る。

ナイフを投げ放つと同時に這《は》うようにして駆け出した女少尉の体は、既にもう一方の敵、准尉の目の前。

格闘用《かくとうよう》らしい幅広のナイフを軍服の裏から両手に一本ずつ摑《つか》み出し、少尉は銃を構える男の懐《ふところ》に瞬時に飛び込む。

「く――！」

胸元めがけて突き込まれる一撃《いちげき》をかろうじてかわした准尉が、刺すような視線《しせん》をこちらに向ける。が、真昼《まひる》も自分専用の携帯端末にわざわざ危険な罠《わな》を仕込む趣味《しゅみ》は無い。この端末にとってはこれがごく普通の動作。作業を最大限効率化するため、特別の操作《そうさ》無しにファイルを開いた際には常に最大数のディスプレイが周囲に展開されるようにと真昼が施した独自の設定だ。

こういった状況で目眩《めくら》ましに使うことになるとは、自分でも想定していなかったこと。

そもそもいかに多数とはいえ表示されるのは本当にただの立体映像ディスプレイ。効果はほんの一瞬隙《すき》を生み出す程度が関《せき》の山《やま》だから、その隙に乗じて瞬時に攻撃に転じるこの少尉はやはり相当の手練《てだ》れと言わざるを得ない。

「佐伯《さえき》さん！」

「構うな武藤《むとう》！　それより天樹《あまぎ》真昼だ！」

准尉は背後の青年に向かって叫びつつ、目の前の女を無視して銃口を真昼に向ける。女少尉は突き出した右手のナイフを引き戻しつつ、逆手《さかて》に構えた左のナイフをその銃めがけて跳ね上げる。叩《たた》き付けられた刀身が銃口を逸《そ》らし、放たれた銃弾が天井《てんじょう》に爆《は》ぜる。

無防備になった准尉《じゅんい》の喉元《のどもと》めがけて再び右のナイフが突き込まれる。

正確《せいかく》に頸動脈《けいどうみゃく》を切断する軌道を走る刃《やいば》を寸前で回避《かいひ》し、飛び退《と》った准尉の足が部屋《へや》の出口、扉のすぐ側《そば》に着地する。

……今……！

そんな一連の攻防を視界の先に真昼《まひる》は動く。まともに動く方の左足に限界まで力を込め、鎮《ちん》痛剤《つうざい》の作用で感覚を失った右足を引きずるようにして跳躍《ちょうやく》する。

二メートル先、部屋の中央には朦朧《もうろう》とした様子《ようす》で倒れ伏す少女と、苦痛に顔を歪《ゆが》めて右手に突き立つ投擲《とうてき》ナイフを引き抜く上等兵の姿。

その足下に転がる銃に、真昼は半ば倒れ込む格好で飛びつく。

驚《おどろ》いた様子で目を見開いた上等兵が、手を伸ばして銃を拾い上げようとする。二人《ふたり》の指が同時に銃身に触れ、弾《はじ》かれた銃が床を滑る。

床に手を突く反動で身を乗り出し、さらに手を伸ばした瞬間《しゅんかん》、腹部に衝撃《しょうげき》。

片膝《かたひざ》を突いた不安定な姿勢から放たれた上等兵の蹴《け》り足が、脇腹《わきばら》に容赦なくめり込む。

呼吸が止まる。吹き飛ばされそうになる意識《いしき》をかろうじて繋《つな》ぎ止め、右手の指を限界まで伸ばす。蹴りの衝撃に弾かれて床を転がりながら、指先に触れるグリップの感触を引き寄せる。

二転して壁《かべ》に激突《げきとつ》。再度の衝撃が今度は全身に走り、反動で身を起こすと同時に嘔吐《おうと》感《かん》がこみ上げる。

右手には、立体映像ディスプレイの淡い光源に照らされる銃の、鈍《にぶ》い光。

うずくまる姿勢のまま右手を突き出して銃口を部屋の中央、上等兵に向け、躊躇《ちゅうちょ》無く引き金を引く。

床に突っ伏す格好でその一撃を回避《かいひ》し、上等兵は半ば床を這《は》いずる格好で駆け出す。銃に撃《う》たれた左足を引きずり、ナイフに穿《うが》たれた右手から鮮血《せんけつ》を撒《ま》き散らしながら、年若い上等兵は転げるようにして部屋の出口へと向かう。

その背中に向けて再度引き金を引こうとした瞬間、目の前の視界がねじれて歪《ゆが》む。出血と鎮痛剤の副作用による目眩《めまい》だと頭の中にかろうじて残ったまともな部分が理解する。朦朧《もうろう》としたまま壁に手を突いて体を支え、上等兵に銃口を向けて引き金を引く。

目標を大きく逸《そ》れた銃弾が、壁に跳ねて火花を散らす。

上等兵が扉の前にたどり着き、壁を支えに立ち上がる。

「武藤《むとう》、退《ひ》くぞ」

その前に滑るように割って入り、銃を構えたまま准尉が告げる。上等兵が、え、と目を丸くし、こっちと准尉との間に何度も視線《しせん》を行き来させ、

「け、けど佐伯《さえき》さん！」

「勝ち目は無い。ここが限界だ」准尉は後ろ手に壁のタッチパネルに手を触れて扉を開け「そ

れに、完全に失敗というわけでもない。まだこいつがある」

そう言って自分の上着の胸、携帯端末が納められた辺りを示す准尉《じゅんい》。

その姿に、途切《とぎ》れそうになっていた意識《いしき》が焦点を結ぶ。

……させるか……！

手にした銃を准尉に向け、立て続けに三度引き金を引く。准尉が舌打ちと共に上等兵を扉の外に押し出し、自身も廊下へと飛び出す。三発目の銃弾がかろうじて准尉の腕をかすめ鮮血《せんけつ》を飛び散らせるが、そんな物では敵の動きは止まらない。足を引きずる上等兵を准尉がカバーする形で、二人《ふたり》の姿が扉の陰へと消えていく。

「追ってください！」女少尉を振り返り、叫ぶ真昼《まひる》「すぐにあの二人を、僕の端末を！」

「何を言っているのですかあなたは」部屋《へや》の中央、沙耶《さや》の元に駆け寄ろうとしていた少尉は驚《おどろ》いた様子《ようす》で「今はこの子の手当が先です。出血がひどい。すぐに処置をしなければ……」

……ダメだ……。

少尉の返答は当然。あの端末にどんな情報が納められているか知らない少尉にとって、部下二人を退《ひ》かせることに成功した段階でこの部屋での戦闘《せんとう》は既に終了している。

だが、二人をこのまま行かせるわけにはいかない。

アルフレッド・ウィッテンの最後の研究——それだけは何としてでも取り返すか、それが不可能なら闇《やみ》に葬り去らなくてはならない。

「天樹真昼《あまぎ》？　何を――」

少尉の声を意識の端に駆け出す。途切れそうになる意識を強引に繋《つな》ぎ止め、感覚の無い右足で床を蹴《け》り、壁《かべ》に手を突く反動で体を押し出すようにして廊下に飛び出す。

もつれた足が、思いがけなく高い足音を響《ひび》かせる。

それを無視してコンクリートの床を蹴り、全力で疾走を開始する。

廃材らしき物が雑多に積《つ》み上げられた通路の先、足を引きずる上等兵とそれに肩を貸していた准尉が唖然《あぜん》とした様子で視線《しせん》を向ける。自分達が奪った情報の中身を知らない二人にとって、たった今まで命を狙《ねら》っていた標的がこんな形で自ら飛び出してくることは完全に想定外だったのだろう。

が、それも一瞬《いっしゅん》のこと。

すぐさま跳ね上がった准尉の右手の銃が、正確《せいかく》にこちらの頭を照準する。

とっさに数メートルの距離《きょり》を跳躍《ちょうやく》し、手近なコンテナの陰に飛び込む。鎮痛剤《ちんつうざい》が効いているはずの右足に激痛《げきつう》が走る。一瞬遅れて発砲音が響き、コンテナの表面に火花が散る。大きく息を吐いて呼吸を落ち着ける。今の一瞬、部屋から飛び出した瞬間に見た通路の状況を頭の中に思い描く。

敵までの距離は十メートルと少し。等間隔に並ぶ扉は全《すべ》て閉ざされていて、途中で遮蔽物《しゃへいぶつ》になってくれそうな物はこのコンテナが最後。周囲に転がる廃材にも役に立ちそうな物は無く、後は正面から突っ込む以外に接近の手段は無い。

唯一、二人《ふたり》の注意を逸《そ》らすのに使えそうな物はといえば、二人の頭上、天井《てんじょう》から垂れ下がった旧式の照明器具ぐらいだが――

……やるしかない……！

月夜《つきよ》にもっと真面目《まじめ》に銃の扱いを習っておけば良かった、という後悔。頭の中で一、二、と数え、三と同時にコンテナの陰から飛び出す。准尉《じゆんい》が銃口をこちらに向けるのが見えるが、構わずこちらも目標の位置に銃を照準。当たれ、と心の中で祈りながら、引き金にかけた指に力を込め、

――甲高《かんだか》い破砕音。

放たれた銃弾は右手の壁《かべ》、むき出しになった金属の柱に跳ね返り、真昼《まひる》自身も思ってもみなかった正確《せいかく》さで照明器具を直撃《ちよくげき》する。

目標を直接狙《ねら》うのでは無く、跳弾によって意識《いしき》の死角からの奇襲《きしゆう》を狙った、起死回生の一撃。

二人の男が唖然《あぜん》とした顔を上に向け、腕を振り上げて落下してくる強化プラスチックの破片から身をかばう。

瞬時《しゆんじ》に我に返ったらしい准尉の驚愕《きようがく》の視線《しせん》が、通路の薄闇《うすやみ》の向こうからこちらを捉《とら》える。

そんな男に銃口を向け、真昼は迷うこと無く引き金を引く。衝撃《しようげき》に足が悲鳴を上げ、銃口が大きくぶれる。それでも放たれた銃弾は准尉の腹部に突き刺さり、鮮血《せんけつ》を散らす。

軍服に包まれた体が、動きを止める。

それで詰み。

真昼は今度こそ准尉の胸、懐《ふところ》に隠された自分の携帯端末に照準を合わせ、一瞬の躊躇《ちゅうちょ》も無く引き金を引き――


その前に飛び出す、影《かげ》。

必死の形相《ぎょうそう》で射線に立ちはだかった上等兵が、准尉をかばうように両腕を広げる。


薄闇の向こうに鮮血が散る。上等兵は自分の胸に広がる真《ま》っ赤《か》な染みを見下ろし、ゆっくりとその場に崩れ落ちる。わけの分からない叫びが准尉の口から迸《ほとばし》る。地に倒れる寸前の相棒の体を片腕で抱え、准尉は憎悪に燃《も》える視線をこちらに向ける。

立て続けの発砲。

コンテナの陰に飛び込む真昼の手足を幾つもの銃弾がかすめ、通路の壁に爆《は》ぜた火花が一瞬だけ通路の薄闇を照らし出す。

「武藤《むとう》、しっかりしろ！　武藤――！」

必死の形相で叫びながら、准尉が弾を撃《う》ち尽くしたらしい銃を放り捨てる。とっさに顔を突き出す真昼の視界の先で、准尉は壁際、積《つ》み上げられた廃材の山に手を伸ばす。

引き出される、短機関銃《たんきかんじゅう》の銃身。

准尉《じゅんい》は自身の腹部から流れ出る血にも構わず巨大な銃を片手で振り上げ、引き金を引く。

銃撃音《じゅうげきおん》が響《ひび》き渡る。吐き出された無数の銃弾が天井《てんじょう》に、床に、壁《かべ》に爆《は》ぜて甲高《かんだか》い金属音を撒《ま》き散らす。果てしなく続く数十秒。爆音《ばくおん》が唐突に途切《とぎ》れたのに気づき、真昼《まひる》は意を決してコンテナの陰から身を乗り出す。

上等兵を片腕で引きずる准尉の姿は、先ほどの位置からさらに十メートル以上も後方。

撃《う》ち尽くしたらしい弾倉を放り捨てた准尉は新たな弾倉をサブマシンガンに押し込み、こちらに銃口を向ける。

……行かせるわけには……

立ち上がりざま駆け出そうとした瞬間《しゅんかん》、体に衝撃《しょうげき》。背後から伸びた誰《だれ》かの手に肩を摑《つか》まれ、真昼は再びコンテナの陰に引き戻される。

わずかに遅れて再度の銃撃音。

無数の銃弾が闇《やみ》の中を走り、一瞬前まで真昼が立っていたその場所に爆音を撒き散らす。

「死ぬ気ですか！　あなたは！」

床に仰向《あおむ》けに押さえ込まれる姿勢で見上げた目の前には、神戸《こうべ》自治軍の軍服姿の女。

沙耶《さや》の手当を終えたらしい少尉は血相を変えてこっちを見下ろし、

「冷静になりなさい！　現状のこちらの装備では追撃は不可能です。その銃一つでは刺し違えることさえ難《むずか》しいでしょう。その程度のことは、あなたなら理解出来……」

「それでもです！」真昼は女少尉の襟首《えりくび》を掴み「追ってください！　端末を、あの端末を破壊《はかい》しないと！」

「落ち着きなさいと言っています！」

少尉はその手を片手でほどき、こちらの右足、まともに止血もなされないまま血を流し続ける銃創《じゅうそう》を視線《しせん》で示して、

「あなたは自分が重傷者だということを忘れているのではありませんか？　それ以上動けばあなたは確実《かくじつ》に死にます。すぐに手当を――っ！」

みなまで言わせず、手にした銃を少尉の顔に向ける。

「何を！」と目を見開く少尉の一瞬の隙《すき》をついて体の下から抜け出し、這《は》うようにして再び通路に飛び出す。

出血量が限界を超えたらしく、意識《いしき》が朦朧《もうろう》とする。それを堪《こら》えて立ち上がった先、銃撃によって生じた土煙の向こうに、目標の姿を発見する。

相棒を片腕に抱えた准尉の姿は瓦礫《がれき》が散乱する通路の百メートルほど先、右に向かう曲がり角のすぐ手前。

その右手に握られた小さな黒い物体に気づいた瞬間、心臓《しんぞう》が止まりそうになる。

しまった、という声が背後から聞こえる。後方十数メートル、最初にいた部屋《へや》を振り返る

真昼《まひる》の視界の端で、准尉《じゅんい》が手にした物体を床すれすれに放り投げる。

時限式の起爆《きばく》装置が取り付けられた簡易型《かんいがた》の爆薬。

それが、通路の床を小石か何かのように跳ねる。

視界を光が覆《おお》う。駆け出す真昼の前で、壁《かべ》に飛びついた少尉が埋め込まれたタッチパネルを叩《たた》く。錆《さ》びた金属をこすり合わせる時に特有の甲高《かんだか》い機械音《きかいおん》。天井《てんじょう》と床から突き出した隔壁《かくへき》が通路を中程で閉ざし、爆発の衝撃《しょうげき》を寸前で食い止める。

年代物らしき隔壁が軋《きし》んだ音を立て、中央付近がハンマーで殴られたように歪《ゆが》む。

それを背後に駆ける通路の先には、沙耶《さや》の姿。

部屋《へや》から飛び出してきた少女は轟音《ごうおん》の中で口を「危ない」という形に動かし、必死の形相《ぎょうそう》でこっちの頭上を指さす。

反射的に見上げる真昼の目の前を、強化コンクリートの細かな破片が幾つも落下する。隔壁の軋みは通路の全体に広がり、無数の亀裂《きれつ》が天井を蜘蛛《くも》の巣のように走る。

壁、床、天井。周囲のあらゆる物が激《はげ》しく鳴動する。

一際強い破砕音が頭上で聞こえたと思った次の瞬間《しゅんかん》、通路を遮《さえぎ》っていた隔壁が周囲の建材ごと崩落し、半ばでねじ曲がりながら巨大な岩塊に押《お》し潰《つぶ》される。

驚愕《きょうがく》の声を飲み込んで走る頭上に影《かげ》が落ちる。立ち止まる真昼の目の前、まさに足を踏み出そうとしていたその場所に、人間のゆうに数倍はあるコンクリート塊が落下する。

激しい地鳴りの音が少女の悲鳴をかき消す。

崩落は止まらない。

見上げた頭上、砕けた天井から、巨大な石塊がゆっくりと落下し、

「天樹《あまぎ》真昼――！」

叫び声と共に衝撃があって、体が大きく側方に吹っ飛ばされる。床に二転した体が壁に叩《たた》き付けられ、激しい痛みに一瞬呼吸が止まる。喉《のど》の奥からせり上がる嘔吐感《おうとかん》をかろうじて堪《こら》える。立ち上がろうと背後に突き出した手に、壁とは異なる凹凸《おうとつ》のある感触。自分が通路に並ぶ部屋《へや》の一つ、その扉のすぐ側《そば》に座り込んでいることを、真昼は唐突に認識《にんしき》する。

朦朧《もうろう》とした意識を振り絞って体を動かし、扉の隙間《すきま》に体を押し込む。

すさまじい破砕音。

振り返った視界の先で通路の天井が一際激しく鳴動し、ガラスを砕くようなあっけなさで跡形も無く砕け散る。

無数の岩塊と金属の柱が通路の全体に雪崩《なだれ》を打ったように降り注ぐ。激しい地鳴りが壁を、床を、周囲のあらゆる物を震《ふる》わせる。

果てしなく続く、崩落の音。

それを最後に、意識が途絶《とだ》えた。

＊

父《とう》さん、と呼ぶ声が聞こえる。

呼んでいるのは幼い日の、初等学校に通う前の頃《ころ》の自分だ。

──どうした？　真昼《まひる》。

書斎から顔をのぞかせた父が、穏《おだ》やかな顔でこっちを見下ろす。幼い自分はその前に駆け寄り、手にした携帯端末のタッチパネルを叩《たた》く。

──これ、この問題がどうしても解けないんだけど。

そう言って、読み始めたばかりの物理の専門書を父に示す幼い自分。

父は立体映像の画面に一瞥《いちべつ》をくれ、ああ、と笑って、

──その問題の答えはな、『解無し』だ。

解無し？　と首を傾《かし》げる幼い自分。

父は、そうだ、とうなずき、

──その計算を正しく終了させる方法が科学の枠組みの中には存在しない。逆に『計算出来ないということ』なら、科学的に正しく証明することが出来る。そういう問題だ。

幼い自分は、でも、と言い募り、

――こうすれば計算出来るんじゃ無いの？　ほら、こうやって。

そう言って立体映像の画面を示す幼い自分。

父は静かに首を振り、表示された式の一つを指さして、

――その方法では、この式は使えんよ。この式はいかにももっともらしく見えるが、この問題の条件下では厳密《げんみつ》に成り立つことを証明出来んからな。

幼い自分は、本当だ、と驚《おどろ》き、

――じゃあこっちは？　この方法なら。

別な解法をディスプレイに示す幼い自分。

父はまたしても首を振り、

――それだと、今度はその式が破綻《はたん》するが良いか？

またしても、本当だ、と驚き、幼い自分はさらに別の解法を父に示す。父は笑って首を振り、その解法の問題点を指摘する。用意した二十通りの方針を全《すべ》て否定され、幼い自分はとうとう黙《だま》り込む。

父はそんな自分に、まあ落ち込むな、と笑い、

――それはうちの研究生のために私が作った引っかけ問題だ。いかにも解けそうに見えるのに、計算してみるとどうしても最後の解までたどり着けない。良く出来ているだろう？

ポケットから飴玉《あめだま》を取り出し、納得がいかない様子《ようす》の幼い自分の前に差し出して、

——『解無し』というのは一つの立派な解だ。そもそも解決法など存在しない問題というのは、実は科学の世界には山ほどある。『解決が難《むずか》しい』のでは無く、『絶対に解決できないことが証明出来る』問題だ。そして、そういった問題の解決法を見出《みいだ》そうとして時間を浪費した人間は、歴史上に掃いて捨てるほどいる。

そう言って、幼い自分を抱き上げる父。

小さな体をゆりかごのように抱え、寝室に向かう廊下を歩きながら、

——何より重要なのは、自分の求める問題に解が存在しないかもしれないと悟った時に、軌道修正が出来るかどうかだ。解を求めることを諦《あきら》めて、『解が無い』ことを前提に方針を立て直すことが出来るか。そこが、人生を上手《うま》く生きるコツだな。

科学の話ではなかったのか、と問う幼い自分に、父は、そうだったな、と笑う。

そんな父の頭に掴《つか》まったまま、幼い自分は考える。

科学の問題なら、机の上の仮定の問題なら、『解無し』でも許されるかもしれない。

でも、現実の問題なら。

解が無いことが分かっていて、それでもその問題をどうしても解決しなければならないとしたら、その時はどうすれば良いのか。

——さて、子供はもう寝る時間だ。

大きな手が体をベッドに下ろし、上から布団が掛けられる。

おやすみ、という声と共に、照明が落ちる。

息を吐き、目を閉じる。

寝室を満たす闇《やみ》が、頭の中に渦巻く思考を次第に覆《おお》い隠していき――

＊

夢からの覚醒《かくせい》は、唐突だった。

土煙が立ちこめる部屋《へや》の隅に身を起こし、真昼《まひる》は闇の中に視線《しせん》を巡らせた。

手のひらで顔を覆って強く指を押し込み、ぼやけそうになる意識《いしき》を強引に引き戻す。神経が目覚めたことで全身に軋《きし》むような痛みが走り、壁《かべ》に背中を預けて悲鳴を嚙《か》み殺す。

座り込んだ姿勢のまま右足を引き寄せ、傷の状態を確認《かくにん》する。

出血の量から考えて気を失っていたのはごく短い時間。長くても三分以上は経《た》っていない。

……状況は……！

半ば這《は》うようにして部屋の出口に駆け寄り、通路に顔を突き出す。辺りを漂う土煙を手で払いのけ、通路の闇に目を凝《こ》らす。

先ほどの爆発《ばくはつ》によって引火したらしい廃材のわずかな炎が、周囲の様子《ようす》を浮かび上がらせる。

右手側、携帯端末を奪った二人《ふたり》が向かった方向は、瓦礫《がれき》の山を踏み越えればどうにか進むことが可能な状況。

だが、左手側は。

自分が閉じ込められていた部屋《へや》があるはずの方向、そこに至るルートは、積《つ》み上がったコンクリート塊と金属柱によって完全に塞《ふさ》がれてしまっている。

……そうだ、沙耶《さや》ちゃん……

一瞬《いっしゅん》の自失から立ち直り、瓦礫《がれき》の壁《かべ》に近寄る。ちょうど膝《ひざ》の高さ、組み上がった岩塊の間にどうにか腕が通る程度の隙間《すきま》を発見し、床に両手を突いて限界まで顔を寄せ、

「沙耶ちゃん！　そこにいる？　いるなら――」

「お兄《にい》さん――？」

瓦礫の向こうから返るのは、驚《おどろ》いたような少女の声。

コンクリート塊の隙間、互いに腕を伸ばせばかろうじて指先が届く程度の距離《きょり》を隔てた先で、煤《すす》だらけの顔をのぞかせた沙耶が「良かった」と泣きそうな顔をする。

「お兄さん大丈夫？　ケガとかしてない？」

「どうにかね」無事な様子《ようす》の少女の姿にともかく安堵《あんど》の息を吐き、辺りを見回して「沙耶ちゃん、そっちにあの少尉さんは」

「……私ならここに」

瓦礫の向こうで答える声。沙耶が慌てた様子で一歩後ろに下がり、代わって女少尉が隙間の

先に姿を現わし、

「あの崩落を切り抜けるとは、運の良い人ですね」

「……そちらは無事、とはいかなかったみたいですね」

少尉は、ああ、と額《ひたい》から滴《したた》る血を拭《ぬぐ》い、

「お気遣《きづか》い無く。かすり傷です」一瞬《いっしゅん》だけ自分の足に視線《しせん》を落とし、息を吐いて「他《ほか》には……多少足をやられた程度ですから、行動に支障はありません」

「お姉《ねえ》さんがかばってくれたの」と後ろから割って入る沙耶。「上から天井《てんじょう》が落ちてきて、それで――」

「……そうなんだ」

少女の言葉に曖昧《あいまい》にうなずく。今にも泣き出しそうな沙耶の表情から、少尉の言う『多少の怪我《けが》』がどの程度の物かを察する。おそらく骨折程度では済まないのだろうが、今はそれを問うべき状況では無い。

「そっちはどんな状態ですか？　こっちはどうにか奥に進めそうですが」

「通路は無事です」返ってくる少尉の声「もともとこちらの区画はそちら側に比べて構造が安定しています。天井の崩落もこの場所までで止まっていますし、別な場所が崩れて行き止まりになっているということは無いでしょう」

「上の第八階層か、下の第七階層に向かうルートは？」

「第八階層の地表に出るルートがこちら側に。我々が正規の出入り口として利用していた物で、途中まで進めばフライヤーもあります」少尉は自分の背後の通路を振り返り、すぐにこっちに向き直って「残念ながらそちらは行き止まりです。第八階層に通じるルートが無いわけではありませんが、資材搬入ロボット用の険しい通路ですから生身ではとても」

なるほど、と喉《のど》まで出かかった言葉が、止まる。

頭に浮かぶ不吉な疑問。

頰《ほお》を伝う汗を拭《ぬぐ》い、意を決して口を開く。

「待ってください。なら、あの二人《ふたり》はどうしてこちら側の通路に？　この奥には何が」

「通信室です」少尉は即答する。「元々はシティ建設当時のシステム管理室だった場所を我々が改装しました。ネット回線《かいせん》に接続するための端末がそこに」

「……僕の端末から得たデータを送信することは？」

「もちろん可能です」

当然のことのようにうなずく少尉。

おそらくは自身の怪我《けが》の手当をしているのだろう。銃によく似た形状の注射器を取り出して薬液のカートリッジを装塡《そうてん》し、

「そもそもは、我々のスポンサーと作戦計画などの大規模なデータをやりとりするために整備《せいび》した部屋《へや》です。……おそらく二人はそこに。こちら側から正規のルートで第八階層に向かった

のでは、私の追跡を振り切るのは不可能だと考えたのでしょう」

……そういうことか……

正しい判断です、という少尉の言葉が遠いことに聞こえる。

状況が依然として最悪の方向へと転がり続けていることを、改めて思い知らされる。

通信室にたどりついた二人は携帯端末を開き、ウィッテンの最後の研究、雲を除去する方法を発見する。二人はそれを賢人会議《けんじんかいぎ》の最終的な目的と判断し、『天樹真昼《あまぎまひる》を葬り去ろうとした自分達の判断は正しかった』と確信する。

二人はその情報をシンガポール自治政府に、いや、おそらくは世界中の全《すべ》てのシティに対して開示する。

その結果は。

市街の状況がどうなっているか分からない現状では完全な予測は出来ないが、どう転んだところで待っているのは破滅的な展開以外には有り得ない。

「何か……何か通信手段は！」瓦礫《がれき》の壁《かべ》に両手を当てて限界まで顔を寄せ「あるんでしょう？いくら通信妨害を施しても、自分達の作戦行動に必要な分の回線は通してあるはずです！　出してください、今すぐ――！」

少尉は、は？と眉《まゆ》をひそめ、

「正気ですかあなたは。たとえ状況がどうであれ、そんな要求が通ると……」

言いかけた言葉が止まる。

ただならぬ気配《けはい》に気づいたらしい少尉は、いえ、と首を横に振り、

「いずれにせよ、その要求に応《こた》えることは不可能です。私の手持ちの通信素子は全《すべ》て、先ほどの爆発《ばくはつ》の衝撃《しょうげき》で破損を。……通信手段が存在しないという点においては、今やあなたも私も立場は同等です」

「……そう……ですか」

ひどく静かな声が唇から漏れる。思考が完全に平静を取り戻していることに自分で驚《おどろ》く。絶望してはいない。困惑してもいない。ただ、選択の余地の無さに呆《あき》れる。

幾ら考えたところで結論《けつろん》は同じ。自分が今打てる手は、本当に、一つだけしか無い。

……やるしかない、か……

病人着の袖口《そでぐち》に隠した素子の一つを取り出し、目の前に掲げる。

小さな立体映像で闇《やみ》の中に映し出される、『天樹真昼《あまきまひる》』の認識票《にんしきひょう》。

右足の傷口に手を伸ばし、拭《ぬぐ》い取った自分の血を素子の表面に塗りつけ、

「――沙耶《さや》ちゃん」

「な、なに？」

唐突に名を呼ばれたのに驚いたのか、沙耶がびくりと身をすくませる。

真昼はそんな少女に良く見えるよう、血まみれの小さな素子を瓦礫《がれき》の隙間《すきま》に掲げ、

「僕の認識票。沙耶ちゃんにはそれを、軍か自治政府の偉い人に届けて欲しいんだ。出来ればニ十階層の中央司令部に直接。カリム首相かフェイっていう議《ぎ》員《いん》さんに話が伝われば、助けをよこしてくれるはずだから」

「え……？」沙耶は驚いた様子《ようす》で目を丸くし「そ、そんな難《むずか》しいことわたし……」

「大丈夫。少尉さんも協力してくれるはずだよ」真昼はそんな少女にうなずき、視線《しせん》を少し横に動かして「そうですよね？　少尉さん」

真昼には確信《かくしん》がある。

この壁《かべ》の向こうにいる少尉は極めて有能で、だからこそ、自分の置かれた状況を正しく理解している。

同盟反対派、そして神戸《こうべ》の工作員の用意した筋書きはおそらく、自分の誘拐《ゆうかい》を起点にした何らかの工作によってシンガポール市民と賢人会議《けんじんかいぎ》の対立を煽《あお》り、同盟関係を破綻《はたん》させるというものであったはずだ。だが、その対立が制御不能な規模にまで膨《ふく》れ上がり、市街地が戦場となることは反対派にとっても本意では無い。である以上、その筋書きの最後を締《し》めくくるのは『天樹真昼の命を材料にした交渉』。参謀《さんぼう》の解放と引き替えに賢人会議をシンガポールから退去させ、もって事態を強制的に収拾するというのが敵の作戦であったはずだ。

その肝心要《かんじんかなめ》の鍵《かぎ》である自分が瓦礫の壁に閉じ込められ、脱出不可能な状況に陥ってしまった。

このままでは、市民と賢人会議の対立を沈静化する手段が存在しない。

事態を放置すれば作戦は失敗。それも、市街で活動している工作員達は状況が分からないまま混乱に飲み込まれ、シンガポールを脱出する機会《きかい》を失うという最悪の結末が待っている。が、沙耶《さや》が軍に助けを求めれば状況は変わる。作戦失敗という結果自体は同じでも、救助のために大規模に軍が動けば工作員達には事態を察知するチャンスが生まれる。

「じゃあ、沙耶ちゃんをお願《ねが》いしますね」

少尉の沈黙《ちんもく》を肯定と理解し、瓦礫《がれき》の壁《かべ》に背を向けて立ち上がる。

と。

「待ちなさい」瓦礫の向こうで咎《とが》めるような声が上がり「その体で、佐伯准尉《さえきじゅんい》と武藤上等兵《むとうじょうとうへい》を追うつもりですか」

「他《ほか》に手がありませんから」崩れかかった通路の壁に手を突いてふらつく体をかろうじて支え

「そちらの言葉じゃありませんが、自分の不始末です。自分で刈り取らないと、ね」

「あなた一人《ひとり》でどうしようというのですか」かすかな怒気を孕《はら》んだ声が瓦礫の向こうから返り「無謀《むぼう》なことは止《や》めて救助を待ちなさい。流出した機密情報の処理など、あなたが無事に帰還《きかん》を果たせば後でいくらでも」

「それでは遅いんです」真昼《まひる》は大きく息を吐いて声を絞り出し「このシティを、人類と魔法士《まほうし》の全面戦争の最初の舞台《ぶたい》にするわけにはいきませんから」

え？と不思議《ふしぎ》そうな沙耶の声が響《ひび》く。

しばしの沈黙。

「……一つ確認《かくにん》を」少尉が不機嫌《ふきげん》そうに声を上げ「佐伯と武藤が持ち去ったそのデータが拡散した場合、市街にはどの程度の影響《えいきょう》が？」

「軍が統制を失う可能性があります」真昼は病人着の袖《そで》を引き裂いて靴代わりに素足に巻き付け「さっき沙耶ちゃんに『中央司令部に直接届けるように』と言ったのはそういう意味です。状況が分からないので推測になってしまいますが、末端の兵士の動向には注意してください」

なるほど、という呟《つぶや》きに、小さな金属音が続く。

振り返った真昼の足下に、手のひらほどのサイズのケースが転がり、

「簡易式《かんいしき》の医療《いりょう》キットです。その足では走ることもままならないでしょう」

そんな少尉の言葉にさらに別な金属音が重なり、今度は小銃が一丁、足下の床を跳ね、

「弾は六発。申し訳ありませんが予備は持ち合わせがありません。……ナイフは、あなたの技量では持たない方が安全でしょう」

「お気遣《きづか》いどうも」その場に座り込んで銃と小さな金属ケースを拾い上げ「……訊《き》かないんですか？　携帯端末の中身の正体とか」

「説明している暇が無いのでしょう？　事態が切迫していることは理解しています」少尉はあくまでも生真面目《きまじめ》な口調《くちょう》で「くれぐれも無謀な行動は慎《つつし》んでください。あなたが命を落とせば、事態を収拾する手段が無くなります」

行きましょう、という声と共に、瓦礫《がれき》の向こうで少尉が立ち上がる気配《けはい》がある。何かを引きずるようなぎこちない足音に「お兄《にい》さん気をつけて！」という沙耶《さや》の声が重なり、二人分《ふたりぶん》の足音が次第に遠ざかる。

……さて……

急ごう、という小さな呟《つぶや》き。

真昼《まひる》は一度だけ目を閉じて息を吐き、医療《いりょう》キットの蓋《ふた》を開いた。

＊

ゲル状の細胞活性剤を塗りつけた傷口の上から有機《ゆうき》分子で構成された融着《ゆうちゃく》パッドを貼《は》り付け、テープで完全に固定する。その上からもう一度シャツを羽織《はお》り、神戸《こうべ》自治軍の儀典《ぎてん》正装をしっかりと着込む。

鎮痛剤《ちんつうざい》のおかげで痛みは無いが、そんな物は気休めに過ぎない。

受けた傷は腹部に銃弾を一発。間違いなく内臓《ないぞう》を損傷しているし、背中側に弾が抜けた様子《ようす》も無いから、こんな応急処置程度では到底誤魔化《ごまか》しきれる物では無い。

「……大丈夫ですか、佐伯《さえき》さん」

あり合わせの毛布を積《つ》み上げただけの粗末なベッドに寝かされた青年が、青ざめた顔をこっちに向ける。武藤《むとう》上等兵。部隊で最も若い、神戸崩壊《ほうかい》の前年に軍に入隊した『最後の新兵』である青年に佐伯准尉《じゅんい》は「ああ」と軽く手を振り、

「すまんな。作業が一段落したら水でも探してくるから、少し待っていてくれ」

そう言って上等兵に背を向け、立ち上がる。

シティ建設当時の資材管理システムが残された、自分達が『通信室』と呼ぶ部屋《へや》。その中央、旧式の端末が並ぶ机に歩み寄り、年代物を通り越してそこかしこが綻《ほころ》びた革張りの椅子《いす》に腰掛ける。

「自分なら大丈夫です」背中越しに聞こえる上等兵の声「鎮痛剤のおかげですかね。なんか、今すごい気分が良いっていうか……」

「心臓すれすれに弾が入っているんだ。気を抜くな」旧式の機械型のキーボードを何度か叩《たた》き、通信回線《かいせん》の状況を呼び出して「まったく。隊長が見ていたなら『命を粗末にするな』と懲罰《ちょうばつ》を食らうところだぞ」

「それは勘弁してもらいたいですね」上等兵はかすれた声で笑い「昔見たなんとかって映画の主人公の真似《まね》。一度やってみたかったんすよ」

夢がかないました、と、どこか遠いことのような呟き。

そんな青年を振り返り、苦笑して、

「格好をつけ過ぎだ、お前は。そういう独断が規律を乱し作戦の失敗を招く」視線を端末に戻

し回線《かいせん》呼び出しのコードを打ち込んで「だが、まあ、助かった」

礼を言う、と呟《つぶや》くと、上等兵がまた笑う。

つられるように忍び笑いを漏らし、ふと気になって、

「そういえば、武藤《むとう》はどうして軍に志願《しがん》したんだ？」

「うちは七代続いた軍人の家系でして」上等兵のかすれた声。「俺《おれ》も将来そうなるんだろうなって、別に好きでも無かったですけど、ガキの頃《ころ》から何となく。……まあ、頭悪くて士官学校の上級試験《しけん》落ちたから、兵卒からスタートになっちゃいましたけどね」

「良いじゃないか。俺も兵卒からの叩《たた》き上げ。将官や佐官ばかりじゃ軍は回らんさ」

背中越しに言葉を返しつつ、こんな話をするのは初めてだったな、と考える。

「良いこと言いますね、佐伯《さえき》さん」上等兵は先ほどより少し小さな声で笑い「で、佐伯さんはどうだったんですか？」

「俺か？」

背を向けたまま、自分を指さして見せる。

画面には『通信確立《かくりつ》』の文字。

このシティの外、世界全体を覆《おお》う公共回線《かいせん》に繋《つな》がるゲートを示すアイコンを見つめつつ、

「俺はあれだ。食っていくためだな」そう言って、何と無しに視線を上に向け「軍人だった親《おや》父《じ》とお袋が大戦で死んで、終戦のごたごたで遺族《いぞく》年金がうやむやになってな。少年兵として訓

練に参加すればマシな物が食えるって教わって、後はもう考え無しだ」

「佐伯さんもそんなもんですか」上等兵は再び笑い、息を吐いて「なんていうか……そんないい加減な理由で軍人になった割には……大それたことしたもんですね俺達」

まったくだ、とうなずき、机の端に手を伸ばす。賢人会議《けんじんかいぎ》の参謀《さんぼう》から奪った携帯端末――ようやく全《すべ》ての内部データの検索を終えたその黒いデバイスを目の前に引き寄せ、

「出たぞ、武藤。賢人会議の機密《きみつ》のお出ましだ」

「……俺達もいよいよ英雄ですか……」上等兵は先ほどまでよりもう少しだけ小さな声で呟き

「……佐伯さん……俺、この作戦終わったら軍人やめようと思います」

「良いかもしれんな、それも」携帯端末の画面を見つめたまま曖昧《あいまい》にうなずき「やめて、何をする」

「……どこかで、飯を作る仕事が出来れば……得意なんですよ、料理……」

「なかなか良いじゃないか」携帯端末のタッチパネルに指を這《は》わせながら「シティ・メルボルン跡地はどうだ。モスクワの傘下《さんか》に入ったとはいえ、あそこならまだそういう商売も……」

そこで言葉が止まる。

端末の内部には賢人会議の組織図《そしきず》も作戦計画も無く、幾つかの、正体不明のファイルだけ。

その一つ、『雲の除去手段に関する研究』と書かれたテキストデータを立体映像ディスプレイに展開し、

「……そしたら……佐伯《さえき》さんも食いに来てくださいね……」背中越しに、上等兵の声「約束ですよ……俺《おれ》、サービスしますから……」

「武藤《むとう》、これを見ろ」

返ってくるのは、楽しみだなあ、という呟《つぶや》き。

「武藤！　それどころでは——」

立ち上がり、振り返って、気づく。

力なく垂れ下がった、青年の腕。

生気を失ったその顔に浮かぶ、穏《おだ》やかな笑《え》み。

「……そうか……」

歩み寄り、しばし無言で立ち尽くす。

左右の腕を取り上げて胸の前に組み合わせ、あり合わせの毛布で体を覆《おお》い、

「すまなかったな。こんなことに付き合わせて」

ディスプレイの放つほのかな明かりが、通信室の闇《やみ》を照らす。

映し出されるのは『雲の除去手段』——I—ブレインを持たない全《すべ》ての人間の命を代価に世界を覆う雲を取り除くという、その恐るべき計画の全容。

やはり自分は間違っていなかった、という確信《かくしん》。

それに動かされて、元神戸《こうべ》自治軍情報部工作員、佐伯四郎《しろう》准尉《じゅんい》は一心に携帯端末のタッチパネルを叩《たた》き続ける。

鎮痛剤《ちんつうざい》でも抑え切れない違和感が、腹部から喉元《のどもと》へとせり上がる。銃撃《じゅうげき》によって内臓《ないぞう》に損傷を受けてから既に数十分、応急処置によって表面の傷を塞《ふさ》いでも、内部からの出血と組織《そしき》の壊死《えし》を全て止めることは出来ない。

自分は、もう助からない。

その認識《にんしき》は、しかし、タッチパネルを繰《あやつ》る指をわずかも揺るがせることは無い。

全てはわずかな不運、ほんの些細《ささい》なボタンの掛け違いの結果だった。天樹真昼《あまぎまひる》は『賢人会議《けんじんかいぎ》の参謀《さんぼう》』という立場であるがために自分の本当の目的を隠すしか無く、ウィッテンの最後の研究についても秘匿《ひとく》せざるを得なかった。その姿は佐伯准尉のような『ただの人間』にはＩ—ブレインを持たない通常人の敵としか映らず、その裏に隠された真意など知り得るはずもなかった。

誤解を正す機会《きかい》は与えられなかった。世界に残された時間は短く、どれほど非凡であっても人一人《ひとり》の手が届く距離《きょり》には限りがあった。

——だから、彼らを愚かと断罪することは、誰《だれ》にも出来ない。

全ての人々が、自らの知りうる世界の中で最善の選択をした。

それだけは、きっと、間違いないのだから。

「この情報を世界中に流す。それで良いな？　武藤《むとう》」

闇《やみ》の中に響《ひび》く、准尉《じゅんい》の声。

生気を失いつつある双眸《そうぼう》が、頭上遠く、通信室の天井《てんじょう》の遙《はる》か先を見つめ、

「あとは、神のみぞ知る、だ。……俺《おれ》達の選択が世界を良い方向に動かすことを、祈ろう」

第十一章　罪と罰　～World of Chaos～

そのデータが世界を駆け巡るのに、長い時間は掛からなかった。

六つのシティ全《すべ》ての自治政府、軍司令部、一般市民、果てはシティの外の町に暮らす市民権を持たない人々に至るまで。ネット回線《かいせん》と呼べるものが存在する地球上《ちきゅうじょう》のあらゆる場所、そこからランダムに選定された数万の端末に、告発文とタイトルされたそのデータは無差別にばらまかれた。

最初に事態を察知したのは各シティの自治軍情報部で、それはすぐに全ての自治政府の知るところとなった。すぐさま情報統制の必要性が議論《ぎろん》されたが、いずれのシティでも統制が実際に行われることは無かった。一般市民に対しても送りつけられたデータは噂《うわさ》の流布《るふ》という形で瞬《また》く間にシティ内のあらゆる家庭、あらゆる個人に伝達され、自治政府が対策に動き出した時にはすでに、市民の大半がその情報を入手した状態となっていた。

告発文は元神戸《こうべ》自治軍の工作員を名乗る青年の記録《きろく》映像と、添付された一つの研究論文《ろんぶん》によって構成されていた。どこかの廃棄区画の端末室らしき場所でこの記録を作成したのだろう青年は、論文《ろんぶん》が賢人会議《けんじんかいぎ》の参謀《さんぼう》、『天樹真昼《あまぎまひる》』の手によって作成されたことを主張し、証拠としてその参謀自身が所有していたという携帯端末を所有者本人の電子署名付きで示して見せた。

添付されていた論文――『雲の除去手段に関する研究』。高度に専門的な情報制御理論の知《ち》識《しき》に基づいて書かれたその内容の全《すべ》てを理解することは軍の研究者を除いたほとんどの者には不可能だったが、それでも、平易な形で示されたその結論だけは誰《だれ》もが理解することが出来た。――多くの魔法士《まほうし》の力を集めて大規模な情報制御を行えば、世界を覆《おお》う雲を晴らすことは可能であるということ。

――そのためには、I―ブレインを持たない通常人を地球上《ちきゅうじょう》から一人《ひとり》残らず消去しなければならないということ。

告発者はこれこそが賢人会議の真の目的であり、シンガポールとの同盟はその隠《かく》れ蓑《みの》に過ぎないと主張した。賢人会議を人類の敵と呼び、全ての人々に警戒《けいかい》を促す言葉を残して、映像記《き》録《ろく》は終了した。

シンガポールを除く五つのシティの自治政府はすぐさまそれぞれの情報部と研究機関《きかん》を招集し、告発文の真偽についての調査を命じた。添付された論文の精査にはシティの研究者の知識を持ってしてもある程度の時間を要したが、少なくとも告発の中で示された電子署名が賢人会議の参謀、天樹真昼本人の物であること、必然的にこの論文も天樹真昼によって作成された可能性が極めて高いことはすぐに判明した。

それぞれのシティの首脳陣は目の前に突きつけられた『真実』に対して、否応なしに対応を迫られることとなった。

──混迷を深めていく世界。

そして、事態の中心、シンガポールにおいては、状況は混迷の範疇《はんちゅう》をとうに踏み越え、破滅の領域へと転がり落ちつつあった。

*

重苦しい沈黙《ちんもく》が、薄闇《うすやみ》の空間を満たした。

シティ・シンガポール第二十階層、警備部司令室。市民のデモへの対応に追われていた参謀本部所属の作戦士官達は、突如として舞《ま》い込んできたその情報を前に一人の例外も無く呆然《ぼうぜん》と目を見開いた。

「……なんだ……これは……」

中央の一段高い席に座る壮年の士官が、ようやくといった様子《ようす》で口を開く。ウェイ・ロジャース大佐。警備部隊の最高責任者であり、迎賓館《げいひんかん》周辺に展開された歩兵四個大隊と空中戦車一個大隊に対する指揮権を持つ男はしかしそれ以上言葉を続けることが出来ず、椅子《いす》から腰を浮かした姿勢のままディスプレイを凝視《ぎょうし》する。

……告発文……賢人会議《けんじんかいぎ》の真の目的……？

大きく息を吐いてともかく呼吸を静め、執務椅子《いす》に深く腰を落とす。多くの端末が所狭しと並ぶ司令室、そこに集《つど》う五十三名の部下が、計ったように同じタイミングでこちらを見上げる。

無言で指示を求める、年若い士官達の視線《しせん》。

それに応《こた》えることが出来ないまま、大佐は指先で何度も机を叩《たた》く。

……こんな物が、一般市民にまでばらまかれたというのか……

マズい、という思考が頭に浮かぶ。『賢人会議が神戸《こうべ》を滅ぼした』という先刻の謎《なぞ》の放送によって、市民の魔法士《まほうし》に対する警戒心《けいかいしん》と反発は既に頂点に達している。市街地における混乱は、とうの昔に警備部隊によって制御可能な範囲《はんい》を超えているのだ。

そんな状況で突如出現した、新たな告発文。

事態がどこに向かおうとしているのか、もはや大佐には想像することすら出来ない。

……どうする……

これが偽物ならまだ良い。全《すべ》てが同盟に反対する何者かの工作であるなら、自分達の為《な》すべきことは明白だ。何としてでも市民の暴発《ぼうはつ》を押さえ込み、事態を収拾する。非常な困難《こんなん》を伴う任務ではあっても、疑念を挟む余地などどこにも無い。

だが、本物なら。

この告発と先ほどの放送の全てが本物であり、賢人会議の真の目的が『シティと通常人を滅ぼし尽くすこと』であり、政府を初めとして、シンガポールに暮らす全ての者が騙《だま》されていたのだとしたら――

「総司令部、いや、政府からの指示は！」

眼下の通信席に向かって叫ぶと、担当の士官が青ざめた顔で首を横に振る。緊急用《きんきゅうよう》のホットラインが応答しないという士官の報告に、大佐は無意識《むいしき》に両の拳《こぶし》を握りしめる。

事は既に自分の判断の及ぶ範囲を超えている。この告発を信じるか否か、賢人会議との同盟を続けるか否か、それを判断すべき上層部の指示無しに、現場指揮官に過ぎない自分が独断で部隊を動かすことは許《ゆる》されない。

息をすることもためらわれるほどの、灼《や》け付くような緊張。

それを突き破って、唐突な通信音が司令室に鳴《な》り響《ひび》く。

『失礼します』

反射的に顔を上げ、正面、壁《かべ》一面を覆《おお》う巨大なディスプレイを凝視する。そこに映し出される人影《ひとかげ》、同盟反対派に属する議員《ぎいん》の姿に、兵士達の間にざわめきが走る。

『例の告発文は？』

天井《てんじょう》のスピーカーから響く議員の声。

ともかく立ち上がって敬礼し、一瞬《いっしゅん》言葉に迷ってから、

「……先ほど」

『なら話は早い』年若い議院《ぎいん》はうなずき『ともかくこれを見ていただきたい。先ほど、情報部から入手しました』

タッチパネルを操作《そうさ》する議員の動きに合わせて、司令室の全員の手元に小さな立体映像ディスプレイでデータが表示される。

タイトルも何も記されていない、簡素《かんそ》な報告文。

そこに視線《しせん》を走らせ、意味を理解した瞬間《しゅんかん》、全身から血の気が引く。

『件《くだん》の告発文の解析結果です』押し殺したような議員の声『電子署名は間違い無く賢人会議《けんじんかいぎ》の参謀《さんぼう》、天樹真昼《あまぎまひる》の物であり、従って、添付された論文《ろんぶん》も参謀本人の手で作成された可能性が極めて高い――それが情報部の出した結論です』

「……自分に、どうしろと？」

声の震《ふる》えを強引に抑え、問う。

議員は『話が早い』とうなずき、

『単刀直入に言います。貴官の動員可能な全戦力をもって迎賓館《げいひんかん》を攻撃《こうげき》、賢人会議の魔法士《まほうし》達の動きを封じていただきたい』

居並ぶ士官達が呆然《ぼうぜん》と目を見開く。

大佐は一瞬言葉を失い、どうにか息を吐いて、

「それは政府の決定か？」自分より十は若い議員に鋭《するど》い視線《しせん》を向け「そうであるならば然《しか》るべ

き命令書を。手続きが間に合わないのであれば首相か元帥閣下の署名だけでも構わん」

『命令書はありません』議員は静かに首を振り『カリム首相はもちろん、今の自治政府の議員達に光耀《クアンユー》の予言を覆《くつがえ》すような選択は出来ません。先ほどの情報部の解析結果にしても、我々が独自のルートから入手したもの。政府はこれを黙殺《もくさつ》し、あくまでも賢人会議との同盟を維持する腹です』

計ったようなタイミングで新たな通信音が響《ひび》き、別なディスプレイが司令室の天井《てんじょう》付近に出現する。

映し出されるのは首相官邸からの通達。

告発文の真偽が判明するまで事態を注視し、市民の暴動《ぼうどう》の鎮圧に努めること――そう記された指令書に、士官達が顔を見合わせる。

『ご覧《らん》の通りです』議員はその指令を察した様子《ようす》で一つうなずき『もはや彼らにシンガポールの命運を委《ゆだ》ねることは出来ない。どうか、我々に手を貸していただきたい』

「……お断りする」大佐はかろうじて声を絞り出し「政府の決定は下された。どのような決定であれ、軍がそれを無視して独断で動くことは許されない。このような混乱した状況にあってこそ、文民統制の原則は厳守《げんしゅ》されなければならない。それに――」

言葉を切り、立体映像の告発文を指さして、

「これが賢人会議の真の目的であり、全《すべ》てが謀略《ぼうりゃく》であったと断じるにはまだ証拠が足りない。

そのことは貴殿にもお分かりのはずだ」

告発文の真偽について現状ではっきりしているのは、あくまでも『映像記録《きろく》に映し出された携帯端末が天樹真昼《あまぎまひる》本人の所有物である』ことだけ。問題の論文《ろんぶん》がその携帯端末に保存されていたという告発者の主張を裏付ける証拠は、実はどこにも存在していない。

もちろん、論文の中身の圧倒的なまでの高度さを鑑《かんが》みればそれが誰《だれ》にでも用意出来る類《たぐい》の物でないことは明白であり、状況から考えて天樹真昼自身、あるいは賢人会議《けんじんかいぎ》という組織《そしき》の研究によって生み出された可能性が極めて高いことに間違いはない。

が、それでも。

全てが同盟に反対する何者かの仕掛けた罠《わな》であり、賢人会議とこの論文との間に何の関係も無い可能性が否定出来ない以上、独断で軍を動かすことは出来ない。

『その点については認めます』ディスプレイの向こうの議員は意外にも即座に肯定し『ですが、これは疑わしきは罰せずを原則とする裁判ではありません。我々には最悪の場合を想定してこのシンガポールを守る義務があります。……今この瞬間《しゅんかん》にも、真実が露見《ろけん》したことに気づいた賢人会議が市民に対する攻撃《こうげき》を開始しないとは限らない。そうなってからでは遅いのです』

「その判断を下す権限は軍には無い。お分かりのはずだ」大佐はディスプレイの向こうに不審《ふしん》を込めた視線《しせん》を向け「そもそも、貴殿が賢人会議との同盟に異を唱える立場にあることは、この場の全員が知っている。……今回の同盟に際しては色々とおかしな動きが続いているが、これがその一つで無いという保証は」

そう口では言葉を発しつつ、すぐにその可能性が低いことを理解する。同盟反対派の議員とて光耀《クアンユー》の権威を否定するつもりは無く、同盟を完全な破棄に追い込むことも考えていなかったはず。現在の制御不能な状況は彼らにとっても望ましくない物。全てが彼らの策謀であったなら、事態はここまで混沌《こんとん》とした物とはならなかったはずだ。

このシティには、賢人会議との同盟に反対し、実際に陰から糸を引いて『ある段階』まで事の成り行きを意のままに操《あやつ》ってきた勢力が存在する。

その事実が逆に、シンガポールが置かれた状況の異常性と、告発文を本物とする判断の妥当性を証明してしまっている。

『そうであったなら、話は簡単《かんたん》だったのですが』はたして、議員は緊迫《きんぱく》した面持《おもも》ちで首を横に振り『残念ながら事態は既に我々の手をも離《はな》れてしまった。もはや穏便《おんびん》な解決策は存在しない。……ですからこうしてお願《ねが》いしています。リン・リー閣下のかつての部下であるあなたに』

最後の言葉に、司令室の士官達が一斉に動きを止める。

自身に集中する部下の視線を、大佐は手のひらを掲げて制し、

「確《たし》かに、閣下には十年前に戦場を共にして以来懇意《こんい》にさせていただいている。今回の同盟に異を唱える閣下の考えは一度ならず聞かせていただいたし、私にも少なからず共感する部分は

ある」息を吐き、椅子《いす》から立ち上がって「が、それはこの状況とは無関係な私個人の問題だ。閣下とて、個人の主義と軍人の職責《しょくせき》とは区別するようにと常々――」

『リン・リー閣下は、国家反逆の容疑で先ほど逮捕されました』言葉を遮《さえぎ》る、議員《ぎいん》の声『身柄を拘束《こうそく》したのは魔法士《まほうし》……賢人会議《けんじんかいぎ》の代表です』

思考が止まる。

何、と呟《つぶや》く声が上手《うま》く言葉にならず、目の前の机に両手をつき、

「……それで、閣下は」

『件《くだん》の魔法士によって情報部に移送中との報告を受けています。脳のスキャンと尋問、その後は裁判と処罰という運びとなるのでしょうが、その手続きが正当な手順で行われるとは』

一瞬《いっしゅん》の沈黙《ちんもく》。

ディスプレイの向こうの議員は息を吐き、執務机に身を乗り出して、

『不可能を求めていることは承知しています。しかし、状況にはもはや一刻の猶予《ゆうよ》もありません。……既にマサチューセッツとベルリンは賢人会議を人類の敵と断じ、その同盟国である我がシティを糾弾《きゅうだん》する声明を発表しました。他《ほか》のシティがこの動きに追随すれば、シンガポールは内部に脅威を抱えたまま他の五つのシティ全《すべ》てと戦うことになります』

新たな情報が入電し、小さなディスプレイが司令室に集《つど》う全員の手元に出現する。告発文を知った市民が次々にデモ隊に加わり、これまでとは比較にならない規模でデモが拡大している

という現場の兵士達の報告に、司令室の全ての者が息を呑《の》む。

大佐は大きく息を吐き、椅子に腰を下ろして居住まいを正し、

「……現状の戦力は？」

『陸軍空軍合わせて八個師団相当の戦力が既にこちら側に。他にも、幾つかの部隊に対して説得を試みているところです』

自分が抱える部隊を加えれば、シンガポール自治軍全戦力のおよそ半数。

そう理解しつつ視線《しせん》で先を促すと、議員はうなずき、

『目下、指揮系統の再編成《さいへんせい》と作戦計画の整理《せいり》を急いでいます。暫定的《ざんていてき》な指揮権は陸軍第三師団のラーマン中将に。中央指令部と国会議事堂を秘密裏に包囲し、準備の完了と同時に攻撃を開始します』

国会議事堂？という複数の兵士の呟き。

それに、ディスプレイの向こうの議員はうなずき、

『カリム・ジャマール首相以下、同盟に賛同《さんどう》する自治政府議員の身柄を拘束します。同時に、別働隊をもって情報部に移送中のリン・リー閣下を救出。我々の手でカリム首相を廃し、閣下にはこのシンガポールの新たな指導者《しどうしゃ》として立っていただきます』

そう言って、議員はディスプレイ越しに司令室を一望し、

『士官諸君も、どうか力を貸して欲しい。これはシンガポール創設以来の危機《きき》です。我々が英

断をもって歴史に名を残すか、子々孫々の末代に至るまで愚者の誹《そし》りを受けるか、全《すべ》てが今、この瞬間《しゅんかん》にかかっています』

どうか決断を、という議員《ぎいん》の言葉に、全ての者が動きを止める。

熟慮《じゅくりょ》の猶予《ゆうよ》は無い。

……自分は……

無意識《むいしき》にさまよわせた視線《しせん》が、司令室の隅、一点で止まる。

体をこちらに向けたまま、周囲の視線をはばかるように背後に手を伸ばす一人《ひとり》の士官。

震《ふる》える指が立体映像のタッチパネルを後ろ手に這《は》い、中央司令部宛《あて》の通信回線を選択する様が、薄闇《うすやみ》の向こうにはっきりと見える。

声を上げようとした瞬間《しゅんかん》、視界の先で別な影《かげ》が動く。沈黙《ちんもく》を破る苦悶《くもん》の声。士官の動きを見とがめた別な士官が腕を突き出し、まさに回線オープンのアイコンに触れようとしていたその指を掴《つか》んでねじり上げる。

さらに別な士官が歩み寄り、腰のホルスターから銃を引き抜く。指を掴まれたままの兵士の頭を背後から掴み、有無を言わさず机に押しつけて後頭部に銃口を押し当てる。

——発砲音。

飛び散った血と肉片が、司令室の壁《かべ》を赤黒く塗らす。

力を失った体が床に崩れ落ち、鈍《にぶ》い音を立てる。

粛正《しゅくせい》を終えた士官は手にした銃を机に置き、両手を頭の左右に掲げる。撃《う》ちたければ撃て、とでも言うように周囲を見回す士官に、他《ほか》の士官達は無言の賛同《さんどう》をもって応《こた》える。

『士官諸君の心は決まったようですね』議員は、感謝《かんしゃ》します、とかすかに頭を下げ『大佐、どうか決断を。我らの手で、為《な》すべきことを為しましょう』

五十二名の部下の視線が自分に向けられるのを感じる。

大佐は息を吐き、目を閉じた。

次の言葉を口にするには、幾らかの時間と、相応の覚悟が必要だった。

＊

古代の神殿を模したエントランスホールに、高い靴音が響《ひび》いた。

シンガポール第二十階層中央、国会議事堂。ルジュナと共にフライヤーを降り立った月夜《つきよ》は石造りの荘厳《そうごん》な柱の間を抜け、巨大な扉をくぐった。

足早に進む二人《ふたり》の周囲にシンガポール自治軍の兵士の一団が駆け寄り、歩調《ほちょう》を合わせつつ銃を構えて警護《けいご》の態勢を敷《し》く。兵士の一人が月夜を振り返り、武器の持ち込みが禁止である旨《むね》を伝える。

うなずき、上着の裏から合計三挺《ちょう》の拳銃《けんじゅう》と六本のナイフを取り出して兵士に差し出す。

これで、こちらは完全な丸腰。不安な状況ではあるが、他国の政治中枢《ちゅうすう》に乗り込む政治家の護衛《ごえい》となれば妥協せざるを得ない。

「……月夜《つきよ》さんには、ご迷惑をおかけします」

不意に声を投げられ、「え？」と視線《しせん》を隣《となり》に向ける。

ルジュナは顔を正面に向けたまま、歩調《ほちょう》をわずかも乱すこと無く、

「護衛としてお付き合いいただいたことです」周囲の兵士を憚《はば》かるように声を潜《ひそ》め「本当なら、月夜さんは弟さんの捜索を――」

ああ、と月夜は視線を正面に戻し、

「気にしないでください。探そうにも当てがありませんし、結局はこれが一番の近道ですから」

ルジュナがこの国会議事堂《こっかいぎじどう》に赴《おもむ》いたのは、シンガポール自治政府首相、カリム・ジャマールとの面会のためだ。首相に対してこちらの手の内を明かし、協力を要請《ようせい》する。手始めはシンガポール全域に展開されている対魔法士用防壁《まほうしようぼうへき》の解除と光耀《クアンユー》の一時的な機能《きのう》停止。それらのノイズ群を除去出来れば、クレア《千里眼》の力で真昼《まひる》の居場所を突き止められる可能性がある。

首相の出方次第ではルジュナが『世界再生機構《せかいさいせいきこう》』を中心に推し進めようとしている計画に深刻な障害をもたらすことになりかねない、危険な行動。

だが、シンガポール自治政府の力だけで事態を収拾出来るとは思えない以上、静観《せいかん》しているわけにはいかない。

護衛に付き従うのは月夜一人《ひとり》。本来ならニューデリー使節団が正式に引き連れてきた護衛部隊を伴うべきところだが、今回は状況が状況だ。会談《かいだん》がどんな方向に流れるか分からず、どこまでの情報を開示することになるか予想出来ない以上、裏の事情を知らない一般兵を同行させるわけには行かない。

本当なら祐一《ゆういち》なりイルなりを護衛に使いたいところだが、こちらが動かせる魔法士戦力は賢《けん》人会議《じんかいぎ》の動きを抑えるために残らず迎賓館《げいひんかん》に投入してまだ足りない状況。誰《だれ》一人として、他《ほか》の場所に差し向ける余裕など有りはしない。

さらに言えば、この状況下で他国の代表者が「魔法士を伴って」議事堂を訪れるという行為がシンガポール自治政府と一般の兵士にどのような印象を与えるかは想像するまでも無い。

必然的に、動ける駒《こま》は自分ただ一人。

周囲を取り囲む兵士の動き、左右の壁沿《かべぞ》いに等間隔に並ぶ兵士や監視《かんし》センサー、自動銃座の配置——あらゆる物に神経を巡らせつつ、真紅《しんく》の絨毯《じゅうたん》と旧世紀の芸術に彩られた通路を進む。

「こちらです」

先頭をゆく兵士が足を止め、左手側、一際精緻《せいち》な細工が施された木製の大扉を示す。月夜の身長の倍ほどもある扉が音も無く左右に開き、意外にも簡素《かんそ》な内装の執務室がその奥に姿を現わす。

兵士達が扉の左右に列を成し、中に入るようにと促す。

ルジュナの半歩後に続いて足を踏み入れる月夜《つきよ》の前、白い儀典《ぎてん》正装に身を包んだ初老の男が椅子《いす》から立ち上がる。

「良く参られた。ルジュナ・ジュレ主席執政官殿」

「初めてお目に掛かります。カリム・ジャマール首相」

そう言って手を差し出すルジュナ。

カリムはその手を取って握手を交わし、部屋《へや》の中央、簡素《かんそ》なテーブルを挟んで向かい合う椅子の一方に座るよう促して、

「兵士諸君、部屋の外で待機《たいき》を。警護《けいご》は不要だ」

了解しました、と敬礼した兵士の視線《しせん》が月夜に向けられる。自分も部屋の外で待機すべきか否か、視線で問うとルジュナはうなずき、

「彼女は関係者です」椅子にゆったりと腰掛け、囁《ささや》くような声で「『天樹月夜《あまぎ》』、という名前でお分かりになりますでしょうか」

「……賢人会議《けんじんかいぎ》の参謀殿《さんぼう》のお身内か。なるほど」

真昼《まひる》とそっくりの顔に納得がいったのか、うなずくカリム。

大扉が音も無く閉ざされ、室内には二つのシティの代表者と月夜の三人だけが残される。

「用向きは……などと訊《き》くまでも無いことだな」

鋭《するど》い視線を向けるカリムに、ルジュナは「はい」とテーブルの上で両手を組み、

「単刀直入に。現状はどのような物でしょう。事態を収拾する方策は」

「市民の暴発《ぼうはつ》を押さえ込むため、第一から第二十までの全階層に部隊を展開している。シンガポール陸軍のほぼ全戦力だ」カリムはルジュナの向かいの椅子に腰を下ろし「かろうじてデモの拡大は食い止められているが、このままでは肝心の『天樹真昼の捜索』に戦力を割《さ》くことが出来ぬ。目下、中央司令部に命じて部隊の再編《さいへん》を急がせているところだ」

「軍に可能な対応には限界があります。下手《へた》に武力を行使すれば市民の一層の反発を招くことにもなりかねません」ルジュナは男に視線を返し「ここは議会《ぎかい》が動くべき局面と考えますが、何か手は？　国会では臨時《りんじ》の討議が行われていると聞きましたが」

「先ほど一時休憩《きゅうけい》に入ったところだ。結論《けつろん》の出ない議論を幾ら続けたところで時間を浪費するばかりだからな」カリムは息を吐き「残念ながら、現状で自治政府には打てる手がない。むしろ、不用意な動きは軍の行動の妨げにしかならぬというのが私の考えだ」

「それは……いささか無責任な言葉と感じますが」

鼻白《はなじろ》んだ様子《ようす》で眉《まゆ》を寄せるルジュナ。月夜もまた、あまりの言葉に目を見開く。

が、カリムはそんな二人《ふたり》を前にわずかも表情を動かすこと無く、

「いかにも。だが事実だ」呟《つぶや》き、束《つか》の間《ま》目を閉じて「十分後には討議再開の予定となっているが、幾ら続けたところで無意味であろうよ。議員の大半はもう一度光耀《クアンユー》を稼働《かどう》させて事態打開の策を計算させることを望み、それに反対する議員は『賢人会議と同盟すべし』という

光耀《クアンユー》の最初の予測が誤りであった可能性をあげつらう。不毛な堂々巡りが無限に繰《く》り返されるばかりで、自らの考えでこの状況を打開しようとする者など一人《ひとり》もおらん」

言葉が途切《とぎ》れる。

男は、参った、とでも言うように額《ひたい》に手を当てて首を振り、

「嘲笑《あざわら》っていただいて構わんぞ、主席執政官殿。このシティにおいて、議会《ぎかい》などという物はお飾りに過ぎぬ。光耀《クアンユー》の予測をただ盲信する者と、その予言に反対しさえすれば自らの勤めを果たしたことになるとただ盲信する者。そのような愚者の集まりが、シティ・シンガポール自治政府、中央議会の正体というわけだ」

「ちょっと、何よその無責任！」思わず月夜《つきよ》は声を上げ、すぐに相手が一国の国家元首であることを思い出し「っと……だから、こういう時のために議会があるんじゃないんですか？　光耀《クアンユー》の予測が外れたり上手《うま》く行かなかったり、そういう時に軌道修正して話を進めるために人間がいるはずですよね？」

「違うのだよ、天樹月夜殿《あまぎ》」カリムは肩をすくめ「シンガポールにおいて、あらゆる方針を定めるのはあくまでも光耀《クアンユー》ただ一つ。国会とそこに集《つど》う議員はただ算出された方針に『人間が認めた』というお墨付きを与えるためだけの物。……今回に限った話では無い。それが、建国当時から百年続いたシンガポールの政治システムだ」

「いや、ちょっと待って！　じゃなくて、待ってください！」月夜はたまらず声を荒げ「おか

しいですよそれ！　だって、このシティでも戦後十年は普通の議会政治をやってたんでしょ？光耀《クアンユー》は政策立案機能《きのう》を凍結して、シティの機能維持のためにただの演算機関として利用してたって。その間は？　政府として考えないといけないことも決めないといけないことも、山ほどあったはず――」

「何もしなかったのだよ」カリムは「大戦前の光耀《クアンユー》による統治時代を知る者は、ただ当時を懐《なつ》かしみ光耀《クアンユー》の復帰を望む者となった。戦後に議員となった者はそのような老人達の態度を責めたが、責めるばかりで自らの手では何一つ新しい方針を打ち出そうとはしなかった。実質的にこのシティを動かしてきたのは私自身やリン・リーといったごく一部の意思ある者。それ以外の大多数は、政局の駆け引きの中で偶然に議員の椅子《いす》を得ただけの有象無象《うぞうむぞう》に過ぎぬ」

遠い場所を見るように天井《てんじょう》を見上げ、

「議員に限った話では無い。百年続いたコンピュータによる政策決定はこのシティに住む全《すべ》ての者から政治に対する関心と有事に対する心構えを奪い尽くした。――それはな、世界が雲に覆《おお》われ、人類が滅亡の危機に瀕《ひん》したからと言って、容易《たやす》く覆《くつがえ》る物では無かったのだよ」

そんな馬鹿《ばか》な、という言葉が一瞬《いっしゅん》だけ頭に浮かぶが、すぐに消え去る。

代わって、ある種の納得感が胸を満たしていく。

……そういうこと……。

思えば、訪れた最初からこのシティはどこか奇妙だった。世界中のシティに対して宣戦を布告した組織《そしき》との同盟、一つ間違えば他《ほか》のシティ全《すべ》てを敵に回すことにもなりかねない危険な選択。であるというのに、シンガポール自治政府には動きが少なすぎた。

同盟の成立に向けて動いているのはカリム首相とその腹心の部下である全権大使だけ。

それに反対して動きを見せているのもまた、ごく少数の議員《ぎいん》だけ。

シティの、いや世界の命運を左右しかねないこの難局《なんきょく》に際して、シンガポール自治政府議員百二十八名、そのほとんどに動きらしい動きが見えなかった理由を月夜《つきよ》はようやく理解する。

「半年前の事件。ニューデリー《貴国》の中央招集会議において賢人会議《けんじんかいぎ》が初めて世界の表《おもて》舞台《ぶたい》に姿を現わし同盟を呼びかけた時、古参の議員達が真っ先に考えたのは光耀《クアンユー》を政策決定システムとして再稼働《さいかどう》させ判断を仰ぐことだった。――私はあえてその考えを容認し、後押しした。光耀《クアンユー》が賢人会議との同盟を是とすれば、反対派の議員を黙《だま》らせる良い口実となる。仮に同盟を否定する結論《けつろん》が下ったならば、その結果を精査して適切な代案を考えれば良い、そういう考えであった」

市民の騒乱《そうらん》の声と、かすかな銃声が、窓の遠くから聞こえる。

カリムは椅子《いす》から身を起こし、テーブルの隅に手を伸ばして、

「つまりは、私の判断だ。その結果がこの未曾有《みぞう》の混乱であるというなら、真摯《しんし》に受け止めねばなるまい」

タッチパネルを操作《そうさ》する指の動きに合わせて、テーブルの上に幾つかの立体映像ディスプレ

イが出現する。

そこに映し出される、膨大《ぼうだい》なデータと世界地図。

意味が分からずに顔を寄せる月夜の前で、ルジュナが「これは……」と声を上げ、

「光耀《クアンユー》の予測結果。政策提言でしょうか？」

「さすが、と言いたいところだが、いささか異なる」カリムは静かに首を横に振り「光耀《クアンユー》の対案、と言えばお分かりか？」

……え……

意味を理解した瞬間《しゅんかん》、頭を衝撃《しょうげき》が走る。

テーブルに両手をつき、ディスプレイをまじまじと見つめる。

月夜も噂《うわさ》ぐらいは聞いたことがある。政策立案決定システム『光耀《クアンユー》』はその計算過程において必ず最終的な結論とは別の、全く異なる複数の政策案を構築する。光耀《クアンユー》はそれらの複数の案を自分の中で戦わせ、最終的に最もスコアの高い案を結論として出力する。

計算に破れた政策案は、政治的な混乱を避けるために誰《だれ》の目にも触れないままシステム内で消去されることになっている。だが、一説にはそれらの計算結果は「対案」として保存され、歴代のシンガポール首相だけしか知らないどこかに保管されていると――

「今回の賢人会議との同盟、そのもう一つの可能性というわけですか」

ルジュナの声。

慌てて視線《しせん》を向けると、白装束《しろしょうぞく》の執政官は緊張《きんちょう》に強張《こわば》った顔でディスプレイを見上げたまま、

「『市民の反対によるデモの拡大』『対立の激化《げきか》と内乱の勃発《ぼっぱつ》』……まるで、今の状況を予見しているようですね」

「『この事態を阻止するために、賢人会議《けんじんかいぎ》の主要構成員を暗殺し、彼《か》の組織《そしき》を世界から消去すべし』。それが、光耀《クアンユー》の示したもう一つの解答であった」淡々とカリムは応じ「同盟を支持する案との最終的なスコア差はわずかに0.02パーセント。ほんのわずかでも計算が違えば、我がシティは魔法士《まほうし》達の協力者では無く、あの北極《ほっきょく》での事件において彼らを葬り去る役目を負っているはずであった」

「危険は、考えられなかったのですか？」ルジュナはそんな男に厳《きび》しい視線を向け「世界に宣戦布告した組織と同盟を組み、組織に力を与える。その結果がシティの混乱と衰退に繋《つな》がるという結論《けつろん》は極めて筋の通った物と感じます。……単純にシティの繁栄《はんえい》を約束する結論よりも遙《はる》かに蓋然性《がいぜんせい》がある、そうは思われませんか？　この対案の存在は、もう少し慎重に考慮《こうりょ》すべきだったのでは？」

「変革は必要だった。いずれにせよ、な」カリムは静かな視線を返し「このまま三十年後のシティ機能《きのう》停止に向かって緩慢《かんまん》な滅びの道を歩むわけにはいかぬ。いかなる形にせよこのシンガポールは生まれ変わらなければならぬ。賢人会議との同盟はそのための又《また》と無い好機であった」

初老の男は深く息を吐き、

「無論、私とて危険を顧《かえり》みなかったわけでは無い。いずれの案を信じるべきか、賢人会議をどう評価すべきか、それを見定めるために北極での会談《かいだん》には最も信頼できる男を送り込んだ。……それに、わずか0.02パーセントの差とはいえ光耀《クアンユー》の計算は絶対だ。シティ・シンガポール創設以来百年の歴史の中で今回と同様に最終結論とほぼ同スコアの対案が示されることは幾度もあった。が、いずれの場合も現実は光耀《クアンユー》の結論通りに進んだ。『対案』の存在が役立ったことは、歴史上ただの一度も無い。それほどに光耀《クアンユー》は正しいのだ」

「システムの想定外の事象が紛れ込んだ、と？」

「いかにも」ルジュナの問いにカリムはうなずき「だが、それが何なのか、いったいどの時点で計算を狂わせたのかが分からぬ。あるいは、この対案の中に手がかりがあるのでは無いかと考えたのだが……」

「あーもう！」

たまらず、月夜《つきよ》は割って入る。

目の前の男の地位も何もかも忘れて勢いよくテーブルを叩《たた》き、

「今はそんな終わった話してる場合じゃ無いでしょ？　目先の問題どうするかでしょ！　このまま行くとこのシティはどうなるのか、賢人会議はどうなるのか！　そこの『対案』には何か情報は無いの？　この先の展開とか対策とか、書いてあるんじゃないの？」

「状況は常に流動的だ。光耀《クアンユー》の示した対案の結論は『この状況に至る前に賢人会議を消去すべし』。その方針と異なる選択をした以上、今後の展開はシステムの予測の範囲《はんい》を逸脱する。――が」

カリムは言葉を切り、再びタッチパネルを操作《そうさ》し、

「最悪の展開、という意味であれば、結論《けつろん》は出ている」新たに出現したディスプレイを視線《しせん》で示し、深く息を吐き「シンガポールは人類と魔法士《まほうし》の全面戦争の最初の舞台《ぶたい》として滅びる。自治軍は全滅、市民の九十八パーセントが死亡。あらゆるシステム、生産プラントは破壊《はかい》し尽くされ、この場所には廃墟《はいきょ》すら残らん」

絶望的な予測を淡々と語る首相の姿に、血の気が引く。

唇を噛《か》んで振り返ると、ルジュナが決然とした表情でうなずき、

「カリム首相。今は少しでも建設的な方向に話を進めましょう」椅子《いす》から立ち上がり、テーブルの向かいの男を見下ろして「既に話は届いているかと思いますが、私がこちらに赴《おもむ》いたのは協力のためです。この未曾有《みぞう》の混乱を鎮《しず》めるため、ニューデリー自治政府代表としてシティ・シンガポールに一時的な同盟を申し出ます」

「ありがたい申し出ではあるが」カリムはわずかに眉《まゆ》を動かし「ご覧《らん》の通り、我がシティの現状は混乱の極みにある。仮にニューデリー本国から自治軍を増援に派遣《はけん》いただいたとしても、受け入れは不可能だ」

「策はあります」ルジュナは男の前に身を乗り出し「この月夜《つきよ》さんをはじめとして、私には幾

人かの協力者がいます。おそらくカリム首相も名前くらいはご存じの人物です。彼らの力を用いれば、シンガポール自治軍単独の戦力でも事態の収拾は十分に可能です」

策、とカリムの小さな呟《つぶや》き。

月夜はうなずき、ルジュナの隣《となり》に並んで身を乗り出し、

――鳴《な》り響《ひび》く通信音。

突如として出現した立体映像ディスプレイが、三人を隔てる位置に大写しになる。


反射的に動きを止め、ディスプレイに視線を向ける。白一色で半透明に塗りつぶされたディスプレイの表示がすぐに切り替わり、どこかの廃棄施設で撮影《さつえい》されたらしい映像記録《きろく》と共に、何らかの研究論文と思《おぼ》しき文書データが映し出される。

『雲の除去手段に関する研究』と題された、情報制御理論に関する物らしい論文。

その中身に視線を走らせ、意味を理解した瞬間《しゅんかん》、頭が真っ白になる。

「……確認《かくにん》させていただきたいのだが」

押し殺したような、カリムの声。

初老の自治政府首相はためらうように何度も瞬《まばた》きを繰《く》り返し、かろうじて作り笑いらしき表情を口元に浮かべて、

「これが、貴殿の言う『策』か？　ルジュナ・ジュレ執政官殿」

計ったようなタイミングで別なディスプレイが出現し、通信画面を形作る。無数の端末と兵士が並ぶ司令室らしき空間を背景に、元帥の階級章をつけた男が敬礼する。

『ご覧《らん》になられたか』

「たった今だ」単刀直入な元帥の問いにカリムはうなずき「出来れば説明を求めたいが」

元帥はうなずき、現在の状況——この告発文が世界中にばらまかれたこと、賢人会議《けんじんかいぎ》への対処を巡って自治軍内部に不満が広がっていることなどを手短に伝える。

『首相官邸からはこの告発文を黙殺《もくさつ》し、暴動《ぼうどう》の鎮圧《ちんあつ》に努めるようにとの通達が出ている……ということになっている』元帥は苦虫を噛《か》み潰《つぶ》しきった顔で『無論《むろん》、貴殿の名前でだ』

「同盟反対派の偽装だな。手の早いことだ」カリムは淡々と応じ「軍の指揮系統は？　いずれか、不穏《ふおん》な動きのある部隊は」

『既に自治軍全体の半数近い部隊が通信を途絶、あるいは命令を無視した行動を始めている。かろうじて、そちらの国会議事堂内の警備《けいび》は掌握《しょうあく》出来ているが』元帥は息を吐き、ディスプレイの向こうで頭を下げ『すまんな。想定外の事態が重なり過ぎた』

「貴官の責ではあるまい」カリムは首を振り「私にとっても想定外だ。よもや同盟反対派がシンガポールの存亡を顧《かえり》みずこのような暴挙《ぼうきょ》に出ようとは。……リン・リーも、この急時に際して目が曇《くも》ったものと見える」

深く息を吐き、視線を唐突にこっちに向けて、

「月夜《つきよ》殿。すまぬが、窓の外を確認してもらいたい」

「……え？」一瞬《いっしゅん》何を言われたのか分からず、月夜は何度か瞬きし「ま、窓ね！　分かった」

部屋《へや》の奥、カーテンに覆《おお》われた窓に駆け寄り、隙間《すきま》からそっと様子《ようす》をうかがう。

闇《やみ》の中、夜間照明のかすかな明かりに時折照らし出される警備兵の動き。

そこにかすかな違和感を覚え、窓に顔を寄せて目を凝《こ》らし、

「なんか、警備部隊の動きが統一されてないっていうか。真面目《まじめ》に議事堂を守ってる部隊の中に別行動を取ってるのが混ざってて……これだと警備って言うより、この議事堂を包囲する態勢に――」

言いかけて気づき、慌てて振り返る。ルジュナが無言で頭を振り、たった今まで通信画面が表示されていたディスプレイを指さす。

細い指の向かう先に虚《むな》しく光る、「接続不能」の文字。

「通信妨害、というわけですね」白装束《しろしょうぞく》の執政官は諦《あきら》めた様子で息を吐き「カリム首相。最悪の事態、という認識《にんしき》でよろしいのでしょうか、これは」

「おそらくは、な」カリムはうなずき、目を閉じて「お二人《ふたり》には巻き込む形になり申し訳無い。シンガポール自治軍と政府の最高責任者として、謝罪《しゃざい》する」

部屋《へや》の扉が勢いよく開き、廊下で待機《たいき》していた兵士が切羽詰《せっぱつ》まった様子で駆け込んでくる。

青ざめた顔で耳打ちする隊長らしき男に、カリムは視線《しせん》をルジュナに向けたまま「承知している」とうなずき、

「通信回線《かいせん》が途切《とぎ》れる直前に入った最後の報告だ」重々しい所作で椅子《いす》から立ち上がり「第十九階層と第十七階層のデモ鎮圧《ちんあつ》に向かっていたはずの部隊、計六個大隊が中央司令部を包囲、攻撃《こうげき》を開始した。他《ほか》の階層に展開されていた部隊もおよそ半数がこの動きに同調《どうちょう》、正規の指揮系統に留《とど》まっている他の部隊と交戦状態に入った」

かすかに聞こえていた市街地の喧噪《けんそう》に、兵士の物と思《おぼ》しき怒声が混ざる。銃撃音が立て続けに鳴《な》り響《ひび》き、幾つもの爆発音《ばくはつおん》がその後に続く。

窓外の闇《やみ》を照らし出す、炎の揺らめき。

それを視界の端に、カリムは一度だけ、小さく息を吐いた。

「すぐにこの議事堂《ぎじどう》より脱出を。――これは、同盟反対派によるクーデターだ」

＊

市民の動きに変化が生じたことに、祐一《ゆういち》は気づいた。

世界再生機構《せかいさいせいきこう》と賢人会議《けんじんかいぎ》――魔法士《まほうし》達の戦いに気圧《けお》されて一時は第二十階層の階層間バイパス道出口付近にまで後退していた市民のデモ隊は再び圧力を増し、先ほどまでに数倍する規模

と速度をもってこの迎賓館《げいひんかん》へと殺到しつつあった。

……どうなっている……

目の前には賢人会議の騎士《きし》が三人、白装束《しろしょうぞく》に身を包んだディーと、他に黒い軍服を纏《まと》った者が二人《ふたり》。いずれも年若い三人の剣の一撃を紅蓮《ぐれん》の一払いでいなし、衝撃《しょうげき》を利用して後方に跳躍《ちょうやく》、着地と同時に長大な刀身を迎撃の形に構え、

『――マズイことになったわ』

通信素子の向こうでクレアの声。

何、と問う間も無くミラーシェードの内側に表示される『告発文』と題されたデータに、祐一は一瞬《いっしゅん》動きを止める。

『それと同じ物がシンガポール全体、ううん、それこそ世界中のありとあらゆる場所にばらかれてるの！』声はどんどん早口になっていき、少女は耐えきれなくなったように叫び声を上げ『あーっ！　もうわけわかんない！　何これ！　どっから出てきたのよこんなもん――！』

『だーっ！　落ち着けお前はちょっと！』通信素子越しの声にへイズが割って入り『とにかくそれ読んでくれ！　話はそれからだ！』

了解した、とうなずき、紅蓮を片手に構えなおす。自由になったもう片方の手でミラーシェードのフレームから有機コードを引き出し、うなじの辺りに接続する。

Ｉ－ブレインに直接流れ込んでくる。論文《ろんぶん》ファイルと記録《きろく》映像のデータ。

「……雲を除去する方法……だと？」祐一《ゆういち》は眉《まゆ》をひそめ「何だこれは、どこからこんな物が」

『うちの先生とシスターさんが今調《しら》べてるところだ！』ヘイズの声に時折指を弾《はじ》く小さな音が混ざり『状況から見て天樹真昼《あまぎまひる》を拉致《らち》った連中の仕業のはずなんだが、だとすると目的がさっぱり読めねぇ！とにかく、もう一回市民を下がらせねぇと！』

（高密度情報制御を感知）

青年の声を意識《いしき》の端に、一歩退《しりぞ》くと同時に右手に構えた紅蓮《ぐれん》の刀身を跳ね上げる。下から上へ、斬《き》り上げる動作で胸元めがけて突き込まれる剣の切っ先を弾き飛ばし、柄《つか》に両手を添えて再び防御の型を取る。

続く第二撃《げき》は、来ない。

賢人会議《けんじんかいぎ》の騎士《きし》達は戸惑ったように動きを止め、襟元《えりもと》の通信素子をそれぞれに引き寄せる。

どうやら向こうにも『告発文』の情報が伝わったらしい。愕然《がくぜん》とした顔をこちらに向けたディーが、両の騎士剣を構え直して背後を振り返り、

「とにかく迎賓館《げいひんかん》の中へ！」

賢人会議の騎士二人《ふたり》がぎこち無くうなずき、自己領域に包まれたその姿が視界からかき消える。同時に紅蓮の刀身に衝撃《しょうげき》。地を蹴《け》ったディーの体は滑るようにこちらの懐《ふところ》に潜《もぐ》り込み、形だけの一撃を防御の真正面から振り下ろし、

「どういうことですか！いったい、何がどうなって！」

「不明だ」剣戟《けんげき》の音に紛れるように問うディーに祐一は形式的な攻撃を返しつつ「反対派のねつ造、と考えるには話が大きすぎる。下手《へた》をすれば状況が完全に収拾不可能になる。連中にそれが分からないはずは……」

言いながら巡らせた視界の一点に意識が集中する。迎賓館の真上、第二十階層の天井《てんじょう》付近。空中に漂ったまま状況を見守っていた空中戦車の砲塔がゆっくりと旋回していることに、祐一は唐突に気づく。

まさか、という思考。

横薙《よこな》ぎの一撃でディーの『陰』と『陽』を払いのけ、跳躍《ちょうやく》の体勢に身構えた次の瞬間《しゅんかん》、戦車の砲口に生じる爆発《ばくはつ》の衝撃をI―ブレインによって画像補正された視界がはっきりと捉《とら》え、

(「自己領域」展開)

半透明な球形の揺らぎが体を包み、時間の流れが加速する。同時に重力の影響《えいきょう》が消失。通常の物理法則から解き放たれた体が迎賓館の屋根を飛び越え宙を突き進む。

目標は直上五百メートル、空中戦車の長大な砲身の先端からゆっくりと吐き出される高速徹《てっ》甲弾《こうだん》の鈍《にぶ》い光。

正確《せいかく》に迎賓館を狙《ねら》って撃《う》ち出されたその弾体めがけて、静止した世界を一直線《いっちょくせん》に駆け抜け、

(ノイズを検知。エラー。「自己領域」強制終了)

ノイズメイカーの効果範囲《はんい》に自ら突入したことによってI―ブレインの機能《きのう》が阻害される。

体を包んでいた「物理法則の異なる空間」が消失、通常の物理法則に捕らわれた祐一《ゆういち》の体は空中に為《な》す術《すべ》無く静止する。

……どこだ……！

答えは左方、視界の端。偏光迷彩によって姿を隠し、設置型ノイズメイカーのアンテナをこちらに向ける軍用フライヤーの姿がＩ－ブレインの画像処理によって浮かび上がる。

先ほどまで迎賓館《げいひんかん》を包囲していた、神戸《こうべ》の工作員が奪取したフライヤーの中に、あの形状の物は無かった。

新手の出現に内心で舌打ちを漏らす祐一の頭上、速度を取り戻した高速徹甲弾《てっこうだん》の灰色《はいいろ》の弾体が容赦なく迫り来る。

……いけるか……

刹那《せつな》の思考。身体能力制御を起動してかろうじて通常の二十倍の運動速度を確保《かくほ》し、紅蓮《ぐれん》の刀身を上段に構える。重力に引かれた体が自由落下を始めるよりも遙《はる》かに速く、秒速三千メートルで迫り来る高速徹甲弾の弾体めがけて騎士剣《きしけん》を振り下ろす。

両腕を走り抜ける、すさまじい衝撃《しょうげき》。

弾体に接触した剣の切っ先を通して情報解体を発動するほんの一瞬《いっしゅん》、制御し切れなかった運動エネルギーに引きずられた体が錐揉《きりも》み回転しながら吹き飛ばされる。

「っ――！」

地表に叩《たた》き付けられる寸前で体がノイズメイカーの効果範囲《はんい》を抜け出し、I―ブレインが機《き》能《のう》を回復する。瞬時に自己領域を発動。自身に掛かっていた加速度を消去し、迎賓館前広場の中央、ディーの隣《となり》に降り立って片膝《かたひざ》を突く。

「祐一さん！」

「迎撃態勢を！」駆け寄ってくる銀髪の少年を手で制し「囲まれたらしい。来るぞ！」

そう叫んで頭上を睨《にら》む祐一。隣で、ようやく気づいたらしいディーが、あ、と声を上げる。

二十階層の天井《てんじよう》、迎賓館を包囲する位置にはいつしか数百からなる空中戦車の編隊《へんたい》とノイズメイカーを搭載した無数の軍用フライヤーがひしめき、その全《すべ》てが搭載した全《すべ》ての火器を眼下の魔《ま》法《ほう》士《し》の居城へと照準している。

息を吐《つ》く間も無く放たれる無数の高速徹甲弾。

同時、迎賓館の屋上で光が爆《は》ぜる。

（高密度情報制御を感知）

放たれた荷電粒子の槍《やり》が降り注ぐタングステン合金の弾体をことごとく撃《う》ち落とし、空中に爆散《ばくさん》させる。闇《やみ》の空に無数の光が舞《ま》い散り、飴細工《あめざいく》のように溶け落ちた弾体が歪《いびつ》にねじくれたまま次々に地表に落下、市民の間に悲鳴が巻き起こる。

闇の向こう、屋根の上には八個の透明な正八面結晶体。

金髪をポニーテールに結わえた少女が迎賓館の最上階の窓を飛び出し、螺《ら》旋《せん》を描いて回転する結晶体の中央に音も無く降り立つ。

その後を追うように十数名の魔法士《まほうし》が窓を飛び出し、少女を守る位置に円陣を組む。魔法士の幾人かが手をかざすと、足下の屋根から数本の金属の樹木《じゅもく》が生《は》え出す。樹木は互いの枝を絡み合わせてドーム状の金属の網《あみ》を形成し、少女の姿を覆《おお》い隠す。

別な数名の魔法士が手をかざし、その外側にさらに無数の空気結晶の盾を出現させる。

二重の防御に守られて、決然とした表情を闇《やみ》の空へと向ける少女——セラ。

軍用フライヤーの一編隊《へんたい》が空中に旋回し、ノイズメイカーのアンテナを少女に向ける。

周囲の魔法士達が苦痛の呻《うめ》きを上げ、片膝《かたひざ》を突いてその場にうずくまる。が、セラは止まらない。おそらくは二重の防壁《ぼうへき》の内側、金属の網が電磁《でんじ》場《ば》に対するシールドの役目を果だしているのだろう。魔法士に対する切り札となるはずの一撃《いちげき》を受け流した少女は、間髪容《かんぱつい》れずに荷電粒子の槍《やり》を解き放つ。

少女の周囲の空間が歪《ゆが》んでねじれる様が、通常の視界にもはっきりと映る。少女の胸の前から撃《う》ち出された荷電粒子はその行く手に集結した八個のD3の生み出す重力場によって全方位に拡散。数十の細い槍となって軍用フライヤーの一団へと襲《おそ》いかかり、少女に向けられたノイズメイカーのアンテナ、そのことごとくを正確《せいかく》に撃ち抜く。

さらに幾つかの光がセラの周囲に爆《は》ぜ、闇空に幾つもの爆発《ばくはつ》が巻き起こる。ノイズメイカーだけを正確に破壊《はかい》された百近い数のフライヤーが後方へと退《しりぞ》き、隊列を埋めるように空中戦車が前進する。光使いの少女をこの状況における最優先《さいゆうせん》攻撃目標と認識《にんしき》したらしい数個大隊の空中戦車が、全《すべ》ての砲塔を迎賓館《げいひんかん》の屋上、一点に集中する。

「セラ――！」

ディーの叫び。セラは一瞬《いっしゅん》だけ不安そうな表情を眼下の少年に向け、大丈夫、とでも言うようにうなずく。唇を強く引き結んで闇空を見上げる少女の周囲に、迎賓館を飛び出した賢人会《けんじんかい》議《ぎ》の魔法士が続々と集結していく。

「み、みんな待って！　待ってってばぁ――！」

正面玄関から声。砕けた大扉の向こうからこちらも百名近い魔法士が次々に飛び出し、円形の広場に隊列を組む。当面の敵を頭上の軍と判断したのか、祐一《ゆういち》に警戒《けいかい》の視線《しせん》を向ける者はあっても攻撃を仕掛けてくる者は無い。

その後ろからは、チャイナドレスに身を包んだ少女の姿。

ファンメイは黒い翼《つばさ》の一羽ばたきでこちらの隣《となり》に降り立つと、切羽詰《せっぱつ》まった様子《ようす》で両腕を上下させ、

「ど、どどどどど、どうしよう――！」

「状況の説明を」慌てふためく少女を手で制し「なぜセラが出撃している。迎賓館の中で何があった」

「な、なんか変なデータがいきなり送られてきて！」ファンメイは背中の翼を小さな黒猫の姿

に変えて肩に乗せ「みんなで『どうしよう』って話してたら、今度は中央司令部から救援要請《ようせい》が来て！　このデータ見た軍の人達がクーデター起こして、司令部と国会議事堂《こっかいぎじどう》を包囲しちゃったって」

馬鹿《ばか》な、という言葉が頭に浮かぶ。

この迎賓館《げいひんかん》から距離《きょり》にしておよそ三キロ。シティ・シンガポール、国会議事堂。

そこには今、ルジュナと月夜《つきよ》が――

「それでそれで、賢人会議《けんじんかいぎ》の人達みんな、それこそ『戦わないで様子《ようす》を見よう』って言ってた人達までホントにみんな『戦うしか無いかな』っていう感じになっちゃって！」ファンメイはなおも必死に両手を振り「そしたら、セラちゃんが『私がなんとかします』って。出来るだけ軍の人達にケガとかさせずに、上手《うま》く司令部と議事堂までのルートを確保《かくほ》してみるって！」

「……そうか」

呟《つぶや》き、息を吐く。

砲火に鈍《にぶ》く照らされる鉛色《なまりいろ》の二十階層の空を、無言で睨《にら》む。

何かが変わった。賢人会議、自治軍、市民、政府内の同盟賛成派《さんせいは》、反対派、そして神戸《こうべ》の工作員。この状況を構成する膨大《ぼうだい》な要素のどこかで、何かが決定的に狂った。

シティ・シンガポールそれ自体を危機《きき》にさらすような選択は避けねばならず、光耀《クアンユー》の予測は尊重されねばならず、市民と魔法士《まほうし》双方の被害は最小化されなければならない――その暗黙《あんもく》のルールを、誰《だれ》かが逸脱した。

　可能性は幾つかある。同盟に反対する議員達がこの期にシンガポールを根本から変革する道を選択した可能性、自治政府の無策に業を煮やした軍がクーデターの名目として告発文をでっち上げた可能性。あるいは、こちらには想像もつかない理由で神戸の工作員が独自の行動に打って出た可能性。……が、この場でそれを考えることには意味が無い。そもそも、この告発文と添付された論文《ろんぶん》が本物であるか否かさえ、今の祐一《ゆういち》には判断する術《すべ》が無い。

　市民の多くと軍の半数以上がこの告発を信じ、既に動き始めている。

　それがこの戦場における現実であり、現実には速やかに対処しなければならない。

「ディー、お前はセラの援護《えんご》を。……リ・ファンメイ、出来れば君も協力して欲しい」

　幾つもの砲撃の音が響《ひび》き渡り、先ほどの攻撃《こうげき》に倍する数の質量弾体が迎賓館めがけて降り注ぐ。同時に解き放たれた光の槍《やり》がそのほとんどを瞬時《しゅんじ》に撃《う》ち落とすが、攻撃の密度が足りない。迎撃をかいくぐった数発が狙《ねら》い違《たが》わず最上階の壁面《へきめん》に突き刺さり、

　──耳をつんざく金属音。

　レンガ色の壁《かべ》を突き破って出現した無数の金属の螺子《ねじ》が絡まり合って格子を形成し、タングステン合金の弾体を寸前で受け止める。

　衝撃《しょうげき》を殺し切れずにちぎれ飛ぶ螺子の破片と共に、はじかれた弾体がゆっくりと落下する。

　闇《やみ》の中に放物線《ほうぶつせん》を描くその軌跡を追って、迎賓館の窓から黒い軍服姿の魔法士達が次々に飛び

出す。開け放たれた窓の奥に一人《ひとり》残るのは短い金髪の男の子。エドは無表情の中に困惑をにじませながら、間断なく降り注ぐシンガポール自治軍の砲撃《ほうげき》に対してさらに防御の態勢を取る。

「エド！　あーもう、隠れてて言ったのにぃ――！」

慌てふためくファンメイの声。

それを意識《いしき》の端に、祐一《ゆういち》は耳元の通信素子を引き寄せ、

「イル、聞こえるか」

『あ――？　は、はい！　聞こえてます！』切羽詰《せっぱつ》まった様子《ようす》で答える少年の声に幾つもの打撃音が混ざり『なんや急に軍の人らに攻撃されて、こっちは相手に手一杯で！』

「すぐにその場を離脱《りだつ》しろ」祐一は背後から飛来した数発の銃弾を振り上げた剣の切っ先で弾《はじ》き「君は今すぐ第八階層へ。市民の暴動《ぼうどう》が全《すべ》ての階層に広がっているとすれば、リチャード博士とプランナー……シスター・ケイトの方にも戦力が必要になる」

あ、という小さな呟《つぶや》きに、駆け出す足音が続く。通信素子に指を当て、回線《かいせん》をヘイズとクレアに向けた物に切り替え、

「こちらの行動方針については……説明は不要だな？」

『まーな』青年は諦《あきら》めた様子でため息を吐き、いつになく真面目《まじめ》な口調《くちょう》で『やるしかねーんだろ。取りあえず空中戦車からどうにかして……』

耳障りなノイズを残して通信が唐突に途切《とぎ》れる。おそらくはクーデター派の通信妨害。砂を

洗うような音を発するばかりの小さな素子を見つめ、祐一は息を吐いて回線を切る。

「え、な、なになに？　どーすんの――？」

話が飲み込めない様子で、ファンメイが視線を右往左往させる。隣《となり》に立つディーも、両手の騎士剣《きしけん》を下げたまま問うような視線を向ける。

祐一は紅蓮《ぐれん》と逆の手に構えた剣の鞘《さや》を腰に差し、ロングコートの裏から銃を取り出して、

「『世界再生機構《せかいさいせいきこう》』の行動方針に変更は無い。この場の戦闘《せんとう》に介入し、市民と軍、賢人会議《けんじんかいぎ》、全ての勢力の犠牲《ぎせい》を可能な限り抑える」

空になった弾倉に新たな銃弾を装塡《そうてん》し、

「それ以外の選択肢は無い。ここが崩れれば全てが破滅に向かう」

＊

闇《やみ》に閉ざされていた視界に、前触れもなく橙色《だいだいいろ》の光が差した。

沙耶《さや》を乗せたフライヤーは曲がりくねった通路を抜け、階層間バイパス道へと飛び出した。

「第七階層と第八階層のちょうど中間、本来のルートから脇《わき》に逸《そ》れた工事用の枝道です」操《そう》縦席《じゅうせき》の少尉が正面を向いたまま「このまま第八階層に向かいます。デモ隊の頭の上を突っ切りますから、何かにしっかり摑《つか》まっていてください」

うん、と曖昧《あいまい》にうなずき、後部座席からシート越しに操縦席《そうじゅうせき》を盗み見る。青ざめた顔でハンドルを握る少尉の足下、フットペダルの周囲には赤い染みが点々と散り、一部は水たまりになって車体の動きに合わせてゆっくりと糸を引いている。

休みなく動き続ける少尉の足の片方、左側には長い金属の棒が固定され、少尉はその先端でフットペダルを突くことでかろうじてフライヤーを操作している。

あの通路での爆発《ばくはつ》の際にコンクリート塊に押《お》し潰《つぶ》され、原形をとどめないほどに粉砕されてしまった左足。

鎮痛剤《ちんつうざい》のおかげで痛みは無い、と少尉は言うが、脂汗を浮かべて歯を食いしばるその表情はどう見ても尋常なものでは無い。

「お姉《ねえ》さん……やっぱりどこかで休んだ方が……」

「気遣《きづか》いは無用です」沙耶《さや》の言葉に少尉は笑《え》みらしき表情を作り「これは私の意思で、私自身のためにやっていること。あなたは自分の身の安全を確保《かくほ》することだけを考えてください」

でも、と言いかけて息を吐き、窓の外に視線《しせん》を向ける。市民のデモ隊はフライヤー三台は並んで飛べそうな広いバイパス道を見渡す限りまで埋め尽くし、ガイドランプの淡い橙色に照らされて一個の生物のように蠢《うごめ》いている。

いったいどれほどの数の人間が行進を続けているのか、沙耶には見当も付かない。

高速で飛行するフライヤーの下、人波は薄闇《うすやみ》の中を影法師《かげぼうし》となって次々に流れ去っていく。

フライヤーは螺旋状《らせんじょう》にカーブを描くバイパス道を抜け、第八階層に通じる最後の直線に差し掛かる。市民たちが頭上を振《ふ》り仰《あお》ぎ、こちらを指さしてさかんに何かを騒《さわ》ぎ立てる。そのさらに遠く、バイパス道の出口らしき場所で、隊列を成したシンガポール自治軍の兵士が一斉に銃を掲げる。

「妙ですね。いったい――」

呟《つぶや》いた少尉が息を呑《の》み、ハンドルを大きく右に回す。

正面の窓の向こうを見つめていた沙耶の視界がフライヤーの車体と共に瞬時《しゅんじ》に反転し、三半規管が悲鳴を上げる。

一瞬遅れてドアの外側から金属音が響《ひび》き、闇の中に幾つもの火花が散る。兵士達がこっちに向かって発砲し、少尉がフライヤーを操作してかろうじて直撃を避けたのだと、頭の中にわずかに残った冷静な部分が判断する。

「お姉さん！　ケガが！」

「私のことは気にしないようにと言ったはずです！」少尉は青ざめた顔でハンドルを切って車体を水平に立て直し、独《ひと》り言《ごと》のような小さな声で「……この機体《きたい》は自治軍の正式な登録《とうろく》機体として偽装されているのですけどね。天樹真昼《あまぎまひる》の予想通りですか」

え？　と問い返す間も無く視界が開け、直径二十キロの広大な市街地が窓の向こうに唐突に出現する。本来なら夜間照明の闇の中で眠っているはずの町は通りを埋め尽くす市民一人一人《ひとりひとり》が手にした立体映像のプラカードに照らされてそこかしこで光を放ち、中央を十字に横切る大通りは昼間さながらのまばゆい光で視界の端まで一直線《いっちょくせん》に描き出されている。

「マズいですね……」呆然《ぼうぜん》と見つめる沙耶《さや》の前席で少尉が小さく舌打ちし「市民全《すべ》てを巻き込む規模にまでデモが拡大している。これでは軍といえども収拾の付けようがありません」

「そう……なの？」

少尉の言葉に驚《おどろ》き、闇の中に目を凝《こ》らす。言われてみれば確《たし》かに、市民の動きに比べて兵士達の動きは鈍《にぶ》い。街の上空には無数の軍用フライヤーと空中戦車が浮かび、通りにはそれこそ数え切れないほどの完全武装の兵士が配備されているというのに、彼らは手にした銃を構える素振りすら見せず、まるで、最初からデモを制止する気など無いかのように——

……あれ……？

何かがおかしいことに、唐突に沙耶は気づく。よくよく注意して見れば、そうして市民を放置する兵士達の間に別な種類の兵士の集団が点在しているのが分かる。

いずれも公園や広場などの開けた場所に集められ、両手を頭上に掲げ、あるいは手錠《てじょう》をはめられた兵士達。

同じシンガポール自治軍の兵士であるはずなのに仲間の兵士に取り囲まれ、銃を突きつけられたまま地面に跪《ひざまず》いている。

「お姉《ねえ》さん、あれ……」

「分かっています。どうやら事態は相当に悪化しているようですね」少尉は荒い息を吐き「しっかり摑《つか》まってください。検問を突っ切ります」

止める間も無く体に加速感があって、第八階層の外周にそびえ立つ巨大な壁《かべ》が近づいて来る。フライヤーの向かう先には上の階層に向かうためのバイパス道と、その入り口に設けられた検問。隊列を組む完全武装の兵士達の周囲で、等間隔に設置されたサーチライトの光が一斉にこっちを捉《とら》える。

「こちら陸軍第七師団歩兵第十三中隊所属、マイア・リー少尉です。通行の許可を願《ねが》います」

少尉がハンドル脇《わき》の通信スイッチに手を伸ばし、偽名らしき名前を淀《よど》み無く口にする。その間にもアクセルは緩《ゆる》めない。制止されたとしても止まる気など無いのだろう。

果たして、通信装置に返答は無い。

シンガポール自治軍の兵士達は頭上に迫るフライヤーを無言で見上げ、

「あ——」

薄闇《うすやみ》の中に跳ね上がる無数の銃口。同時に機体《きたい》が大きく右に傾いて急旋回する。

ぐるりと回転する窓外の闇の先で、兵士達が手にした機関銃を頭上に向けて引き金を引く。

鳴《な》り響《ひび》く無数の金属音。

銃弾が幾つもドアをかすめ、闇の中に火花が散る。

「お、おねえさん！」

「口を閉じて！　舌を嚙《か》みます！」

叫んだ少尉がハンドルを勢いよく回転させ、機体《きたい》が直前までとは逆方向に旋回する。同時に機内に警告音《けいこくおん》が鳴《な》り響《ひび》き、立体映像ディスプレイに近くの高層建築が大写しになる。

巨大な建築物の陰から砲身を突き出す、黒塗りの空中戦車。

声を上げる間もなく、その先端がこっちを照準する。

少尉が顔色を変えて左足を踏み込み、その体が唐突に沙耶《さや》の目の前から消える。砕けた足の代わりに機体を操っていた金属棒の先端がフットペダルを踏み外し、バランスを失った少尉の体が操縦席《そうじゆうせき》を滑り落ちる。

爆発音《ばくはつおん》と共に衝撃《しようげき》が沙耶の体を襲《おそ》い、窓外の街が激《はげ》しく回転する。

時間にしてわずか数秒。嘔吐《おうと》感《かん》を感じる間もなく再度の衝撃。

反応した後部座席のシートが衝撃吸収材を展開、沙耶の体を四方から押し包む。

フライヤーは先端から地面に叩《たた》き付けられ、二回跳ねて止まる。衝撃吸収材がシートに吸い込まれ、後部座席のドアが軋《きし》んだ音を立てて開く。ふらつく足を引きずるようにしてフライヤーの外に転がり出し、機体に手をついて立ち上がる。

無数の銃痕《じゆうこん》が穿《うが》たれた操縦席のドアが開き、軍服姿の人影《ひとかげ》が転げ落ちる。

少尉は地面に叩き付けられる寸前で手をついてかろうじて自分の体を支え、そのまま力尽きたように倒れ伏す。

駆け寄ろうとしたその目の前を、黒光りする銃口が遮《さえぎ》る。シンガポール自治軍の兵士は機関銃を両手で構えたまま驚《おどろ》いたように沙耶を見下ろし、

「子供……？」

「すぐにそこを離《はな》れろ！」とたんに、別な兵士が血相を変えて叫び「おい油断するな！　魔法《まほう》士《し》の可能性を考えろ！」

兵士が目を見開き、慌てた様子《ようす》で銃口を沙耶に向ける。

両手を挙げて降参を示すが、兵士は強張《こわば》った顔のままじりじりと後退し、

「そっちのもう一人《ひとり》は！」

「ダメだな。死んじゃいないが出血がひどい」少尉の様子を見ていた別な兵士が応じ「墜落《ついらく》の衝撃じゃ無い。最初からかなりの重傷を負ってたみたいだ」

「政府側の罠《わな》じゃない、ってことか？」銃を向けたままの兵士が困惑した様子で「クソッ、どうなってる！　ならどうしてこの状況で自治軍公式の識別《しきべつ》信号を出しながら突っ込んでくる！」

「落ち着け！」少尉の傍《そば》の兵士が立ち上がり「どこか、情報の入手が困難《こんなん》な場所で任務についていた情報部辺りの特殊部隊かもしれん。この混乱した状況では、あり得ることだ」

周囲の兵士達に救《きゅう》護《ご》班《はん》を手配するよう指示する兵士。

銃を構えたままこっちに歩み寄り、

「お嬢《じょう》さん、魔法士《まほうし》か？」

「ち、違います！」首を全力で横に振り、自分の市民証を取り出して「沙耶《さや》……沙耶っていいます！　結城《ゆうき》沙耶。第八階層の孤児院で暮らしてて……」

「民間人か？」兵士は立体映像の市民証を見下ろして眉《まゆ》をひそめ「何があったのか説明して欲しい。場合によっては協力できるかもしれん」

「え？　け、けど……」

半ば残骸《ざんがい》と化したフライヤーに横目を向け、口ごもる。

兵士は、参ったな、と息を吐き、

「攻撃《こうげき》を加えたことについては謝罪《しゃざい》する。だが、今は緊急《きんきゅう》の状況だ。勝手な言いぐさだが、こちらにも事情があることを理解して欲しい」銃口を逸《そ》らして頭を下げ「とにかく話してくれ。悪いようにはしない」

「え……」兵士の勢いに押されて思わず後退《あとずさ》り「わ、私は……」

視線《しせん》をおそるおそる動かし、少尉の様子《ようす》を確認《かくにん》する。

地面に倒れ伏すその姿が、ほんの数分前に見た光景と重なる。そこかしこの公園や広場に集められた自治軍の兵士と、その人達に銃を突きつける同じ自治軍の兵士を思い出す。

そもそも、この人達はどうしていきなり自分達を撃《う》ったのか。

フライヤーは自治軍正規の物に偽装されていたはずなのに。

……ダメ……

何かが起こったのだ。

何かが起こったのかは分からないけれど、間違いなく何かが起こったのだ。

末端の兵士の動きには気をつけろ、とお兄《にい》さんは言っていた。たぶん、これが「それ」なのだ。軍の指揮系統とか規則とかがどういう物か沙耶はよく知らないけれど、この人達は今、そういう本来のルールを外れた行動を取っているのだ。

スカートのポケットに隠した小さなカードが急に重みを増した気がする。

真昼《まひる》から預かった血まみれの認識票《にんしきひょう》。

これを渡してはいけない――そう沙耶は確信し、

「ん？」兵士は不審《ふしん》そうにスカートのポケットに視線を向け「そこに、何か持っているのか？」

気づかれた。

逃げる間もなく肩を押さえつけられ、認識票を取り上げられてしまう。

「これは……血か……？」呟《つぶや》いた兵士の顔色がすぐさま変わり「お、おい見ろ！　この認識票は……」

駆け寄った他《ほか》の兵士達がそれぞれに呻《うめ》く。

その場の全員の視線が沙耶に集中する。

喉《のど》の奥から悲鳴が飛び出しそうになり、とっさに両手で口を塞《ふさ》ぐ。肩を押さえる兵士が手に

いっそう力を込め、強張《こわば》った顔を鼻先まで近づけて、

「これをどこで手に入れた？　今までどこで何をしていた！」

「あ、あの……えっと……」

「この認識票《にんしきひょう》の持ち主はどこにいるかと訊《き》いてるんだ！」兵士は掴《つか》んだ肩を激《はげ》しく揺さぶり

「早く答えてくれ！　これはシティ・シンガポールの、いや、人類の存亡に関《かか》わる問題なんだ！」

「待て。……そもそも、そいつは本当に民間人か？　さっきの市民証は本物か？」

「もう一度よく調《しら》べろ！　やはり賢人会議《けんじんかいぎ》の魔法士《まほうし》かもしれん！」

兵士達が口々に叫ぶ。十を超える機関銃《きかんじゅう》の銃口が、一斉に沙耶《さや》に向けられる。

心臓《しんぞう》が止まりそうになる。

沙耶は両手で頭を抱え、今度こそあらん限りの声で悲鳴を上げ——

白い影《かげ》が翻《ひるがえ》った。

地響《じひび》きのような足音が、兵士達の怒声を弾《はじ》き飛ばした。

高い音が立て続けに三度響き、人が倒れる重い音がその後に続く。沙耶は慌てて顔を上げ、

周囲に倒れ伏す兵士達の姿を発見して息を呑《の》む。

気絶しているらしい兵士達の中央には、黒いシャツの上に白いジャケットを羽織《はお》り、小さな

丸レンズのサングラスで両目を隠した白髪の少年。

思いがけなく優《やさ》しい眼差《まなざ》しが一瞬《いっしゅん》だけ沙耶を振り返り、すぐに周囲の兵士へと向き直る。

「な――」

なんだ、という形に口を開きかけた兵士が動きを止める。

その腹部にめり込むように突き出された少年の腕。

兵士から三メートルは手前にいたはずの少年の姿は沙耶が瞬《まばた》きしたほんの一瞬の間に既に兵士の目の前にあり、小指と薬指だけを握り込んだ奇妙な形の手のひらを兵士の体に叩《たた》き込んでいる。

呻き声すら上げずに倒れ伏す兵士の周囲で、他の兵士達が我に返った様子《ようす》で叫び声を上げる。兵士はその半数が手にした機関銃を少年に向け、残りの半数はその銃の先に立つことを避けるように回り込みながら機関銃を放り捨てて片手ほどの大きさの小さな銃を取り出す。

一斉に引かれる引き金と、鳴り響く銃撃《じゅうげき》の音。

危ない、と叫びかけた沙耶は、今度こそ目を見開く。

白いジャケットが風に揺らめいたかと見えた次の瞬間、少年の姿がかき消える。今度は瞬きすらしていない。沙耶と自治軍の兵士達、全員が見守る前で消失した少年の体は何故《なぜ》か既に兵士の一人目《ひとりめ》の前にあり、次の動きを繰《く》り出そうとしている。

右足を踏み込む――ただそれだけの動きで体の芯《しん》まで通るような重い音が響き渡り、強化コンクリートの地面が震《ふる》える。

沙耶《さや》の目には何が起こっているのか分からない。水面を力一杯叩《たた》いた時に似た高い音と共に兵士の体が数メートル後方に吹き飛んで動かなくなり、後には先ほどと同じように奇妙な形の手のひらを突き出した少年が残される。

指の関節を鳴らす小さな音。少年は流れるように身を翻《ひるがえ》し、背後の別な兵士へと襲《おそ》いかかる。

前に見た昔の映画のアクションシーンを何倍にも早回しにしたような、何かの冗談《じょうだん》のような動き。拳の一撃《いちげき》が、蹴《け》りの一刺しが、兵士達の手から機関銃《きかんじゅう》を弾《はじ》き飛ばし、その体を地面に叩き伏せていく。

最後の一人《ひとり》が銃を落として動かなくなるまで、ほんの十秒足らず。

少年は「ほいおしまい」と呟《つぶや》き、こっちに近寄って目の前にしゃがみ込み、

「よし、ケガないかちびっ子」

「は、はい！」奇妙な訛《なま》りの英語《えいご》で話す少年に沙耶はともかくうなずき「えっと……みんな殺しちゃったの？」

「あーちゃうちゃう、気絶させただけや」少年はひらひらと手を振り「まー、結構本気で殴ったけどな。あの人ら軍服の下に対爆《たいばく》仕様の防弾ベスト着てるから」

そんな物を素手で叩いて大丈夫なのだろうか、とふと疑問を覚える沙耶。

その目の前で少年は背後を振り返り、倒れ伏したまま動かない少尉に駆け寄って、

「こらひどいな。とりあえず応急手当はしてあるみたいやけど」

少尉の体を軽々と抱き上げ、肩に担いで立ち上がる。

そこで、む、と眉間《みけん》にしわを寄せ、襟元《えりもと》の通信素子を引き寄せて、

「あー、はい。こっちはそろそろ戻り……」相手に言葉を遮《さえぎ》られた様子《ようす》で困った顔をし「何してるて、クーデター派に襲《おそ》われてる人見つけたからちょい助けて……は？　いや、そんなん言われても」

少年は指先で頬《ほお》をかき、通信素子の向こうの誰《だれ》かに向かって首を振り、

「あ？　あー、あかんわ。どこもかしこも完全にクーデター派に押さえられてる。とりあえず民間人をどうこういう感じやあらへんから、『同盟反対！』って感じでやってれば大丈夫やとは思うけど」

さらに幾つか言葉を交わし、少年が「ほな後で」と通信を切る。

サングラス越しの視線《しせん》がこっちを見下ろす。

慌てて立ち上がる沙耶の前、少年は何やら難《むずか》しい顔で何度も首を傾《かし》げる。

「え！　な、なに？」

「いや、お前の顔どっかで見たことがあるような気がしてな」

そのまま数秒。

少年は、まあええわ、とうなずき、

「とりあえず逃げるで。すぐに他《ほか》の兵士の人らが来る。見つかったら今度こそ大騒《おおさわ》ぎや」

「あ……」

そっか、とうなずき、周囲を見回す。動かない兵士の一人《ひとり》に駆け寄り、その手から真昼《まひる》の認《にん》識票《しきひょう》をもぎ取る。

「あ？　なんやそれ」

「大事な物」答えてから少し迷い「これを軍か政府の偉い人に渡さないといけないの。お兄《にい》さん、心当たりとか無い？　誰《だれ》か政府でお仕事してる友達とか」

「は？」少年は顔をしかめ「いや、そんな言われても、俺《おれ》かてここのシティに住んでるわけちゃうし……」

そう言いながら沙耶の手元をのぞき込み、血まみれの認識票を見下ろして、

「お前、それ……」

少年の顔色が、瞬時《しゅんじ》に変わった。

＊

途中の部屋《へや》で誰かの忘れ物らしい靴が手に入ったのは、幸運だった。

真昼はそこかしこに積《つ》み上がった瓦礫《がれき》の山を踏み越え、発光素子のわずかな明かりを頼りに

暗闇《くらやみ》の通路を進んだ。

百年前のシティ建設の際に作られた工事用の通路は随所で不規則に曲がりくねり、方向感覚を狂わせる。鎮痛剤《ちんつうざい》の副作用と失血で上手《うま》く働かない頭では、既に最初の部屋からどの方向にどれだけの距離《きょり》を進んだのか見当もつかない。

が、そんなことは大した問題では無いのかもしれない。

そもそも、捕えられて最初に目を覚ましたあの部屋が第七階層と第八階層の間のどこに位置しているかが分からないのだから、そこからの相対位置を知ったところで意味が無い。

……あの二人《ふたり》は、上手く助けを呼んでくれたかな……

自分が行方不明《ゆくえふめい》となったことで状況がどう動いているかは残念ながら想像するしか無い。『雲の除去手段』に関する情報が既にばらまかれたとすれば、市民と軍の混乱は想像を絶する物があるだろう。

おそらく、最終的に待ち受けている展開は、軍内部の同盟反対派によるクーデター。

が、その展開に至るにはもう少し時間が必要なはずだ。

自分が得た情報を総合する限り、同盟反対派のトップ、リン・リーという議員《ぎいん》はまともに物が考えられる人物だ。彼が健在であれば、シティの政治体制その物を崩壊《ほうかい》に導《みちび》くような選択には一定の歯止めがかかる。仮に一部の者が暴発《ぼうはつ》したとしても、その動きが同盟に反対する勢力の全《すべ》てに波及するまでには幾らかの猶予《ゆうよ》がある。

少なくとも、沙耶《さや》と少尉が適当な兵士に自分の状況を知らせ、その情報がフェイの耳に届く程度の時間は、

……やめよう……。

全《すべ》てが希望的観測《かんそく》に過ぎないことを自覚し、ため息を吐《つ》く。本当を言えば、沙耶に自分の認《にん》識票《しきひょう》を託すことも避けたかった。魔法士《まほうし》でもないただの少女を危険に晒《さら》すのは本意では無かった。だが、選択肢が無かった。本当に、それ以外に打てる手がどこにも一つも無かった。

……少尉さんが上手《うま》くやってくれると良いんだけど……

そういえば名前を聞いておけば良かったな、とふと考える。互いの立場を考えれば、この場を切り抜けたとしてももう一度会える可能性は相当に低い。

失敗の多い日だな、とため息。

崩れたコンクリートの壁《かべ》を乗り越え、通路を左に曲がり、

「着いた、かな」

闇《やみ》の向こうにかすかな光を発見し、足を止める。通路を少し進んだ先、左手の扉。発光素子のスイッチを切る。足音を立てないように慎重に歩を進め、扉のすぐ傍《そば》にたどり着く。

半分割れた窓から、中の様子《ようす》をうかがう。

旧式の端末が幾つか並ぶ、狭い部屋《へや》。

神戸《こうべ》自治軍の軍服を着込んだ人影《ひとかげ》が二つ、床に倒れているのが見える。

……これは……

少尉から預かった銃を取り出し、安全装置を外す。慎重に扉を引き開け、床を這《は》うようにして室内に入る。油断無く銃を構えたまま、手近な方の人影に近寄る。自分から携帯端末を奪い去った二人《ふたり》の片方、あの年若い上等兵。

土気色《つちけいろ》になった顔に、生気はすでに無い。

軍服の胸元が、あふれ出た血で真《ま》っ赤《か》に染まっている。

「そっか……あの時、僕が撃《う》った弾で……」

自分が殺したのだ、という確信《かくしん》。目を伏せて息を吐き、背後を振り返る。

もう一方の人影は部屋の反対側。おそらくは、准尉《じゅんい》と呼ばれていたもう一人《ひとり》の男。倒れ伏したまま微動だにしないその体の周囲には、赤黒い血だまりが広がっている。

……この人も、確《たし》か、お腹《なか》に弾を……

試しに銃を向けてみるが、男は何の反応も示さない。

気を失っているのか、あるいは既に事切れているのか。

確かめなければと思い、這い寄ろうとしたところで、部屋の中央、端末が並ぶ机の上に目がとまる。

……あった……

無造作に置かれた自分の携帯端末を発見し、近寄って手を伸ばす。指先になじんだ感触に一つうなずき、携帯端末を引き寄せる。

が、携帯端末は何かに引っかかったように途中で動きを止める。

コネクタに差し込まれたケーブルの先には、机に設置された旧式の端末。

息を殺して立ち上がり、画面を覗《のぞ》き込み、

「……賭《か》けは負け、か」

『雲の除去手段』がばらまかれたことを示す通信結果の表示に、思わず呟《つぶや》く。データには問題の論文《ろんぶん》の他《ほか》に、准尉《じゅんい》がこの部屋《へや》で作成したらしい告発のメッセージが添えられている。送信先は世界のほぼ全《すべ》ての地域に無差別。今頃《いまごろ》は、世界のほとんど全ての人間がこのデータの存在を知るところとなっているだろう。

……沙耶《さや》ちゃん、ごめんね……

携帯端末を開き、内部データの一覧《いちらん》を表示する。最も重要なファイルが無事なまま残されていることを確認《かくにん》し、ともかく安堵《あんど》の息を吐く。

北極衛星《ほっきょくえいせい》で発見されたウィッテンの遺書《いしょ》と、その解読データ。

これさえあれば、まだ手は残っている。

准尉がやったのと同じように、データを世界中にばらまく。流すのはウィッテンの遺書の解読に必要な道具一式。それによって『雲の除去』に関する全ての研究が彼の天才によって成《な》された物であり、賢人会議《けんじんかいぎ》の意図とは無関係であることを証明する。

もちろん、それだけで全ての誤解と混乱が払われるとは考えていない。

だが、今このシンガポールには世界の破滅を望まない人達がいる。フェイはもちろん、ニューデリーのルジュナ執政官も、ロンドンのリチャード博士も、モスクワのプランナーも、それに祐一《ゆういち》もこの場所に集《つど》っている。サクラもきっと分かってくれる。錬《れん》も月夜《つきよ》もきっと手を貸してくれる。

彼らにこの道具を届けることさえ出来れば、状況は変わる。

……まだまだ、ここからだよ……

息を吐き、自分の携帯端末を操作《そうさ》して必要なデータを旧式の端末に送り込む。古めかしい機《き》械型《かいがた》のキーボードを叩《たた》き、通信の準備を整《ととの》える。

埃まみれのディスプレイに表示される『送信可能』の文字。

真昼《まひる》はうなずき、キーボードに最後の命令を打ち込み、

──その動きを遮《さえぎ》るように、銃声が鳴《な》り響《ひび》いた。

膨大《ぼうだい》なエラーが旧式のディスプレイを埋め尽くし、あらゆる表示が瞬時《しゅんじ》に消滅した。

振り返りざま銃を構えた真昼の視界の先で、端末のほのかな明かりに照らされた銃口が鈍《にぶ》い光を放った。

部屋の隅の暗がりで、准尉がうつ伏せのまま顔を上げる。手にした銃が何度か左右に揺れ動

き、ゆらりとこっちを照準する。

我を忘れて飛びかかり、男の額《ひたい》に銃を突きつける。

反応は無い。

おそらくは生死の境、今の今まで本当に意識《いしき》を失っていたのだろう。男は朦朧《もうろう》とした様子《ようす》で頭を左右に揺らし、その度《たび》に銃口も右に左に頼りなく揺れ――

その動きが、ふいに止まる。

最後の力を失った男の手から、銃が滑り落ちる。

……そんな……

強く目を閉じて歯を食いしばり、喉元《のどもと》まで出かかった叫び声を噛《か》み殺す。男の体から手を放して立ち上がり、部屋《へや》の奥へと歩を進める。

壁際《かべぎわ》に並べられた小さな機械《きかい》。おそらくはシステムの中枢《ちゅうすう》なのであろう、旧式の演算装置。その中央に穿《うが》たれた銃痕《じゅうこん》の周囲に火花が散り、煙が噴《ふ》き上がる。

無駄《むだ》を承知で通信ケーブルを引き抜き、携帯端末に直接接続する。警告音《けいこくおん》と共に画面に表示されるおびただしい数のエラーを、為《な》す術《すべ》も無く見つめる。

全身の力が抜け落ちる。

足に穿たれた銃弾の傷、そこから流れ出てしまった多量の血液、未《いま》だに治り切っていない胸の傷、それらを薬で誤魔化《ごまか》しながらここまで移動してきたことによる全身の疲労――あらゆる要素が体の奥から泥のように噴き出し、鉛の鎖《くさり》となって四肢に絡みつく。

自分で自分の体が支えられなくなる。

真昼《まひる》は背後の壁に倒れ込み、そのまま崩れるように膝《ひざ》を突き、

……貴方《あなた》を信じる。他《ほか》ならぬ、私と貴方の仲だからな……！


跳ね上がった腕が傍《かたわ》らの机を摑《つか》み、強引に動きを押しとどめる。

手のひらにありったけの力を込めて体を支え、痙攣《けいれん》する足を無理やり立ち上がらせる。

「信頼には……応《こた》えないとね……」

声に出して呟《つぶや》き、気力を奮い立たせる。携帯端末を病人着の裏に押し込み、足を引きずるようにして歩き出す。

通信室の扉から通路に進み出て、闇《やみ》の向こうに目を凝《こ》らす。

目指すはこの通路のさらに奥、神戸《こうべ》の工作員達も踏み込むことの無かった未知の区画。

少尉の話によれば、そこには機械専用の資材搬入ルートがあり、そこから第八階層に通じているのだという。

この場に留《とど》まって救助を待つという選択肢は存在しない。たとえ沙耶《さや》が全《すべ》てを上手《うま》くやり遂げ、フェイの元に情報が届いたとしたしても、その時にシンガポール自治政府がまだ軍の指揮

権を維持出来ている保証は無い。

　動かなければならない。

　この携帯端末の中に納められたデータを、何としても届けねばならない。

「自分の撒《ま》いた種だからね」

　望みはまだある。この先に通じているのが機械《きかい》専用のルートだというのなら、そこにはシティ建設当時の作業機械やロボットが残されているはず。それらをハッキングして利用出来れば道は開ける。

　確証《かくしょう》は無い。

　が、ここで何もせずに座り込んで全《すべ》てが上手《うま》く行くようただ祈るなどという選択は、自分には許されない。

　……サクラ、みんな、待ってて……

　発光素子の明かりが、闇を照らす。

　真昼《まひる》は息を吐き、一歩目を踏み出した。

＊

(呼《Call》：制御系・連弾・『分子運動制御・鎖《くさり》』『仮想精神体制御・生物化』)

空気分子の運動を制御して氷の鎖に変え、飛来する無数の弾丸のことごとくを絡め取る。衝撃《しょうげき》に砕けた鎖がサーチライトに照らされて光の粉を撒き散らし、闇に溶け落ちて消える。その光景を仮想視界に捉《とら》えたままフライヤーの後部座席で目を閉じて情報制御演算に意識《いしき》を集中する。続けざまに飛来する荷電粒子の槍《やり》を機体表面から生み出した金属の腕で打ち払う。

第二十階層の空を覆《おお》うのは、数百を超える空中戦車とそれに数倍する規模の軍用フライヤーの戦列。

その全てが上下と四方のあらゆる位置からサクラが乗るこのフライヤーを包囲し、持てる兵装の全てを寸分の狂い無く照準している。

「ああもう！　なんでこんな……！」

窓の外を飛ぶ黒髪の少年が、叫びと共に数百の空気結晶の盾を生み出し、降り注ぐ銃弾の雨を防ぎ止める。天樹《あまぎ》錬《れん》は宙に身を翻《ひるがえ》してサクラの頭上、フライヤーの上に着地し、そのまま前列の操縦席《そうじゅうせき》の窓に取りついて逆さまに中をのぞき込み、

「ねえ！　状況はどうなってるの！」ハンドルを握るスーツ姿の男に向かって窓を叩《たた》き「自治軍が敵に回ったたって言っても全部ってわけじゃないんでしょ？　こっちにはどのくらい戦力が残ってるの？　この二十階層には？　どこかの部隊に応援を頼むとか出来ないの――？」

「自治軍全戦力のおよそ半数がクーデターに与《くみ》した、というところまでは報告を受けている。敵側の通信妨害によって自治軍の正規の回線《かいせん》が途絶する直前の、最後の連絡だ」

操縦席《そうじゅうせき》の男——フェイがわずかに早口に答える。

ハンドルを素早《すばや》く左右に回転させてフライヤーを急旋回させ、

「その後の状況は不明だが、中央司令部と国会議事堂《こっかいぎじどう》が包囲された現状では本来の指揮系統が生きていると考えるのは難《むずか》しい。各階層の部隊がそれぞれ独自に組織《そしき》を再編《さいへん》し、各個に抗戦していることを期待するしかない」

「あてに出来ない、ってことだね」錬《れん》は窓の向こうで唇を噛《か》み、周囲に敷《し》かれた包囲網《ほういもう》をぐりと見回して「司令部と国会はともかく、こっちにこれだけの戦力を投入してきたってことは、目的はやっぱり……」

そう言って、サクラが座る後部座席のさらに後方に視線《しせん》を向ける少年。

フライヤーの後部に設けられた、簡易式《かんいしき》の輸送用《ゆそうよう》スペース。

そこには今、一人《ひとり》の男が意識《いしき》を失ったまま転がされている。

「間違い無い」操縦席のフェイがうなずき「古来より、クーデターには定跡という物がある。国に元から存在している政治構造を破壊《はかい》して一から作り直すのは難しいが、支配体制はそのままに国家元首を自分達にとって望ましい人物にすげ替えればその後の処理は容易《たやす》い物となる」

言葉を切り、錬が見つめるのと同じ輸送スペースにミラー越しの視線を向け、

「敵の目的はリン・リー議員の奪還《だっかん》。カリム首相を実力を持って廃し、リー議員をトップに据えた新しいシンガポール自治政府を樹立《じゅりつ》するつもりだ」

頭上の空から新たな炸裂音《さくれつおん》。錬が叫びと共に数十の空気結晶の槍《やり》を生み出し、飛来するミサイルの雨を一つ残さず空中に縫《ぬ》い止める。

返す刀で右手を払い、生み出した数百の空気結晶の弾丸を包囲網の一画、直下を飛ぶ敵の空中戦車めがけて解き放つ少年。秒速二千メートルの初速度で放たれた弾丸は狙《ねら》い違《たが》わず空中戦車の装甲に突き立ち、甲高《かんだか》い金属音を撒《ま》き散らす。

が、情報の側からの強化が施された戦車の装甲を貫くには到底足りない。

何事も無かったように副武装の機《き》関砲《かんほう》を向ける空中戦車の周囲に、数機の軍用フライヤーが素早く隊列を組む。

「あの装甲には我がシティの最新技術が用いられている」かすかに強張《こわば》った声で答えるフェイ。「賢人会議《けんじんかいぎ》との同盟によってもたらされたモスクワとベルリンの研究成果を組み合わせて生み出された物だ。その程度の攻撃《こうげき》ではかすり傷もつかん」

「先に言ってよそういうの！」

言葉と共に助手席のドアを引き開ける錬。

わずかな隙間《すきま》から機内に身を滑り込ませ、後ろ手にドアを閉めつつフェイを睨《にら》み「けどどうするの！　あいつら全部の機体にノイズメイカー積《つ》んでるんだよ？　このままじゃ近づけないし、まともな攻撃も仕掛けられない。じり貧だよ！」

叫ぶ錬の表情にも、「分かっている」と答えるフェイの表情にも焦りが浮かぶ。それを仮想視界に見つめ、サクラは握りしめた両手を震《ふる》わせる。

何が起こったのか分からない。

リン・リー議員《ぎいん》の邸宅で同盟反対派のトップである男を捕えてからわずか数十分——それだけの間に、事態は予想だにしない方向へと転がり始めていた。

フェイの能力によってリン・リーの脳内から神戸《こうべ》の工作員との通信手段を読み取り、専用の通信機《つうしんき》を発見した。当初は工作員達と口頭で直接交渉を行う計画だったが、こちらからの呼び出しに応答が無い。

すぐに方針を切り替え、通信回線《かいせん》をハッキングして潜伏先《せんぷくさき》の特定を試みたが、その作業中に何故《なぜ》か回線の反応が消失。

やむを得ず、気絶したままのリン・リー議員を抱えてフライヤーに乗り込み、情報部に向かおうとしたところでそのデータが飛び込んできた。

『雲の除去手段に関する研究』——アルフレッド・ウィッテンの遺書《いしょ》に暗号として隠されていたはずのその論文《ろんぶん》には告発文と称する映像記録《きろく》が添えられ、人類の殲滅《せんめつ》こそが賢人会議《けんじんかいぎ》の真の目的であり同盟はそのための隠《かく》れ蓑《みの》に過ぎないと訴えていた。

世界中にばらまかれてしまった、秘密。

同盟反対派の動きを警戒《けいかい》したフェイが中央司令部に通信を取ろうとした時には既に遅く、司令部はクーデターを起こした軍内部の反対派によって完全に包囲され、二十階層に展開された自治軍の部隊もその大半が敵側に与《くみ》する状況となっていた。

……いったい、何が……

情報制御をI―ブレインに押しつけたまま、後部座席でうつむく。歯を食いしばっていないと叫び出してしまいそうで、息をすることすらままならない。

頭を支配するのは、真昼《まひる》の行方《ゆくえ》をたどる術《すべ》を失ってしまったという現実。

昨夜、病室で最後に見た青年の笑顔《えがお》――それを思い出すだけで、全身が震えてどうやっても止められなくなる。

……私は……

真昼が軍病院から誘拐《ゆうかい》されたという報告を受けた時も、心の中にはまだ余裕があった。もちろん心配ではあったし、不安もあったが、それでも最後の一線は残されていた。敵が自治政府内の同盟反対派である以上、シティの存亡に関《かか》わるような破局は避けなければならないはず。故に、彼らが真昼の命を奪うことだけは有り得ない。この事態を収拾するための最後の安全装置として、彼《か》の青年の身柄は丁重《ていちょう》に扱われるはずだと――

その暗黙《あんもく》の前提が崩れた。

もはや真昼の無事を、生命を保証してくれる物は、この状況に何一つ存在しない。

……どうすれば、いい……

視界が歪《ゆが》む。刺すような痛みが心臓《しんぞう》を貫き、吐き気がこみ上げる。自分がどうなってしまったのか分からない。こんなことは今までに無かった。賢人会議《けんじんかいぎ》のリーダーとして仲間の魔法士《まほうし》を危険な任務に就《つ》かせた時も、自分自身が死地に飛び込んだときですらも、こんな苦しみを覚えることは無かった。

……真昼《まひる》……私は……

「あー、もう！」たまりかねた様子《ようす》で錬《れん》が叫び「だいたい、何なのそれ！『雲の除去手段』って、そんなもの、いきなりどこから出てきたの！」

それは、とサクラはわずかに顔を上げる。

が、意を決して口を開こうとするよりも早く、フェイが錬に視線《しせん》を向け、

「参謀《さんぼう》殿が北極衛星《ほっきょくえいせい》で発見した物と聞いている」素早《すばや》く答えて正面に視線を戻し「衛星内で発見されたアルフレッド・ウィッテン博士の遺書《いしょ》に暗号として隠されていた物と。参謀殿は私にその事実を伝えるために、自分の携帯端末にデータを保存してこのシンガポールに持ち込んだ。それが敵の手に渡ったのだろう」

思考が止まる。

サクラは今度こそ顔を上げ、ミラー越しにフェイの顔を凝視《ぎょうし》し、

「知っていたのか……？　フェイ大使」

「ということは、代表殿も、か」操縦席《そうじゅうせき》の男はうなずき「私が教えられたのは今回の調印式《ちょういんしき》の直前、そちらの本拠地からこのシンガポールに向かう輸送艦《ゆそうかん》の艦内でのことだ。途方も無い

話だからな。参謀殿も悩んだ末のことだろう」

そちらは、とミラー越しにフェイの視線が問う。

「私は……昨日《きのう》の夜だ」目の前の男が自分より先に秘密を打ち明けられていたという事実にショックを覚えるが、すぐに頭を振ってその考えを追い出し「それで、真昼は何と」

「参謀殿には、この研究の存在を世界に秘匿《ひとく》しつつ、それと分からぬ形で理論《りろん》の一部をシティで研究するよう要請《ようせい》を受けた」

フェイはハンドルを操《あやつ》って機体《きたい》を急旋回させつつ、真昼がこの研究を元に世界に受け入れられるような応用を生み出そうとしていたこと、そのための基礎《きそ》研究をシティで行うよう頼まれたことを説明する。

「やっぱり、真昼兄《にい》はこんな方法、使うつもり無かったんだね」錬は息を吐き、すぐに手を叩《たた》いて「って……待って！　じゃあ、その事を公表して全部誤解なんだって説明すれば！」

「それを誰《だれ》が信じる」フェイはわずかに表情を歪《ゆが》め「市民の目の前にあるのは、この論文を公表した告発者が参謀殿の携帯端末を所持しているという事実だけ。それを覆《くつがえ》す材料はこちらには無い。政府の隠蔽《いんぺい》工作と理解されるだけのことだ」

そんなやりとりの間にも、敵の攻撃《こうげき》は間断無く続く。I—ブレインの仮想視界を無数の弾丸が駆け巡り、空気結晶の鎖《くさり》と盾が乱舞《らんぶ》する。数百の敵機が放つサーチライトの光が闇《やみ》の中に交差する。第二十階層の鉛色《なまりいろ》の天蓋《てんがい》の下、包囲網《ほういもう》が少しずつ狭《せば》まっていく。

「迎賓館《げいひんかん》の動きは！」とっさにサクラは叫び「私の仲間には状況が伝わっているのだろう？　この状況なら自治政府から正式な応援要請《ようせい》が出ているはず。彼らの動きは！」

「賢人会議《けんじんかいぎ》の魔法士《まほうし》達なら、既に市街地で交戦中だ」フェイは迎賓館《げいひんかん》のある方角に顔を向けて両目を不自然に何度か瞬《まばた》きさせ「おそらく国会議事堂《こっかいぎじどう》を目指しているのだろうが、戦線《せんせん》は膠《こう》着《ちゃく》している。賢人会議側が少しずつ押している形ではあるが、クーデター派の防衛線《ぼうえいせん》に対して攻めあぐねている状況だ」

「馬鹿《ばか》な！」サクラは操縦席《そうじゅうせき》に身を乗り出し「あの迎賓館にいる魔法士の戦力は、シンガポール自治軍の全戦力に匹敵するはずだ！　陸軍だけ、しかもあの迎賓館を包囲する戦力だけが相手なら、突破することなど容易《たやす》く——」

「おそらくデュアルNo.33やセレスティ嬢《じょう》が、この状況でも我がシティに可能な限り被害を出さぬよう動いてくれているのだろう」フェイはどこか機械的《きかいてき》な動きの目で遥《はる》か遠くを見つめたまま「が、その配慮《はいりょ》が賢人会議側の攻撃を鈍《にぶ》らせ、侵攻を遅らせている。あれでは、国会議事堂までのルートを制圧するのに少なくとも半日は必要だ」

「すぐに連絡を！」サクラはフェイの目の前に顔を突き出し「市民への被害を厭《いと》わず速やかに敵を排除するよう貴方《あなた》の名で要請を！　クーデターを阻止するために自治政府議員の要請を受けての行動となれば、市民にもある程度の理解が得られ……」

言いかけてすぐに、敵側の通信妨害のことを思い出す。歯噛《はが》みして身を引き、闇《やみ》の彼方《かなた》、迎賓館が存在する方角を凝視《ぎょうし》する。

紫電を纏《まと》って走り抜ける光の槍《やり》は、おそらく光使いの少女の手による物。

サーチライトの光に照らされた空を無数の空中戦車と魔法士らしき人影《ひとかげ》が飛び回り、各地で幾つもの小爆発《しょうばくはつ》が巻き起こり、

……なんだ……？

そんな集団戦から少し離《はな》れた場所に単騎《たんき》で飛翔《ひしょう》する影を認め、サクラは目を凝《こ》らす。気づいたらしいフェイが視線をそちらに向け、ディスプレイの映像が移動する。

漆黒《しっこく》のロングコートを翻《ひるがえ》し、長大な真紅《しんく》の騎士剣《きしけん》を振るう東洋人《とうようじん》の騎士。

横からのぞき込んでいた錬《れん》が、あ、と声を上げ、

「祐一《ゆういち》？　え？　なんで……」

「賢人会議側に協力している、と言うわけでは無いらしいな」フェイの両目の辺りでかすかな機械音が二、三度響《ひび》き「かといってクーデター派に与《くみ》するわけでも無い。双方の戦力と同時に交戦しつつ、付近に残った市民のデモ隊を下がらせようとしているようだが……」

珍しく戸惑った様子《ようす》で眉《まゆ》をひそめるフェイ。サクラもまた、困惑しつつディスプレイを凝視する。

と、ふいに足を止める黒衣の騎士。

距離《きょり》にして十キロは先。立体映像の向こうで男が身を翻し、ミラーシェードに隠された目が

一直線《いっちょくせん》にこっちに向けられる。

……気づいた……？

わけもなく身構えるサクラの前、ディスプレイの向こうの男は背後から振り下ろされる賢人《けんじん》会議《かいぎ》の騎士《きし》の剣を易々《やすやす》と打ち払い、襟元《えりもと》の通信素子に何事かを話し、——わずかなタイムラグを置いて、鳴《な》り響《ひび》く爆発音《ばくはつおん》。

とっさに振り返った窓の向こう、包囲網《ほういもう》の一画で突如として煙が噴《ふ》き上がり、空中戦車の一台が不自然に旋回しながら地上へと落下していく。

指を弾《はじ》くかすかな音をサクラは聞く。さらに複数の爆発音が続き、数台の軍用フライヤーが最初の空中戦車と同様に煙を上げながら落下を始める。

「これって……ヘイズ？」助手席の錬《れん》が呟《つぶや》き、すぐに我に返った様子《ようす》で「援護《えんご》だよ！　今のうちにここから脱出しないと！」

心得た、と呟いたフェイがフットペダルを踏み込み、機体を急加速させる。周囲の空中戦車が慌てたように機関砲《きかんほう》を旋回させ、無数の弾丸が降り注ぐ。サクラはとっさに空気結晶の鎖《くさり》を展開し、その攻撃《こうげき》を受け止め、打ち払う。錬が助手席のドアを蹴《け》って機外に飛び出し、屋根の上に着地すると同時に右手の指を弾く。目前まで迫っていた数発のミサイルが構造を失って瞬時《しゅんじ》に原子単位にまで分解され、歪《いびつ》な金属の塊へと再結晶して落下していく。

窓外の闇《やみ》を、敵の包囲陣が高速で流れ去る。

急に視界が開けたような錯覚《さっかく》。なおも加速を続けるフライヤーの正面に、国会議事堂《こっかいぎじどう》の正方形の建物が急速に接近する。

中央に庭園を配し四方を建物が取り囲む構造の議事堂、中庭を覆《おお》い隠す重厚な隔壁《かくへき》がゆっくりと開いていく。数時間前に調印式《ちょういんしき》が行われた広大な中庭の中央で、自治軍の兵士達が手を振る。どうやらこちらの味方らしい兵士が手元で何かを操作《そうさ》すると、操縦席《そうじゅうせき》に浮かぶ立体映像の通信画面にようやく『回線接続』の文字が浮かぶ。

映し出されるのは、十分以上も前に発せられたらしい通信文。

フェイは文字データに視線を走らせ、一瞬だけ目を閉じて、

「悪い知らせだ。市街地のデモ隊の間で、『賢人会議の参謀《さんぼう》が市街地に潜伏《せんぷく》している』というデマが広がっている。人類を滅ぼすという自分の計画が露呈《ろてい》したことを悟った真昼《まひる》が、計画の最初の段階としてまずシンガポールを崩壊《ほうかい》させるために行動を開始した――そういうストーリーのようだ」

呼吸が止まる。

愕然《がくぜん》と目を見開くサクラに、フェイはハンドルを繰《あやつ》る手を止めること無く、

「クーデター派から出た物では無い。市民の中から自然発生した、要は流言飛語《りゅうげんひご》の類《たぐい》だ」視線だけでこっちを振り返り、険しい顔のまま「だが、それを信じた市民が既に動き始めてしまっている。彼らの中には銃で武装している者もいる。仮に、真昼が自力での脱出に成功し、状

況を理解しないまま市街地に出てくれば……」

フライヤーが地表に降り立ち、演算機関《きかん》が停止する。ドアを蹴《け》って飛び出すサクラの隣《となり》に、屋根の上から飛び降りた錬《れん》が着地する。重苦しい機械音が頭上で響《ひび》く。四方からせり出した重厚な隔壁《かくへき》が、庭園の空を再び閉ざしていく。

それを見上げる二人《ふたり》の背後に歩み寄るフェイ。

いつの間にフライヤーの後方に回り込んだのか、男は輸送《ゆそう》スペースから引きずり出したリン・リー議員を肩に担ぎ、

「首相閣下は」

「こちらです」その場の部隊長らしき兵士が答え「ニューデリーのルジュナ・ジュレ主席執政官もご一緒《いっしょ》に」

なに、とサクラは錬と顔を見合わせる。

フェイも一瞬《いっしゅん》不審《ふしん》そうな表情を浮かべるが、すぐに部隊長の後に続いて駆け出し、

「状況は」

「東と西、それに南ブロックはすでにクーデター派の制圧下に。この中庭と北ブロックではかろうじて抵抗を続けていますが、時間の問題かと」

「第一会議場《かいぎじょう》は敵の手中か」フェイは淡々と呟《つぶや》き「他《ほか》の議員の安否は」

「残念ながら、ほとんどの方は敵に捕らわれました」壮年の部隊長は強張《こわば》った声で「一部の方

が自力での脱出を試みたとの報告は受けていますが、その安否までは」

そうか、とうなずき、歩調《ほちょう》を速めるフェイ。

その背後にようやく駆け寄り、サクラは部隊長を見上げて、

「こちらの戦力は。クーデター派への反撃《はんげき》は可能か？」

「中央司令部はほぼ敵の制圧下にあり、もはや指揮系統は機能していません」部隊長は苦々しそうに奥歯を嚙《か》み「市街地に展開された部隊については、第九と第十二を除く全《すべ》ての階層から全滅の報告が。もはや、自治軍単独での反転攻勢は不可能です」

半ば予想通りの返答にうなずくサクラの前で、重厚な隔壁が開かれる。とたんに銃撃の音が鳴り響き、サクラはとっさに外套《がいとう》の裏のナイフに手を伸ばす。

真紅《しんく》の絨毯《じゅうたん》と古めかしい調度品に彩られた議事堂《ぎじどう》の廊下に舞《ま》い散る、鮮血《せんけつ》の雨。

正面、ほんの数メートル先の角で、銃を取り落とした兵士が胸を押さえたまま倒れ伏し、動かなくなる。

とっさにナイフを抜いて身構えるが、周囲の兵士達の反応からすぐにそれが敵側の兵士であることを理解する。「お急ぎください」という言葉にうなずき、兵士の亡骸《なきがら》を踏み越えて歩を進める。

銃撃の音が激《はげ》しさを増す。

さらに幾つもの角を曲がり、十字路に飛び出した瞬間、I－ブレインに警告《けいこく》。

生物化した外套《がいとう》を翼《つばさ》に変えて右手側から飛来する数発の銃弾を受け止め、身を翻《ひるがえ》した視界の先に幾つもの見知った人影《ひとかげ》を認めてサクラは足を止める。

「月姉《つきねえ》――!」

錬《れん》が叫ぶと同時に跪《ひざまず》いて床に手を当て、生み出したゴーストの腕で通路を塞《ふさ》ぐ。正面で銃を構えていた女が「錬?」と目を丸くし、血相を変えて少年に駆け寄る。

その間に、リン・リーを抱えたフェイが兵士を引き連れて通路の左手へと走り、

「閣下、ご無事ですか」

「今のところはな」白い儀典《ぎてん》正装に身を包んだ初老の男――カリム首相がうなずき「サクラ殿には、このような事態となり申し訳無い」

「謝罪《しゃざい》には及ばない。こちらにも責のあることだ」頭を下げるカリムを手で制し、サクラは視《し》線《せん》を隣《となり》に移して「ルジュナ・ジュレ執政官殿には久しく。月夜《つきよ》には……その、すまない」

「は?」振り返った月夜が一瞬《いっしゅん》怪訝《けげん》そうに眉《まゆ》をひそめ、すぐに、ああ、と息を吐いて「気にしないで。真昼《まひる》が自分で決めたことだから。……こっちこそ、うちの弟のバカに付き合わせて悪かったわね」

「積《つ》もる話は後にしましょう」

しかし、と言いかけるサクラに、割って入るルジュナの声。

白装束《しろしょうぞく》の執政官は以前に見たときより随分と柔和《にゅうわ》な視線《しせん》をこっちに向け、すぐにその視線

を通路の先に移して先陣を切るように歩き出し、

「今はこの場を逃れるのが先決です。既にこちらの兵はわずか。皆さんが加勢に来ていただいたことは心強いですが、敵側の増援も続々とこの議事堂《ぎじどう》に集結しつつあります。猶予《ゆうよ》はありません」

サクラは慌てて後を追い、他《ほか》の全員もそれにならう。通路のそこかしこに並ぶ兵士が「こちらです！」と先を示し、自身は銃を構えて別な方向へと消えていく。

銃撃《じゅうげき》の音が激《はげ》しさを増す。

十字路のあらゆる方向から、兵士達の足音が少しずつ近づいて来る。

「この区画も、もはや敵の手に落ちる寸前ということか」

「左様《さよう》」サクラの言葉にカリムはうなずき「こちらの残存戦力はせいぜい兵士一個中隊といったところ。中央庭園に至るルートはどうにかこちらが確保《かくほ》しているが、それも時間の問題だ」

「なら、そこまで戻れば良いんじゃ無いの？」と錬が振り返り「僕たちがフライヤーで下りてきたあの庭園だよね。あそこまで戻ってフライヤーで脱出すれば」

「出た先は敵の包囲のまっただ中よ。あんたも見たでしょ」首を振って応じる月夜「この状況でフライヤーで飛び出したら完全にバレバレ。隠れる場所なんかどこにも無いわ。逃げる先のあてがあるわけじゃ無いし、もしあってもそこまでは自治軍を敵に回して強行突破。ちょっと厳《きび》しいわね」

「ならばどうする」口ごもる錬《れん》の隣《となり》からサクラは割って入り「徒歩での市街地への脱出はそれこそ自殺行為だろう。どこか、他《ほか》に道は？」

「敵に制圧された東ブロックに、隠し通路がある」とカリムが口を開き「階層間の作業区画からシティの外壁《がいへき》内部を経由して下の第十九階層に通じる極秘の脱出ルートだ。現状、我々はそこに向かっている」

答えた首相が足を止め、視線《しせん》を少し上に向ける。

目の前には、立体映像で『東ブロック』と記された重厚な隔壁。

「この先だ」

淡々とした声と共に一歩前に進み出るフェイ。

男は肩に担いだリン・リー議員《ぎいん》の体を正面に回し、右手一本で軽々と目の前に掲げて、

「先陣は私が。バックアップを頼む」

言うと同時に隔壁解放のスイッチを叩《たた》き、男が無造作に足を踏み出す。半ばまで開いた隔壁の向こうで、クーデター派らしき兵士達が目を見開く。

慌てた様子《ようす》で機関銃《きかんじゅう》を掲げる黒い軍服姿の兵士。

が、隣に立つ別な兵士がすぐにその動きを制し、

「馬鹿《ばか》野郎！　あれを見ろ、リン・リー議員だ！」

「撃《う》つな！　閣下に当たるぞ！」

そんな兵士達の叫びを意識《いしき》の端に、サクラは一挙動に地を蹴《け》って疾走を開始する。全く同じタイミングで踏み出した錬と一瞬《いっしゅん》だけ目配せをかわし、互いに逆方向に跳躍《ちょうやく》してフェイの左右から同時に飛び出す。両手を外套《がいとう》の裏に差し入れて投擲《とうてき》ナイフを都合八本摑《つか》み取り、着地の瞬間に一息に投げ放つ。

（呼《Call》：電磁気学《でんじきがく》・電磁場制御・『銃身』）

電磁場によって加速された投擲ナイフが紫電を纏《まと》って闇《やみ》を貫き、兵士達が手にする機関銃に正確《せいかく》に突き立つ。うずくまる兵士達の体を錬が生み出したゴーストの腕が搦《から》め捕《と》り、悲鳴を上げる間も与えず床に叩き伏せ、

（警告《Alert》：攻撃《こうげき》感知）

十字路の右手側にI―ブレインの警告《けいこく》。一直線《いっちょくせん》に数百メートルは続く通路の先、偏光迷彩に隠された透明な陰からこっちを照準する狙撃兵《そげきへい》の存在に気づいたサクラは、とっさに新たなナイフを摑み出し――

その動きより速く、鳴《な》り響《ひび》く銃声。

後ろを行く月夜《つきよ》が視線を向けることすらせず右に突き出した小銃の引き金を引き、闇の向こうで一度だけ兵士の苦悶《くもん》の声が上がる。

「急ぎましょ」

当然のように言葉を投げる女にうなずき、フェイを先頭に再び歩き出す。時折飛来する銃弾

を分子運動制御で難《なん》なく弾《はじ》き、東ブロックの中央を目指す。周囲にはクーデター派の兵士が集結している気配《けはい》があるが、リン・リーに流れ弾が当たることを恐れてか全面的な攻撃《こうげき》を仕掛けてくる気配は無い。

そこかしこに転がる砕けた調度品《ちょうどひん》を踏み越え、一面に銃痕《じゅうこん》が刻まれた絨毯《じゅうたん》敷きの通路を進む。

たどり着いた先は、分かれ道の無い一直線《いっちょくせん》の通路。

その正面、行く手を遮《さえぎ》るように隊列を組む兵士達をフェイが視線で示し、

「あの先だ」淡々と呟《つぶや》き、リン・リー議員《ぎいん》の体を自身の正面に掲げ直して「強行突破する。首相とルジュナ執政官の身の安全に細心の注意を――」

言いかけた言葉が止まる。

フェイは唐突に全身を硬直させ、ガラスのような目を正面の兵士達に向ける。

「……フェイ大使？　な――」

何を、という言葉を寸前で飲み込み、サクラは大きく右に飛《と》び退《すさ》る。半瞬《はんしゅん》遅れて風切り音が宙を薙《な》ぎ、男の左手が直前までサクラの頭が存在していた空間を一直線に貫く。

どこか機械的《きかいてき》な動作で逆の右手が動き、掲げたリン・リー議員の体を床に下ろす。

「ちょっと！」と声を上げかけた錬《れん》が慌てた様子《ようす》で身をかがめ、同時に振り抜かれたフェイの右足が少年に致命傷を与える位置を通常の人間には有り得ない速度で走り抜ける。

フェイは完全にこっちに向き直り、右腕を目の前に掲げて身構える。その手首から先が出来

の悪い映画か何かのように変形し、小型の荷電粒子砲を形成する。

通路を塞《ふさ》ぐ兵士達が、一斉に銃を構える。

放たれる無数の銃弾を援護《えんご》に従えて、スーツ姿の男が疾走を開始する。

とっさに突き出したナイフを男の左手が受け止め、そのまま頭上めがけて弾き飛ばす。金属の塊を斬《き》り付けたような固い衝撃《しょうげき》。弾かれたナイフが通路の天井《てんじょう》に深々と突き立ち、金属音を響《ひび》かせる。ひるむこと無く分子運動制御を呼び出して数百の空気結晶の銃弾を生み出し、目の前の男に向かって解き放つ。男は防御姿勢を取ることすらせず、氷の弾幕に正面から突っ込む。無数の金属音が重なり合って響き、ちぎれ飛んだスーツの切れ端が宙を舞《ま》う。

目の前には、男の右手首の先から突き出した荷電粒子砲の砲口。

サクラは体を大きく左に投げ出し、同時に右手の指輪《ゆびわ》に意識《いしき》を集中し、

(接続《Link》:制御系・外部装置・『賢者《けんじゃ》の石』)

新たな表示窓が仮想視界に二重写しに浮かび、右手に装着された外部デバイスの起動状態を伝える。それを確認《かくにん》すると同時に脳内に命令を叩《たた》き込み、新たなプログラムを起動する。

I―ブレインの本来の制御系を介して「運動係数制御」を呼び出し、肉体の運動速度を通常の五倍に加速。

同時に『賢者の石』を介してI―ブレインから「分子運動制御」を呼び出し、空気結晶の鎖《くさり》を生成。襲《おそ》い来る無数の銃弾を弾き飛ばし、自分が飛び込もうとしているちょうどその位置に

銃撃《じゅうげき》の空白を出現させる。

着地と同時に地を蹴《け》り、フェイの背後に回り込む。後を追って振り返ろうとする男の背後に錬《れん》が飛び込み、右手を目の前に掲げる。I―ブレインの仮想視界の中でフェイの周囲の重力場が変動し、動きを絡め取る。それを意識《いしき》の端にサクラは兵士達に向き直り――

……何だ……？

床に倒れ伏すリン・リーに駆け寄り、その体を守るように陣形を組む自治軍の兵士達。その中に数人。銃を構えることすらせず、必死の形相《ぎょうそう》で携帯端末を繰《あやつ》る兵士の存在に、サクラはようやく気づく。

「『魔法士殺《まほうしごろ》し』の管理者コードか！」

カリムの叫び。

振り返るサクラに、フェイのかつての上官である男は声を張り上げ、

「サクラ殿！　端末だ、あの兵士が持つ携帯端末を！」

(呼《Call》：電磁気学《でんじきがく》・電磁場制御・『銃身』)

意識が反応するよりも遙《はる》かに早くI―ブレインが動き、周囲の空間に電磁場の銃身を形成する。半ば自動的な動作で右手が外套《がいとう》の裏から投擲《とうてき》ナイフを抜き取り、振り返りざま放たれた三本のナイフが秒速二千メートルの初速をもって撃《う》ち出される。

続けざまの悲鳴と、小爆発《しょうばくはつ》。

兵士が端末を取り落として床に倒れ伏し、完全に同じタイミングでフェイが動きを止める。

「無事か、フェイ大使」

「……機能中枢《きのうちゅうすう》が復旧していない。しばらくは、通常の人間程度の運動を行うのも難《むずか》しい状態だ」男は軽く頭を振って息を吐き「謝罪《しゃざい》のしようも無い。これもまた、この身に秘められた機能の一つだ」

分かっている、とうなずくサクラとフェイの周囲に他《ほか》の全員が駆け寄る。無数の足音が響《ひび》き、完全武装の兵士が通路の前と後ろ、双方に次々と集結してくる。

囲まれたわね、という月夜《つきよ》の呟《つぶや》き。

その声に応《こた》えるように数名の兵士が隊列の前面に飛び出し、アンテナ型のノイズメイカーを構える。

……どうする……

退路は断たれた。この状況でノイズメイカーを発動されれば対抗する術《すべ》は無い。自分と錬《れん》はそれでも自身を守ることくらいは出来るだろうし、月夜《つきよ》も自分一人《ひとり》のことはどうとでも出来るだろうが、後の三人、中でもクーデター派の最大の標的であるカリムの身を守るのは不可能だ。

打つ手が無い。

内心で歯噛《はが》みするサクラの正面、兵士達に守られた位置で、リン・リーがゆっくりと立ち上がる。

「閣下、ご気分はいかがですか」

「大事ない」答えて片手で頭を押さえ、リン・リーはようやく気づいた様子《ようす》で周囲を見回し
「これは……」

傍《かたわ》らの兵士が敬礼し、手短に状況を説明する。

「賢人会議《けんじんかいぎ》の真の目的……それにクーデター、と？」

しばし言葉を失う、同盟反対派の代表者。

が、男はすぐに「是非も無い」と息を吐き、

「これもまた市民の選択であろう。……貴官らには苦労をかけた」

その言葉に、クーデター派の兵士達が目を輝《かがや》かせる。

反射的に身構えるサクラの隣《となり》にカリムが歩み寄り、

「サクラ殿には、伝えておかねばならないことがある」強張《こわば》った顔で天井《てんじょう》を見つめ「たった今、奴《やつ》らがフェイ議員《ぎいん》を操《あやつ》ったコードは、自治政府内でも私が知る他《ほか》は中央司令部の中枢《ちゅうすう》に保管されているのみの最重要機密《きみつ》だ。それが敵の手に渡ったということは……」

「……司令部は既に、クーデター派の手中か」

周囲の面々の顔に、それぞれに驚愕《きょうがく》の表情が浮かぶ。

その前で、リン・リーはまっすぐサクラ達に向き直り、

「そこから離《はな》れていただきたい、ルジュナ・ジュレ執政官」ニューデリー自治政府の代表者で

ある女にまず視線《しせん》を向け、両手を広げて「これはシンガポールの内政問題。貴国《ニューデリー》には関《かか》わり無いはずだ。そも、貴国と賢人会議は遺恨《いこん》のある間柄のはず。賢人会議との同盟を無き物とすることは、貴国にとっても利益となるはずだが？」

「残念ですが、そうは参りません」

ルジュナは静かに首を振る。

豪奢《ごうしゃ》な白装束《しろしょうぞく》を翻《ひるがえ》し、兵士達の前に一人《ひとり》進み出て、

「これはシンガポール一国、ニューデリー一国に留《とど》まる問題ではありません。この世界の未来のため、人類の未来のために、賢人会議の存在は必要不可欠な物です」

……何……？

サクラは驚《おどろ》き、ルジュナの背中を見つめる。自治軍の兵士達の視線も、白装束の執政官に集中する。

「何を言っている？」リン・リーは驚愕、と言うより不審《ふしん》そうに目を見開き「にわかには理解しかねる主張だ。魔法士《まほうし》の権利を守るためにシティを滅ぼさんとする組織《そしき》と手を結ぶことが、なぜ人類の未来に繋《つな》がる」

しばしの沈黙《ちんもく》。

ルジュナは意を決したようにうなずき、

「それは表向きのこと」さらに一歩足を前に進め、リン・リーの顔を正面から見据えて

「賢人会議《けんじんかいぎ》とは魔法士《まほうし》と人類の間に対等な関係を構築するための装置。その真の目的は、最終的に組織《そしき》を平和的な物へと転向させ、この地球上《ちきゅうじょう》の全《すべ》てのシティと魔法士を含めた協力体制を確立《かくりつ》することにあります」

いったい何を、という思考。

居並ぶ兵士達の顔にも、困惑の表情がありありと浮かぶ。

とっさに背後を振り返り愕然《がくぜん》となる。驚《おどろ》いているのはカリム首相一人。フェイは無表情に成り行きを見つめたまま。錬《れん》と月夜《つきよ》は居づらそうに互いに顔を見合わせるばかりで、いずれもルジュナに向かって問いを投げる様子《ようす》は無い。

……そんなことが……

呆然《ほうぜん》と正面に向き直るサクラ。

その前で、リン・リーは巌《いわお》のような表情をさらに硬くし、深く息を吐き、鋭《するど》い視線《しせん》をルジュナに向け

「よく出来た冗談《じょうだん》だ、とても賞賛《しょうさん》すべきか？」

「ならば、『雲の除去手段』のことはどう説明する。I―ブレインを持たない人類を一人残らず殲滅《せんめつ》すれば世界に空を取り戻すことが可能であると——これこそが、賢人会議が人類の敵である何よりの証拠では無いのか？」

「それは……」

「賢人会議の手によって生み出された物では無い」

言いかけるルジュナに割って入る、フェイの声。

思いがけない発言者に戸惑った表情を浮かべるリン・リーの前で、穴だらけのスーツを纏《まと》った男は静かに顔を上げ、

「それは情報制御理論《りろん》の創始者、アルフレッド・ウィッテンの遺書《いしょ》の中に暗号として隠されていた物。天樹真昼《あまぎまひる》――賢人会議の参謀《さんぼう》が解読し、所持していた物だ」

何、とリン・リーは呟《つぶや》き、

「フェイ議員。何故《なぜ》貴公がそのようなことを」

「私が彼の協力者だからだ」フェイはわずかも視線を揺るがすこと無く「始まりは北極《ほっきょく》での会談だ。あの場で天樹真昼は私に真の目的を打ち明け、私は彼の協力者となった。賢人会議の力を強化して世界がその存在を無視出来ない状況を作り上げ、シティと組織の間に同盟関係を構築させる。全てのシティが同盟を望む状況となり世界から『賢人会議の敵』が消滅した段階で彼《か》の組織を平和的な組織へと転向させ、I－ブレインを持つ者と持たない者が手を取り合う世界を実現する――それが、真昼の願《ねが》いだった」

初めて、リン・リーの表情が変わる。

先を続けるよう視線で促す男に、フェイはうなずき、

「この論文を入手したのは全くの偶然だったが、真昼はそれすらも世界のために役立てようとしていた。理論をそのまま利用することは不可能でも、画期的な応用は可能かもしれない

と。……私は彼の理想に手を貸し、賢人会議《けんじんかいぎ》とシンガポールの同盟を成立させるために手を尽くした。自治政府への背信を承知で他国の状況や最新技術に関する幾つかの機密《きみつ》を彼に譲渡《じょうと》し、組織《そしき》の強化を促した」

「貴公が、そのようなことを」リン・リーは息を吐き「なるほど。魔法士《まほうし》嫌いで知られる貴公が何故《なぜ》あれほど今回の同盟に献身的であったか、ようやく合点《がてん》がいった」

そう呟《つぶや》く男の顔を、サクラは為《な》す術《すべ》も無く見つめる。周囲の兵士達もまた、思わぬ成り行きに呆然《ぼうぜん》と目を見開く。

真紅《しんく》の絨毯《じゅうたん》に彩られた通路に下りる沈黙《ちんもく》。

サクラは何度もためらってから顔を上げ、意を決して口を開きかけ、

──哄笑《こうしょう》が響《ひび》いた。

背筋が寒くなるような高笑いが、通路の隅々にまで響き渡った。

反射的に背後を振り返り、サクラは目を見開いた。

錬《れん》も、月夜《つきよ》も、あのルジュナまでもが、呆然とした様子《ようす》で傍《かたわ》らの男を見上げた。

リン・リーとフェイが同じ方向に視線《しせん》を向け、自分達のシティの代表者である男を凝視《ぎょうし》した。周囲の兵士達が互いの顔を見合わせながら、やはり最後には同じ方向を見た。

その場にいる全《すべ》ての者の視線を一身に集め――

シティ・シンガポール自治政府首相、カリム・ジャマールは唐突に笑うのを止《や》めた。

「閣下、私は」

「……考えていたのだ」

底冷えがするような声が、フェイの言葉を遮《さえぎ》る。

白一色の儀《ぎ》典《てん》正装に身を包んだ初老の首相は、かつての部下である男に無表情な視線を向け、

「私はずっと考えていたのだ。何故このような事態になったのか、あれほど正確《せいかく》な光耀《クアンユー》の予測を狂わせた物は何だったのかと。いったいどのような事象が彼《か》のシステムの計算と現実の間に乖離《かいり》を生じさせ、今日《きょう》のこの事態を招いたのかと」

言葉が途《と》切《ぎ》れる。

カリムは静かな眼差《まなざ》しでフェイを見つめ、

「その謎《なぞ》が今解けたわ。……なるほど、獅《し》子《し》身中《しんちゅう》の虫は君だったかフェイ・ウィリアムズ・ウォン」

「お聞きください、閣下」フェイが、珍しくその声に感情をにじませ「これはシンガポール一国のみならず、この世界のために必要なことです。シティ滅亡まであと三十年。それだけのわずかな時間でこの難局《なんきょく》を乗り切るには――」

言葉の代わりに、カリムから返るのはため息。

初老の首相はしばし視線《しせん》を伏せた後、天井《てんじょう》を見上げて目を閉じ、

「君ほどの男が眩《くら》まされるとはな……いや、君のような男であればこそか」

何を、とでも言うようにフェイが目を見開く。サクラもまた、男の意図が読めずに混乱し、

「カリム殿、眩まされる、とはいったい……」

「民衆とはな、言ってしまえば飴《あめ》をねだる子供のようなものだ」

またしても、意味の分からない言葉。

とっさに口ごもるサクラの前でカリムはゆっくりと目を開け、

「大義にも大勢にも興味《きょうみ》は無く、個々の行いがより大きなシステムにどのような影響《えいきょう》を及ぼすかなど眼中に無い。自分の足下に大穴が開くその瞬間《しゅんかん》まで世界を省みること無く権利を主張することを止《や》めぬ——民衆とはな、およそそのような生き物なのだよ」

この言葉には、ルジュナと、それにリン・リーが眉《まゆ》をひそめる。

が、カリムは素知らぬ顔で一同を見回し、

「人類と魔法士《まほうし》の協力体制など世迷《よま》い言《ごと》。賢人会議《けんじんかいぎ》が平和的な組織《そしき》へと転向し、『自分達が魔法士に滅ぼされるかも知れない』という不安が消滅した瞬間に、全《すべ》ては元通りとなる。——遠い将来、自分達のまだ見ぬ子孫に世界を残し未来を守るための困難《こんなん》など、市民には決して受け入れられん。彼らの行動原理の根幹にあるのは『今日《きょう》自分が食べるパンはどうなるか』『明日《あした》自分が食べるパンはどうなるか』それのみ。そうでなければ、世界中の魔法士はとうの昔に救

済され、シティの現状も今とは大きく異なる物となっていたはずだ」

　感情の一切こもらない、淡々とした声。

　シティと賢人会議の同盟に賛成《さんせい》する者、反対する者――双方の呆然《ぼうぜん》とした視線を受けて、カリムは一切動じること無く、

「故に、賢人会議はシティと手を取り合い、通常人の良き隣人《りんじん》となるような存在であってはならぬ。人類の敵として憎悪と恐怖を一身に集め、もって全てのシティとそこに暮らす市民に団結を強制するような存在で無ければならぬ」

「待て！　カリム首相！」

　ようやく、サクラは言葉を挟むことに成功する。

　大きく息を吐き、わずかの緊張《きんちょう》も感じさせない男に正面から向き直って、

「待っていただきたい。では、シンガポールと我が賢人会議との同盟は。貴方《あなた》は、将来的にはこの同盟を」

「無論《むろん》、時が来れば切り捨てる算段であった」当然のことのようにカリムは答え「同盟に伴う軍事力の提供と技術協力によって我がシティが富めば、それ以上の関係など不要。他《ほか》のシティの怒りが限界を超え、その矛先《ほこさき》がシンガポールを捉《とら》える前に、賢人会議との関係を精算し彼《か》の組織が人類の共通の敵であるという態度を明確《めいかく》に打ち出さねばならぬ。……それが、現実的な判断という物だ」

そう言って、カリムは視線《しせん》をリン・リーに向け、

「いかがかな？　あるいは、このような論法《ろんぽう》であれば貴殿も賢人会議《けんじんかいぎ》との同盟を認めてくれたのだろうか」

「あり得ぬことだ」リン・リーは静かに首を振り「いかなる意図があろうとも、市民の賛同《さんどう》が得られぬ変革に価値は無い。まして、貴公の意図に従うならシンガポールは味方である賢人会議すらも裏切ることになる。……かりそめの同盟であっても、一年も続けば魔法士《まほうし》との間に友誼《ゆうぎ》を結ぶ市民も生まれるだろう。その者達に、貴公は何と詫《わ》びるつもりか」

「やはり、賛同は得られぬか」カリムは小さく笑い「己《おのれ》の信条は誰《だれ》にも受け入れられず、信頼する部下には裏切られる。……全《すべ》て、我が身の不徳故のことであろうな」

そう言って、カリムは足を前に踏み出す。

一歩、また一歩。全ての者が呆然《ぼうぜん》と見つめる前で、シンガポールの代表である男は正面の兵士達に向かってゆっくりと歩み寄り、

「と、止まれ！　いえ、止まってくださいカリム首相！」兵士の一人《ひとり》が我に返った様子《ようす》で叫び「あなたを拘束《こうそく》します。……抵抗は無意味です。どうか、我が国の指導者《しどうしゃ》にふさわしい振《ふ》る舞《ま》いを！」

「それはまた、難《むずか》しい要求だな」カリムは落ち着いた態度をわずかも変えること無く「さて、一国の首相にふさわしい態度とは、例えばこのような物だろうか」

白い儀典《ぎてん》正装に包まれた腕が、ゆっくりと掲げられる。

いつの間に取り出したのか、その手に握られる小さな黒い物体。

……まさか……

爆弾《ばくだん》だ、という誰かの呟《つぶや》き。

通路を塞《ふさ》ぐ兵士達の顔に驚愕《きょうがく》が走り、隊列が一歩後ろに退《しりぞ》く。

「何の真似《まね》か、カリム・ジャマール」

ただ一人、わずかも動じる素振りを見せずに問うリン・リー。

「調印式《ちょういんしき》で貴殿が用いたのと同じ手段だ。良い趣向《しゅこう》だろう？」カリムは口元に笑《え》みを浮かべてさらに一歩足を踏み出し「もっとも、これは狂言では無く本物。この国会議事堂《こっかいぎじどう》程度なら、柱の一本も残さず吹き飛ばすことが出来よう」

カリムがゆっくりと足を前に進め、それに従って兵士の隊列が後退する。サクラが息をすることも忘れて見つめる前でカリムは足を止め、爆弾を持つのと反対の手を通路の壁《かべ》に当てる。

精緻《せいち》な意匠の紋様に彩られた壁が四角く切り取られ、下に向かう階段が出現する。

「さて、急がれよサクラ殿、ルジュナ執政官。それに他《ほか》の方々も」

「カリム首相！　しかし、貴方《あなた》は」

「足止め役がおらねば、この場は乗り切れまい」カリムは穏《おだ》やかな表情を崩すこと無く「このような結果となり、サクラ殿には誠に申し訳ない。……これは本心だ。最終的に切り捨てる予定の同盟であったにせよ、この失態は間違い無く我がシティ・シンガポールの不始末であるからな」

その言葉にためらいながら一礼を返し、隠し扉に飛び込む。錬《れん》と月夜《つきよ》が左右からルジュナを守るようにして後に続き、扉をくぐる。

さらにその後ろからは、わずかに残ったこちら側の兵士に体を支えられたフェイ。

と、男は階段に足を踏み出したところで立ち止まり、背後を振り返って、

「閣下――！」

「気に病むなフェイ。それもまた正しい選択だ」カリムはかつての自分の部下である男に静かに首を振り「だが、選択には責任が伴う。途中で下りることは許されん。君は、君の選択に最後まで殉《じゅん》じる義務がある。覚えておくことだ」

そう言って、カリムは壁《かべ》に手を当てる。

ゆっくりと閉ざされていく扉。

その向こうで、白い儀典《ぎてん》正装に包まれた手が敬礼の形を作り、

「フェイ・ウィリアムズ・ウォン。国家機密漏洩《きみつろうえい》、並びに国家反逆の罪により、君の議員《ぎいん》権限を無期限停止とする」

何を、と目を見開くフェイ。

カリムはそんな男にうなずき、

「同時に、大戦時より続いていた貴官の軍籍《ぐんせき》を剝奪《はくだつ》する。……十年、このシンガポールのためによく尽くしてくれた」

閣下、という声にならない声。

脱出路の扉が、音も無く閉ざされた。

＊

壁の向こうから響《ひび》く足音が遠ざかり、やがて消えた。

リン・リーは扉が隠された壁の紋様をしばし見つめ、カリムに向き直った。

「これで満足か？」

「十分だ。待たせたな」

うなずくカリムに兵士の一人《ひとり》が近寄り、慎重な手つきで爆薬《ばくやく》を取り上げる。前後左右から数十の銃口を突きつけられて、カリムは臆《おく》した様子《ようす》も無く静かに両手を掲げる。

対して、銃を向ける兵士達の顔に浮かぶのは困惑の表情。

賢人会議《けんじんかいぎ》と告発文の真実を目の前で突然明かされ、自分達の怒りの根拠を残らず否定されてしまったのだから当然だ。

「閣下、我々は……」

兵士達の問うような視線《しせん》が集中する。

リン・リーは息を吐き、しばし言葉に迷い、

「分かっていような」

カリムの声。

反射的に顔を向けると、初老の男は悟り切った表情で、

「もはや後戻りは出来んぞ。一度動き出した流れの前には真実など何の意味も持たぬ。貴殿には旗印としてその流れを御する義務がある」

その言葉に、リン・リーは目を閉じる。

ややあって目を開き、兵士達を見回して、

「ここでのことは、他言無用とする」かろうじて声の平静を保ち「皆、この場を撤収《てっしゅう》次第、記憶《きおく》消去措置を受けるよう」

兵士達の顔に、一様に驚愕《きょうがく》の表情が浮かぶ。「しかし!」と詰め寄る兵士を、リン・リーは手で制する。

カリムの言う通り、後戻りは出来ない。

動き出してしまった流れを止めることは、もはや誰《だれ》にも出来ない。

シンガポール自治軍は既にその半数以上がクーデター派に与《くみ》し、現政府を打倒して賢人会議《けんじんかいぎ》を敵とする道を選択してしまった。自分が停戦の命令を下したところで、振り上げた拳《こぶし》を収め

ることなど出来ないだろう。それに、真実を示そうにも証拠が無い。告発文を誤解とする根拠が関係者の証言以外に存在しない以上、それを理由に争いを止めようとしたところで激高《げっこう》した兵士達に今度は自分が撃《う》たれるだけのことだ。

賽《さい》は既に投げられた。たとえそれが誤りであったとしても、誰《だれ》かが彼らの手綱《たづな》を取り道を示さねばこのシティは間違い無く崩壊《ほうかい》する。

自分に出来ることは、可能な限り速やかに、可能な限り双方に犠牲《ぎせい》を出さぬよう、この争いを終結させることしか無い。

「誰か、通信回線を」

兵士達にそう告げると、一人《ひとり》が慌てた様子《ようす》で携帯端末を目の前に差し出す。

リン・リーは立体映像ディスプレイの通信画面を見つめ、深く息を吐き、

「――シティ・シンガポール自治政府首相、リン・リーである」

一瞬《いっしゅん》だけ視線を動かし、無言で目を閉じるカリムの顔を見つめ、

「前首相カリム・ジャマールは、国家反逆の罪により逮捕された。首相は世界の敵である賢人《けんじん》会議《かいぎ》と手を結び、我がシティを危機《きき》に陥れた。私はこれを危惧《きぐ》する心ある将兵の意志に押され、首相として立つことを決断したものである」

胸に広がる苦い感情。

それを腹の底に押し込め、リン・リーは言葉を発した。

「諸君らの新たな代表者として、自治軍全軍に命令を下す。——賢人会議《けんじんかいぎ》をこのシティより排除し、速やかに市街の治安を回復せよ」

第十二章　夢の終わり　～ memento mori ～

戦争という物はどうやって始まるのだろうと、セラは以前から疑問を持っていた。

大戦の経緯《けいい》について論《ろん》じた資料や、それよりずっと昔、二〇世紀の戦争の歴史を記した教科書を読むたび、そのことをいつも不思議《ふしぎ》に感じていた。

もちろん宣戦布告といって、ある国が別な国に「今から戦争します」と宣言する仕組みがあるのは知っている。だけど、歴史の中では宣戦布告が行われなかった例はたくさんあるし、それが行われたとしても実際に戦いが始まる瞬間《しゅんかん》というのは国の偉い人が戦争をすると決めた瞬間とはまた別だろう。

国という途方も無く大きな集団が丸ごと別な国と戦っている状態になり、何万、何十万という人々が銃を向け合い殺し合う。その最初の瞬間というのはどんな物なのだろう。誰《だれ》かが見知らぬ誰かに向かって最初の引き金を引くその瞬間、撃《う》たれた誰かが撃った誰かに向けて報復の引き金を引くその瞬間。それはどんな状況で、どんな形で訪れるのだろう――そう、セラは以前から疑問に思っていた。

「――セラ」駆け寄る賢人会議《けんじんかいぎ》の魔法士《まほうし》の声「たった今、クーデター派が政権を奪取。同盟反対派のトップであるリン・リー議員《ぎいん》が新首相の座に就《つ》きました」

驚《おどろ》いて振り返るセラに、魔法士の青年は沈痛な表情で、

「シンガポール自治軍全軍、いえ、このシティその物が我々の敵となりました。……決断が必要です」

呆然《ぼうぜん》と見上げた視界の先で、周囲の仲間達が決然とうなずく。

――絶望と共に、セラは理解する。

きっと、こんなふうにして、「それ」は始まるのだ。

＊

絶え間なく響《ひび》く砲火の音が人工の大地を震《ふる》わせ、高速弾体の雨が降り注ぐ。突き刺さる無数の礫《つぶて》がアスファルトを打ち砕き、街路樹《がいろじゅ》をなぎ倒す。闇《やみ》を照らすのは飛び交う荷電粒子の光と巻き起こる爆発《ばくはつ》の炎。機能《きのう》を失った空中戦車が、軍用フライヤーが次々に街路に叩《たた》き付けられ、瓦礫《がれき》と化して沈黙する。

(並列処理を開始。「身体能力制御」発動。運動速度、知覚速度を四三倍で定義)

(並列処理を開始。「自己領域」展開。時間単位を改変、重力場を強制的に遮断《しゃだん》)

両の騎士剣《きしけん》を眼前に構え、半透明の揺らぎを纏《まと》ってディーは戦火に照らされた二十階層の空を飛翔《ひしょう》する。行く手には数十を超える空中戦車の一団。正面から迫り来る砲弾を重力方向の制御によって寸前で回避《かいひ》し、手近な一台に取り付くと同時に右手の『陰』を機体を叩き付ける。

（ノイズ感知、機能低下、「自己領域」を強制終了）

空中戦車に取り付けられたノイズメイカーの効果によってＩ－ブレインが機能低下するが、構わず情報解体を発動。直方形の機体を覆《おお》うチタン合金の装甲とその奥に隠された演算機関が、構造を失って砂のように砕け落ちる。

運動能力を失い落下していく機体を足場にさらなる跳躍《ちょうやく》。天井《てんじょう》すれすれの位置に展開された空中戦車の陣形の間を飛び回り、さらに三台の機能を奪い、

「ディー――――！」

自己領域を解除するのと同時に、息を吐く間も無く声。振り返った視界の先、高層建築の屋上で軍用フライヤーに包囲される数人の魔法士の姿を認め、空中戦車の装甲を蹴《け》って跳躍する。自由落下する体がノイズメイカーの効果範囲《はんい》に抜け出すと同時に自己領域を再展開。外界の時間にして百万分の一秒足らずで高層建築の上空に到達し、八台のフライヤーの先端から突き出た荷電粒子砲の砲身を次々に破壊《はかい》する。

宙に一転して屋上に着地し、仲間に駆け寄る。

賢人会議の中でも幼い、八歳ぐらいの魔法士が三人。

騎士《きし》に炎使いに人形使い。いずれも第二級《カテゴリーB》の能力の持ち主だが、炎使いの女の子は足から血を流しており、騎士の男の子は剣を持っていない。

「ルカが剣を吹き飛ばされちゃったの」人形使いの女の子が泣きそうな顔で仲間を見回し「それで探しに行こうとしたら不意打ちされて、マリーが足を撃《う》たれちゃって」

「剣は諦《あきら》めてすぐに下に」炎使いの女の子の足を確《たし》かめて銃弾が貫通しているのを確認《かくにん》し、応急用の細胞活性剤を取り出して傷口に塗りつけ「適当な大人《おとな》を見つけてその人の指示に従って。単独行動は禁止だよ」

うなずいた人形使いと騎士の子供が炎使いの女の子を両側から支えて立ち上がらせる。三人は百メートル以上もある高層建築の屋上から躊躇《ちゅうちょ》無く飛び降りると、ゴーストの腕と空気結晶を足場に器用に下っていく。

それを見送る間も無く、振り返りざま左手の『陽』を跳ね上げる。

降り注ぐ無数の銃弾を一払いに情報解体し、生じた間隙《かんげき》に身を滑り込ませ、

(高密度情報制御を感知)

I―ブレインの報告。

頭上を取り囲んでいた八台の軍用フライヤーが副砲である重機《じゅうき》関砲《かんほう》を吹き飛ばされ、たじろいだように後退していく。

賢人会議《けんじんかいぎ》の黒い軍服を纏《まと》った人影《ひとかげ》が、ディーの隣《となり》に音も無く降り立つ。

元シンガポール自治軍大佐、グエン・ウォン。

片目を眼帯で覆《おお》った壮年の騎士は片刃の剣を油断無く構え、

「無事か、などとは訊《き》くまでも無いな」

「何か動きが？」

両の騎士剣を油断無く構えたまま視線《しせん》を向けることも無く問う。敵側の通信妨害が解析できない状況下、賢人会議側の通信手段は機動力のある魔法士《まほうし》による口頭伝達だ。

「投降者だ」グエンは巌《いわお》のような顔で闇空《やみぞら》を覆《おお》う空中戦車と軍用フライヤーの編隊《へんたい》を見上げたまま「シンガポール自治軍第三魔法士小隊、六名。私の独断で指揮系統に組み入れた」

ありがとうございます、とうなずき、男と同じ方向に視線を向ける。リン・リー新首相による攻撃《こうげき》命令から既に十五分、敵の数は一向に減少する気配《けはい》を見せず、むしろ下の階層からの増援を受けて増加する気配すらある。

「このままでは埒《らち》が明かんぞ」グエンは噛《か》みしめた奥歯を鳴らし「私や君にとってはこの程度の戦力どうということも無いが、第二級《カテゴリーB》以下の多くの魔法士にとってはこれは命の危険を伴う戦闘《せんとう》だ。総合的な戦力ではこちらが勝っているといっても、長引けばいずれはこちらにも犠牲《ぎせい》が出る」

ディーは無言で唇を噛む。男の言う通り、このままこの状況で戦い続けるわけには行かない。先の見えない長時間の戦闘はＩ－ブレインに多大な負担をかける。魔法士に弾薬や燃料《ねんりょう》の心配は無くとも、蓄積疲労《ちくせき》による一時的な機能停止《きのう》を避けるためには必ず休息が必要になる。サクラが真昼《まひる》を救出してくれることを信じてこの場で踏みとどまっていられる状況では無い。すぐに、何らかの方針を打ち出さなければならない。

……いっそ、シンガポール自治軍の望む通りいったんこのシティから撤退《てったい》すれば……頭に浮かんだその言葉をすぐに打ち消す。一連の事件を受けて、賢人会議《けんじんかいぎ》の魔法士《まほうし》達の怒りはとうに限界を超えている。この上、真昼を奪還《だっかん》できないまま引き下がるなど、彼らが了承するはずが無い。

ともかく、今必要なのは一時的にでも戦闘《せんとう》を停止させること。

そのためには——

「国会議事堂《こっかいぎじどう》を目指しましょう」振り返り、グエンを見上げて「リン・リー新首相の身柄を押さえ、議事堂に立てこもって戦線《せんせん》を膠着《こうちゃく》させる。その間に真昼さんの捜索と救出を」

「同意見だ」隻眼《せきがん》の騎士《きし》はうなずき「各隊指揮官への指示は私が請《う》け負う。ディーはこの方面の制圧を」

うなずくと同時に身を翻《ひるがえ》し、自己領域を纏《まと》って闇空《やみぞら》へと飛ぶ。市街地の中でも最も高いタワーの頂上に降り立ち、錐型《きりがた》のその先端にまっすぐに立つ。

自分の役目は、旗印として出来るだけ多くの敵を引きつけること。

白一色の儀典《ぎてん》正装をサーチライトの光に示し、手にした騎士剣を誘うように頭上の空中戦車の編隊《へんたい》へと向ける。

（攻撃感知《こうげきかんち》）

砲撃の音が鳴《な》り響《ひび》く。降り注ぐ無数の弾体の間隙《かんげき》を縫《ぬ》い、あるいは足場にしてディーは宙を駆ける。空中戦車に接近した体がノイズメイカーの効果範囲《はんい》に入り、自己領域が消失する。高速旋回する空中戦車の上に片足で着地し、再度の跳躍《ちょうやく》。I－ブレインの機能低下を敵の運動によって生じる反動で補い、ディーは数十台の空中戦車の間を飛び回り、

『――司令部より通達』

隊列の後方、隊長機らしき機体から声。

通信素子では無くスピーカによって直接放たれた声が砲撃の音すらかき消して響き渡り、

『重要度二以下の一般施設への損害を許容する。各機、主砲リミッターを解除せよ』

何、と考える間も無くI－ブレインに警告《けいこく》。

後方に跳躍するディーの視界の先で、先ほどまでに倍する数の砲弾が一斉に放たれる。いまだにノイズの影響《えいきょう》を除去し切れないI－ブレインが自己領域の展開に失敗。やむ無く運動能力制御を単独で起動したディーは迫り来る砲弾をかろうじてくぐり抜け、
眼下の街に響き渡る爆音《ばくおん》。

無差別に放たれた砲弾が居住区らしき一画に突き刺さり、すさまじい規模の土煙が立ち上る。同様の命令は二十階層の全軍に向けて発せられたらしく、市街の各地で爆発が巻き起こる。

先ほどまで自分達の街への損害を避けて特定の位置、特定の角度からのみ砲撃《ほうげき》を続けていた空中戦車と軍用フライヤーが、眼下への無差別な攻撃を開始する。

市街で交戦を続ける賢人会議《けんじんかいぎ》の魔法士《まほうし》達が、戸惑った様子《ようす》で闇空《やみぞら》を見上げる。

多くの者はすぐに状況を理解して防御を展開するが、幾人かの子供はただ驚《おどろ》いたように周囲を見回し、

……危ない……！

土煙の中に立ち尽くす男の子の姿を認め、自己領域を纏《まと》って飛翔《ひしょう》する。が、間に合わない。

二千万倍に加速された時間の中、降り注いだ砲弾は男の子のすぐ傍《そば》の地面に突き立つ。

衝撃《しょうげき》に吹き飛ぶ、小さな体。

空中でそれを受け止め、着地と同時に自己領域を解除する。

「しっかりして！」

高層建築の隙間《すきま》の死角に身を隠し、男の子を膝《ひざ》の上に抱える。寸前で何らかの防御を展開したらしく死んではいないが、全身が血まみれで両腕と右足がおかしな方向に曲がっている。

「ディー君……痛いよぅ……」

「大丈夫だから！　すぐに手当を——」

言いかけて気づき、背後に視線《しせん》を向ける。

通りには、男の子が撃墜したらしき数台の軍用フライヤー。

操縦席《そうじゅうせき》から這《は》い出た血まみれの兵士が、機体《きたい》に背中を預けて苦悶《くもん》の呻《うめ》き上げ、

「痛《いて》ぇ……ちきしょう……。……かあさん……」

呟《つぶや》いた兵士がその場に倒れ伏し、動かなくなる。

……こんな……

ディーは歯を食いしばり、声を飲み込んだ。

男の子の体を両腕に抱きかかえ、自己領域を展開した。

＊

耳をつんざくような砲撃の音が、市街地に響《ひび》き渡った。

祐一《ゆういち》は降り注ぐ砲弾と瓦礫《がれき》の間隙《かんげき》を縫《ぬ》い、二十階層の街を走り抜けた。

周囲に既に市民の姿は無い。あれほど市街にあふれていたデモ隊は、クーデター派の兵士の誘導《ゆうどう》によって下の階層へと退去を完了している。

代わって通りを埋め尽くすのは、無数の銃撃の音と砕けて炎を上げる瓦礫の山、そして、機関銃とノイズメイカーを構えたシンガポール自治軍兵士の隊列。

その顔に一様に決死の覚悟をみなぎらせた兵士達は、砲撃によって立ち上った土煙の先に銃口を向けたままじりじりと前進していく。

（高密度情報制御を感知）

Ｉ－ブレインの警告《けいこく》。同時に、先頭を行く兵士が「来るぞ！」と叫ぶ。その言葉に応《こた》えるように、土煙の向こうから空気結晶の銃弾が飛来する。

それを合図に、祐一《ゆういち》は動く。

飛び出しざま剣を縦横《じゆうおう》に払って数百の銃弾を撃《う》ち落とし、流れるように正面に向かって疾走を開始する。

（ノイズを感知）

後方の兵士が一瞬《いっしゅん》驚《おどろ》いたような声を上げ、すぐに我に返った様子《ようす》でノイズメイカーを起動する。祐一は一歩右に飛び退《の》いてアンテナ型の投射機《とうしやき》の効果範囲《はんい》から抜け出し、そのまま大きく迂回《うかい》して敵の背後へと回り込む。

騎士《きし》が一人《ひとり》に、炎使いが一人。

踏み込みざま振り下ろした紅蓮《ぐれん》の刀身を騎士の少年が細身の剣で受け止め、力の流れを巧《たく》みに操《あやつ》って自身の側方へといなす。

「『世界再生機構《せかいさいせいきこう》』！」炎使いの少女が射貫くような視線《しせん》を向け「なんなの――？　なんでわたし達の邪魔《じやま》をするのあんたは！」

「シティと魔法士《まほうし》の争いを食い止めるため、と言ったはずだ」祐一は目標を逸《そ》れた紅蓮の動きに逆らうこと無く身を翻《ひるがえ》し、流れるように騎士の背後に回り込みつつ「この場は堪《こら》えろ！　防《ぼう》衛《えい》に徹《てつ》し、お前達のリーダーの帰《き》還《かん》を待て」

「先に撃《う》ったのはあいつらだ！」騎士の少年が振り返りざま細身の剣を突き出し「あんたも聞いただろう、賢人会議《けんじんかいぎ》をこのシティから排除するって。それがあいつらの結論《けつろん》なんだよ！　なら、おれ達が撃ち返して何の問題がある！」

叫びと同時に剣の軌道が変化し、突きの体勢から一転して斬《き》り上げられた剣の切っ先が喉元《のどもと》を襲《おそ》う。五十倍加速で襲い来る銀色《ぎんいろ》の剣を寸前で受け止める祐一の前で、炎使いの少女が両手を掲げる。

同時に機関銃の引き金を引く兵士達。

が、放たれた無数の銃弾はしかし少女の前に生まれた空気結晶の盾に一つ残らず弾《はじ》かれ、高い金属音を残して虚《むな》しく地に転がる。

「あーうっとうしい！」少女はまとわりつく電磁《でんじ》ノイズを振《ふ》り解《ほど》くように顔の前で右手を払い「あんた達が望んだ事よ。満足でしょ——！」

少女が右手を振り下ろすと同時に、空気結晶の盾が砲弾のごとく放たれる。盾は空中で分解して数百の空気結晶の弾丸に変化し、兵士達に襲いかかる。

巻き起こる幾つもの悲鳴。

手足を、あるいは胸を押さえた兵士が数人、地面に倒れ伏して動かなくなる。

「くっ！」祐一は剣を払いざま兵士達を振り返り「ノイズメイカーを守れ！　ノイズの影響《えいきょう》が

「無くなれば広域攻撃が来るぞ！」

叫ぶと同時に地を蹴り、炎使いと兵士達の間に割り込む。ノイズの影響下で運動速度が低下するのを無視して剣を振り上げ、続けざまに放たれる空気結晶の弾丸を撃ち落とす。

兵士達にとっては相手が悪い。ノイズメイカーの影響下でもこれだけの攻撃を行えるとなれば、相手は賢人会議の中でもそう数はいない、第一級の炎使い。

ノイズによる抑制が無くなれば相手は間違いなく数十メートル範囲の熱量攻撃を仕掛けてくる。そうなれば、ここにいる兵士全員、一人《ひとり》として生き残る術《すべ》は無い。

……厳《きび》しいか……

ディーやセラ、他《ほか》にも賢人会議の中でまだ同盟への希望を持っているらしい幾人かは自治軍側の兵士を殺傷しないように注意して攻撃を行っているが、大多数の魔法士《まほうし》にとってもはや目の前の兵士は純然たる「敵」でしかない。その攻撃には容赦がなく、兵士の命を奪うことに何のためらいも無い。

本格的な戦闘《せんとう》の開始から二十分と少し。第二十階層の市街を飛び回り、自治軍と賢人会議の戦いに介入を続けているが、直径十キロの市街地全《すべ》てを舞台《ぶたい》とした戦闘に対して自分一人では到底手が及ばない。

一人を守った瞬間《しゅんかん》、別な三人の兵士が斬《き》られて地に倒れ伏す。二人《ふたり》を守った瞬間、別な五人の兵士が吹き飛ばされて動かなくなる。

頭に浮かぶ、蟷螂《とうろう》の斧《おの》、という言葉。

それを振り払い、祐一《ゆういち》は再び騎士剣《きしけん》を振り上げる。

細身の剣を構えた騎士の少年が右方から迫る。弧を描いた剣の切っ先が喉元《のどもと》に迫る。ノイズメイカーの範囲外から飛び込みざまに十分な初速を持って放たれた一撃。ノイズに捕らわれて減速しつつもなおこちらの倍以上の速度を備えた一撃をかろうじて受け止め、

(高密度情報制御を感知)

背後に警告《けいこく》。

振り返った視界の先で、正面の騎士が持つのとは別の、鈍色《にびいろ》をした幅広の騎士剣が光る。

とっさに地を蹴りざま側方に倒れ込み、振り下ろされた剣を寸前でかわす。地に一転して立ち上がった目の前に新たな騎士の青年が迫る。紅蓮《ぐれん》を迎撃の態勢に構えたその側面を、先ほどの騎士の少年が駆け抜ける。後方に回り込んだ少年は細身の剣を構えて一転、背後から祐一に襲《おそ》いかかる。

逃げ場が無い。

祐一はとっさに脳内に命令を送り、ノイズの影響から未《いま》だに脱していないI－ブレインに「自己領域起動」の命令を叩《たた》き込み、

——すさまじい衝撃《しょうげき》が、脳を貫いた。

堪《こら》えきれない苦悶《くもん》の声が、喉《のど》の奥から漏れた。

何が起こったのか分からなかった。

祐一《ゆういち》は堪え切れずにその場に膝《ひざ》を突き、地に片手を突いて体を支えた。

前後から迫っていた騎士《きし》が戸惑ったように足を止めるが、様子《ようす》を確認《かくにん》する余裕も無い。頭の中を痛みが駆け巡り、指一本動かすことすらままならない。

刺すような痛みとは違う、叩《たた》き付けるような痛みとも違う、そういう余計な修飾子を全《すべ》て取り去った後に残る純然たる「痛み」。

支えきれなくなった紅蓮《ぐれん》の柄《つか》が、手から抜け落ちる。

「何やってるの！　今のうち！」

炎使いの少女の叫び。少しの間があって、賢人会議《けんじんかいぎ》の騎士二人《きしふたり》が自治軍の兵士に向き直る。

兵士達が驚愕《きょうがく》の声を上げ、口々に撤退《てったい》を叫ぶ。

二人の騎士が地を蹴《け》る足音。

祐一は全身の震《ふる》えを抑えることすら出来ないままかろうじて顔を上げ、

……なんだ……？

視界を覆《おお》う黒い影《かげ》。

兵士達を守るように広げられた巨大な蝙蝠《こうもり》の翼《つばさ》を前に、賢人会議の魔法士《まほうし》達は呆然《ぼうぜん》と立ち尽くす。

「な、な……」

シンガポール自治軍の兵士達が状況を飲み込めない様子で、ぽかんと口を開ける。翼の主であるチャイナドレスの少女はそんな兵士達を振り返り「大丈夫！　ちょっと待って！」と笑う。

と、ようやく目の前の相手を認識《にんしき》したらしい賢人会議の魔法士達が目を見開き、

「リ・ファンメイ――？」

「ロンドンの龍使《りゅうつか》い！　なんでこんなところに！」

叫んだ炎使いの少女が、次の瞬間《しゅんかん》、かすかな悲鳴を上げて地面に倒れる。その足下から無数のアスファルト色の螺子《ねじ》が生《は》えだし、少女の体を支える。

駆け出そうとした二人の騎士の体を、黒い触手が搦《から》め捕《と》る。

呆然と見守る祐一の前、剣を取り落とした二人の騎士が次々に地面に倒れ伏す。

「よし！　不意打ち作戦成功！　エド、もう出てきても大丈夫だよ」

両手を仰々《ぎょうぎょう》しく打ち払い、近くの瓦礫《がれき》の陰に向かって手招きするファンメイ。

その背後で、腰を抜かしていた兵士達がようやく立ち上がり、

「な、何なんだお前は……味方、なのか……」

その足下に這《は》い寄る黒い触手。

振り返って「ごめんね」と両手を合わせる少女の前で、兵士達が魔法士と同様、次々に動か

なくなる。

ファンメイはその全《すべ》てに視線《しせん》を巡らせて満足そうにうなずき、翼《つばさ》を黒猫の姿に変えつつこっちに駆け寄って、

「えっと……だいじょうぶ？」

瓦礫《がれき》の陰から出てきた金髪の少年――エドも同様にこっちを見下ろして小首を傾《かし》げる。

脳内の痛みが、ようやく薄《うす》らいでくる。

祐一《ゆういち》は頭を振りつつ「問題無い」と立ち上がり、

「ともかく助かった。礼を言う」ミラーシェードを外して一礼し、二人《ふたり》を見下ろして「だが、何故《なぜ》ここに？」

「セラちゃんに頼まれたのっ！」

ファンメイは両手を腰に当てて、胸を張る。

が、すぐにその手を下ろし、視線をうつむかせて、

「シンガポール自治軍が全部敵になって、セラちゃん一人《ひとり》が幾ら頑張っても自治軍の人達をケガさせないようにっていうのが無理になって……だから、わたしとエドにみんなを助けて欲しいって」

そうか、とうなずく祐一に、ファンメイの肩の上の黒猫が分かったような顔でうなずく。その体から無数の黒い触手が生《は》えだし、自治軍の兵士と賢人会議《けんじんかいぎ》の魔法士《まほうし》、その全てを宙に担ぎ

上げる。

「兵士の人達は軍の病院に、賢人会議のみんなは迎賓館《げいひんかん》に。さっきから何人も運んでるんだけど、どっちも多すぎてキリが無くて……」

そこで言葉を切り、不安そうに少女はこっちを見上げて、

「えっと……こんなので良いのかな」

「十分だ」祐一はうなずき「しかし、良いのか。クーデター派が政権を握った以上、各国の使節団はこのシティを退去するはずだ。君にも帰還《きかん》命令が出ているはずだが」

「大丈夫！　もし出てても通信妨害でそんなのぜんぜん分かんないから！」少女は何故だか偉そうに胸を張り「それにどうせ先生がいないとわたしだけ帰れないし。だから、今は探しに行く途中！　その途中でたまたま自治軍の人助けたり賢人会議の人助けたりするかもしれないけど、ぜーんぶたまたまだから！」

そうか、とうなずき、息を吐く。この絶望的な状況でも明るさを失わない少女の物言いに感心する。

と、襟元《えりもと》の通信素子に反応。

まさかと思いつつミラーシェードをかけ直すと、視界の端の通信画面が出現し、

『……すみません。通信妨害のパターンを解析してそこまで回線を通すのに少し手間取りました』ノイズ混じりの画面の向こうでシスター・ケイトが敬礼の形に手を上げ『戦況はいかがで

すか？　少佐……いえ、祐一《ゆういち》さん』

「残念ながら、最悪に近い」ファンメイ達にもやりとりが聞こえるようスピーカーの設定を切り替え「幸い、市民の退去は完了しているが、自治軍兵士の中には既に死者が出始めている」

そうですか、という呟《つぶや》き。

ケイトは通信画面の向こうで素早《すばや》くタッチパネルを操作《そうさ》し、

『こちらで入手したクーデター派の指揮系統です』ミラーシェードの内側に大量のデータを表示し『リン・リー議員《ぎいん》が新首相の座に就《つ》いたことで自治軍は名目の上では全軍が賢人会議《けんじんかいぎ》の敵に回ったことになっていますが、実際には旧政府側として捕えられた将兵も多く、指揮系統もクーデターの最中に作られた暫定的《ざんていてき》な物がそのまま利用されています』

思考の焦点が、急速に定まる。

祐一はケイトの言わんとすることを瞬時《しゅんじ》に理解し、

「頭を潰《つぶ》せば脆《もろ》い、と？」

『命令系統の中枢《ちゅうすう》となるのはごく少数の将官のみ。司令部が落とされた際のバックアップは存在せず、末端の部隊も独自の作戦行動を展開できるほどには組織化《そしきか》されていません。これなら』

「試す価値はあるな」祐一はうなずき「了解した。直《ただ》ちに作戦行動に入る」

脳内の痛みが完全に消え去ったのを確認《かくにん》し、I―ブレインを再起動する。有機《ゆうき》コードを介して脳をミラーシェードと接続し、ケイトから送られてきたデータを記憶《きおく》領域に展開する。

システム領域に残されたエラーログに、一抹《いちまつ》の不安を覚える。

それを振り払い、ファンメイとエドを見下ろして、

「二人《ふたり》とも、作戦は変更だ。少し付き合ってもらいたい」

「ふえ？」少女は、傍《かたわ》らの男の子と顔を見合わせ「良いけど、何？」

祐一は炎に包まれる二十階層の街をしばし見つめ、

「このまま市街地の戦闘《せんとう》に介入していても埒《らち》が明かない。対症療法《たいしょうりょうほう》が通じる段階はとうに通過してしまっている」

「それは……確《たし》かにそんな気もするけど」

どうするのかと、視線《しせん》で問うファンメイ。

祐一は瓦礫《がれき》が散乱する通りの向こう、中央司令部のある方角に視線を向け、

「司令部に潜入《せんにゅう》する」紅蓮《ぐれん》を鞘《さや》から引き抜き「秘密裏に中央司令室を掌握《しょうあく》して偽の命令を発し、賢人会議に対する自治軍の攻撃《こうげき》を停止させる」

＊

木目《もくめ》調《ちょう》の意匠が施された教会の扉が、音も無く開かれた。

フィアはびくりと顔を上げ、正面の庭に降り立つフライヤーを凝視《ぎょうし》した。

シンガポール第八階層の中央区画に位置する教会。シスター・ケイトの教会とも付き合いがあるというこの建物は主である神父の計らいで貸し与えられ、臨時《りんじ》の司令室として利用されている。普段《ふだん》は信者が礼拝に使うのであろう横長の机と椅子《いす》には端末と機材《きざい》が所狭しと並べられ、ペンウッド教室のメンバーである白衣の研究員達が忙しく走り回っている。

その奥、端末の立体映像ディスプレイを挟んで難《むずか》しい顔で話し合っていたリチャードとケイトが同時に席から立ち上がる。

二人《ふたり》はそれぞれに、来た、というような意味の言葉を呟《つぶや》き、扉へと駆け寄る。

フィアも慌てて後を追い、扉を出たところで立ち止まる。石畳の教会の庭に人の姿は無い。この教会の主である神父と併設された孤児院に暮らす子供達は、危険を避けるためにより大きな、集会所と呼ばれる建物に避難《ひなん》している。

フライヤーがいささか乱暴《らんぼう》な操作《そうさ》で着地し、後部座席のドアが開く。

血相を変えて操縦席《そうじゅうせき》から飛び降りたイルが、後部座席からケガ人らしい女の人を担ぎ出す。

「これは……生きているのが不思議《ふしぎ》なレベルだな」リチャードが一目見るなり顔をしかめ「例の、自治軍に襲《おそ》われていたという女性か」

「せや」イルはうなずき「なんかの事故に巻き込まれたみたいで、右足の骨が根元から粉々になってる。血もかなり足りてないみたいや」

「緊急《きんきゅう》手術が必要だな。……サースト君！　すぐに準備を。私が執刀する！」リチャードは教会の奥に声を投げ「それで、もう一人《ひとり》は」

イルが無言でフライヤーの後部座席を示し、女の人を抱えたまま教会の奥へと走る。リチャードが隣《となり》のケイトに目配せし、自身はイルの後を追って教会へと消える。

入れ替わりにフライヤーへと歩み寄るケイトの前で、後部座席の反対側のドアが開く。

降り立つのは、フィアより幾らか年下くらいの、いかにも日本人《にほんじん》らしい顔立ちの少女。

身に纏《まと》った服は何もかもが土埃《つちぼこり》にまみれ、所々が破れて裂けてしまっている。

……あれが……

フィアは駆け寄ろうとして、無意識《むいしき》にその足を止める。ここまでの移動中にイルが聞き出したということで、少女の来歴については知っている。かつてのシティ・神戸《こうべ》の市民であり、一年半前の事件で住む家と母親を失ってこのシンガポールに流れてきたのだと。今は父親も亡くし、天涯孤独の身の上であると。

「こんにちは」そんな少女にケイトは笑顔《えがお》で近づき「沙耶《さや》さん、で良かったのでしたっけ。初めまして」

「え……」少女は見知らぬ白人のシスターを前に身をすくませ「えっと、誰《だれ》……？」

「シスター・ケイトと申します」ケイトは沙耶という名らしい少女の前で優雅《ゆうが》に一礼し「シティ・モスクワで教会と孤児院を運営させていただいていまして、こちらの神父様とも懇意《こんい》に。……先月は手紙とお菓子を届けさせていただいたのですけど、覚えていませんか？」

「お、覚えてます！　思い出しました！」沙耶《さや》は心当たりのあるらしい顔で何度もうなずき、すぐに首を傾《かし》げて「えっと……その人が、どうしてここに？」

「人を探しています」ケイトは少女の前に膝《ひざ》を突き「沙耶さんがあずかったという大事な物、見せていただけますか？」

その言葉に少女はびくりと身をすくませる。が、ケイトが重ねて頼むと観念《かんねん》した様子《ようす》でポケットに手を差し入れる。

フィアは息を呑《の》む。

おずおずと取り出されるのは、紛れもなく『天樹真昼《あまぎまひる》』と記された認識票《にんしきひょう》。

小さなカードの表面には、何故《なぜ》か赤い血がべったりと塗りつけられている。

「ありがとうございます」ケイトは素早《すばや》く手を伸ばして認識票についた乾いた血を爪の先で削り取り、逆の手で携帯端末を取り出して操作《そうさ》し「……DNA照合。天樹真昼本人、間違いない……」

呟《つぶや》き、携帯端末を修道服の裏に収める。

少女に向き直り、両方の肩に手を置いて、

「沙耶さん。これをどこで手に入れたか教えていただけますか？　この認識票に書かれている『天樹真昼』という人から受け取りましたか？」

それは、と沙耶は口ごもり、

「……言えません」

「信じてください、と急に言われても困ってしまいますね」ケイトはそんな少女の肩を軽く叩《たた》き「ですが、今は緊急《きんきゅう》の状況です。……私達はこの方の友人です。詳しいことはお話し出来ませんが、この方は今、命を狙《ねら》われています。手遅れになる前に助け出さなければ」

「で、でも……」沙耶は身を縮《ちぢ》こまらせ、肩をふるわせて「お兄《にい》さん、これは軍か自治政府の偉い人に渡せって……普通の兵士の人は信用できないし、街がどうなってるかも分からないから、絶対に誰《だれ》か偉い人に渡せって……」

青ざめた顔をうつむかせ、荒い呼吸を繰《く》り返す少女。

ケイトは難《むずか》しい顔でしばし考える素振りを見せ、もう一度口を開きかけ、

「待ってください」

その背中に、フィアは声を投げる。

二人《ふたり》の傍《そば》に駆け寄り、沙耶とまっすぐ向き合って、

「私が……訊《き》きます」

「フィアさん……」

それは、と言いかけたケイトが、立ち上がって一歩退《しりぞ》く。

「な、何？　あなた……」

顔を上げた沙耶が、驚《おどろ》いた様子《ようす》で体を震《ふる》わせる。どこか怯《おび》えたようなその表情に、申し訳無

い気持ちで一杯になる。

自分は今、よほど思い詰めた顔をしているのだろうな、という思考。

「ごめんなさい」

そんな言葉と共に両腕を伸ばし、少女の体を正面から抱きしめる。

イメージの中を天使の翼《つばさ》が広がる。光で編《あ》まれた翼が背中から左右に広がり、沙耶《さや》の体を大きく包み込む。

「な、何?」と慌てる少女の体に、翼の先端が触れる。

その一瞬《いっしゅん》に、フィアは全《すべ》てを理解する。

「……第七階層と第八階層の間。シティ建築の頃《ころ》に使われてた工事用の区画です」沙耶を抱きしめたまま、ケイトを振り返ることもせず「真昼《まひる》さんを捕まえた神戸《こうべ》の工作員の一部が暴走《ぼうそう》して、真昼さんを殺そうとしてたみたいです。目的は世界を救うこと。シティ・神戸のマザーコア交換を妨害した真昼さんを人類の敵と信じて……」

背後で、ケイトが息を呑《の》む気配《けはい》。

そういうことですか、という苦々しい呟《つぶや》きにフィアはうなずき、

「敵の攻撃で天井《てんじょう》が崩れて帰る道が無くなって。真昼さんは自分の携帯端末を取り返すために工事用区画の奥に向かって、たぶん、今もこの第八階層の地下のどこかに」

「……ありがとうございます。フィアさん、あなたの勇気に賞賛《しょうさん》を」

呟いたケイトが踵《きびす》を返し、走り去る。

ゆっくり呼吸を落ち着けてから、手を放す。

目の前には、愕然《がくぜん》とした顔で見上げる少女の姿。

「……あなたは……」

「はい」

沙耶の言葉に、うなずく。I―ブレインを持たない普通の人の記憶《きおく》に深くまで入り込むために、防壁《ぼうへき》を全て解除しなければならなかった。

少女には理解出来たはずだ。

目の前にいるのが、誰《だれ》なのかを。

「……生き……てたの……？」

少女の言葉に再びうなずく。神戸の事件の後、無用の混乱と生き残った市民からの憎悪を避けるために、多くの人に対しては「マザーコアとなるはずだった魔法士《まほうし》は死んだ」という噂話《うわさばなし》が流されたと聞いている。

「フィアと言います。シティ・ベルリン『天使計画』実験体《じっけんたい》四番【Ｖｉｅｒ】。……あなたの街のマザーコアとなるはずだった、魔法士です」

数秒。

ふいに頬《ほお》に熱《あつ》い衝撃《しょうげき》が走り、乾いた音が響《ひび》く。

「……あ……」

手のひらを振り抜いた姿勢のまま、沙耶《さや》が呆然《ぼうぜん》とこっちを見つめる。自分が相手を叩《たた》いた、という事実に衝撃《しょうげき》を受けたのか、少女は自分の手のひらと赤くなったフィアの頰《ほお》の間に何度も視線《しせん》を行き来させる。

「ち、違うの……わたし」

「良いんです」フィアは自分より少し背の低い少女を前に微笑《ほほえ》み「私を憎んでください。沙耶さんにはそうする権利があります。たくさんの人が死んで、帰る場所が無くなって……全部お前のせいだって、沙耶さんはもっと怒っていいんです」

「何言ってるの――？」少女は目を見開き「自治政府の人はお姉《ねえ》さんを殺してシティを動かす電池にしようとしたんでしょ？　それが失敗して神戸《こうべ》が無くなった。悪いのはシティに住んでた人達の方だって……」

「それは沙耶さんの理屈じゃありません。私の……マザーコアにされる魔法士《まほうし》の理屈です」

フィアは静かに頭を振る。

少女の手をそっと取り、自分の胸に押し当てて、

「私は生きたかった。見も知らないたくさんの人のために死にたくなんてなかった。生き残ることが出来てうれしかった。……けど、そのためにシティが一つ無くなって、沙耶さんのお父《とう》さんもお母《かあ》さんも死んでしまった。私が生きるために誰《だれ》かが傷ついたり死んだりしてしまった

ら、その人の家族は私を憎んで良いはずなんです」

「出来ない――！」

少女の叫び。

沙耶はうつむいたまま肩をふるわせ、

「だって……だっておとうさんは『罰が当たったんだ』って。自分達が生き残るためにたくさんの魔法士を犠牲《ぎせい》にして悪いことをいっぱいしたから神さまが怒ったんだって。だから、誰かを恨《うら》んだり憎んだりしちゃいけないって……！」

「それでも、です」フィアはそんな少女の体にもう一度両腕を回し「きっと神様も許してくれます。せっかく会えたんですから、今だけは楽になってください。私は謝《あやま》りません。ごめんなさいも言いません。その代わり、ただ憎まれます。それで、今度はこんなことにならないようにするにはどうすれば良いか、毎日考えます」

沙耶の頬を涙が伝い落ち、滴《しずく》となって地面に落ちる。うつむいたままフィアの胸に顔を押し当て、少女は小さな背中を震《ふる》わせる。

すすり泣きの声が、やがて、慟哭《どうこく》へと変わる。

そんな少女を、フィアはただじっと抱きしめ続けた。

＊

国会議事堂《こっかいぎじどう》の地下から続いた脱出路は、十九階層東ブロックの外れへと通じていた。

階層間エレベータの待合所の壁《かべ》に偽装された扉から慎重に進み出たサクラは、鼻をつく焦げ臭い空気にとっさに外套《がいとう》で顔を覆《おお》った。

……なんだ、これは……

周囲をうかがいつつエレベータホールを飛び出し、視界に広がる光景に息を呑《の》む。おそらくは旧政府派とクーデター派の戦闘《せんとう》によって破壊《はかい》された市街には至る所で大量の瓦礫《がれき》が積《つ》み上がり、一部は今も炎を上げて燃《も》えさかっている。

その周囲で立体映像のプラカードを掲げる、数千、数万の市民。

人々は熱気《ねつき》に浮かされた顔で拳《こぶし》を振り上げ、シティからの魔法士《まほうし》の排除を口々に叫ぶ。

そんな市民の頭上には数百メートル四方はあろうかという立体映像ディスプレイが浮かび、リン・リー議員がカリム・ジャマールに替わってシンガポールの新たな首相の座に就《つ》いた旨《むね》を伝えている。政府広報用の巨大ディスプレイは賢人会議《けんじんかいぎ》との同盟の破棄と光耀《クアンユー》の予測の撤回《てっかい》を表明し、自治軍の全軍に二十階層への集結を呼びかけている。

「戦況は！　二十階層の状況はどうなっている！」

「思わしくありませんね」

無意識《むいしき》の叫びにルジュナが答える。

目立ちすぎる白装束《しろしょうぞく》を脱ぎ捨てて平服姿となった女執政官はエレベータホールの傍《そば》に設置された公衆端末を操作《そうさ》し、

「シンガポール自治軍の全《すべ》てが賢人会議の敵となったことで、戦場が二十階層のほぼ全域に拡大しています。既に自治軍側には多数の死傷者が。賢人会議側にも幾人かの負傷者が出ているようです」

「すぐに全ての魔法士にシティ外への撤退の指示を」フェイが無表情の中に焦りの色をにじませ「ともかく一時的にでも交戦を中断させなければ事態は悪化する一方だ。代表殿の名において今すぐ命令を」

「不可能だ！」サクラは絶望的な気持ちで首を左右に振り「振り上げた拳を収める術《すべ》が無いのはこちらも同じだ！　真昼《まひる》の無事が確認《かくにん》されその身が確保されない限り彼らは決して撤退しない。そのことは貴方《あなた》にも理解できるだろう！」

フェイが拳を握りしめて天を仰ぎ、この男にしては珍しい舌打ちを漏らす。

と、その頭上から錬《れん》が音も無く飛び降り、

「はい、これ。サクラはもちろんだけど、ルジュナさんその格好でも目立つから」どこからか拾ってきたらしい古びた外套を差し出し「それで、あの人達はどうするの？」

機関銃《きかんじゅう》を構えて周囲を警戒《けいかい》する四人の兵士――サクラ達と共に議事堂《ぎじどう》を脱出してきた、最後までカリムに付き従っていたシンガポールの軍服姿の男女を示す。

「先ほど執政官権限でニューデリー自治軍の軍籍《ぐんせき》を付与しました」ルジュナは平服の上に褪《あ》せた茶色《ちゃいろ》の外套《がいとう》を羽織《はお》り「賢人会議《けんじんかいぎ》に関する真実を知ってしまった以上、シンガポール自治軍に戻る気にはなれないそうです。最終的には、私と共にこのシティより脱出を」

うなずく錬《れん》の隣《となり》で、サクラはいつもの黒い外套の上から押しつけられた外套を二重に羽織り、「時間が無い。すぐに行動しよう」内心の焦りを押し込め「真昼《まひる》の居場所に関する情報は？　シンガポール政府は何も摑《つか》んでいないのか！」

「それらしい動きは何も」ルジュナは頭を振り「リン・リー新首相も捜索は命じているようなのですが、軍の戦力はほとんどが二十階層での戦闘《せんとう》に投入されていますから。……やはり、この事態は同盟反対派にとっても完全なイレギュラーだったようですね」

ルジュナの答えに歯嚙《はが》みする。

打つ手が無い。サクラは両の拳《こぶし》を握りしめ、叫びそうになる自分を必死に押しとどめ、

――頭上に影《かげ》。

見上げた視界に大型軍用フライヤーが飛び込み、サクラはとっさに投擲《とうてき》ナイフを構える。

「おい！　撃《う》つな撃つな！　味方だ！」

操縦席《そうじゅうせき》から顔を突き出した見事な赤髪の男が血相を変えて両手を振る。ルジュナと錬が同

時に「ヘイズ？」と声を上げ、フライヤーの着陸点に駆け寄る。

「何やってるの！　こんなところで」

「何ってお前、加勢に決まってんだろ」ヘイズは操縦席から下り立ってジャケットの埃《ほこり》を払い「つっても俺《おれ》は護衛《ごえい》。本命はあっちだけどな」

そう言って青年が指さす先で助手席のドアが開き、切りそろえたブルネットの髪の少女——クレアが姿を現わす。以前に見た時と異なり眼帯を外した少女はガラス玉のような瞳《ひとみ》を一同の間に巡らせ、

「初めましてとか久しぶりとか言ってる状況じゃ無いわよね」呟《つぶや》いてヘイズの隣《となり》に駆け寄り「いきなりだけど重要連絡よ。天樹《あまぎ》真昼が捕まってた施設の大ざっぱな場所が分かったわ」

なに、とサクラは目を見開き、

「どこだ——？」クレアに詰め寄り、両肩を摑んで「教えて欲しい。どこだ、真昼は今どこにいる！」

「ちょっと！　ちょっと落ち着いて！」少女は驚《おどろ》いた様子《ようす》で身を引き「第七階層と第八階層の間にある昔の工事用区画よ。あたしもさっき連絡受けたところなんだけど、一緒《いっしょ》に捕まってたっていう女の子が見つかって、その子が天樹真昼の認識票《にんしきひょう》預かってたらしくて」

「無事……なのだな」サクラは息を吐き「それで、真昼は今どこに」

「問題はそれよ」クレアは顔をしかめ「その女の子が逃げてきたっていうルートを逆算し

て神戸《こうべ》の工作員の拠点の場所は分かったんだけど、天樹真昼《あまぎまひる》がいた場所に通じる道は落盤《らくばん》で塞《ふさ》がっちゃって。しかも、真昼は自分の携帯端末を取り返すためにそこからさらに奥に向かったって」

「おそらく、『雲の除去手段』に関するデータを取り返そうとしたのだろう」

フェイの声。

振り返ると、男は体の動作を確《たし》かめるように手首を回し、

「『雲の除去手段』の元になったウィッテンの遺書《いしょ》は世界中に公開されている。あの遺書から論文《ろんぶん》を取り出すための暗号解読データがあれば『雲の除去手段』が賢人会議《けんじんかいぎ》によって生み出された物では無いと証明出来る――真昼ならそう考えたはずだ」

「そうか」サクラはうなずき、クレアに向き直って「頼みがある。真昼の居場所を突き止めるために、貴方《あなた》の千里眼《せんりがん》を貸してもらいたい」

「もちろん、って言いたいところだけど」クレアは困ったように作り物の視線《しせん》を上に向け「シティ全域厳戒《げんかい》態勢のせいでどこもかしこもノイズメイカーだらけで、探そうにも全然何にも見えないの。第八階層に展開されたノイズメイカー全部潰《つぶ》せば良いんだろうけど、大半の奴《やつ》は防衛《ぼうえい》のために最初から建築物の中に組み込まれてるし……」

「だけど、そんな物常時稼働《かどう》させておける訳が無い」と、携帯端末を取り出した錬《れん》が立体映像ディスプレイに第八階層の地図を表示し「どこかに集中管理してる施設か、全部のノイズメイ

カーに通じてる回線の集約点があるはずだよね」

一同の視線が後方、シンガポール自治政府の議員《ぎいん》であった男に集中する。

フェイはうなずき、地図上の一点、北ブロックの外れを示して、

「通信センター支局。第八階層に張り巡らされた全《すべ》ての軍用回線の管理施設だ。ここからなら、全てのノイズメイカーを同時に停止させることが出来る。が、それには中央司令室の許可が必要だ」

「そっちは黒沢《くろさわ》の旦那《だんな》が押さえてくれることになってる」ヘイズは一つ指を鳴らし「ぬかりなしって奴だ。この勝負、まだ終わってねえ」

やるぞ、という青年の声。

その場の全員、巻き込まれただけの兵士達までもがうなずき、フライヤーに飛び乗った。

＊

──そうして、長い、長い道の果てに、真昼は最後の扉の前にたどり着いた。

「……これを、開ければ……」

梯子《はしご》に捕まった不安定な体勢のまま、壁《かべ》に埋め込まれた旧式の操《そう》作盤《さばん》に手を伸ばす。作業ロ

ボットの出入りに利用されていたらしい直径五メートルほどの縦穴《たてあな》。その出口を閉ざす頭上の隔壁《かくへき》を、発光素子のわずかな明かりの向こうに見上げる。

鎮痛剤《ちんつうざい》の過剰投与で麻痺《まひ》した右足はもはや本当に存在しているのかも分からず、気を抜けばすぐに梯子《はしご》を踏み外しそうになる。泥のような疲労が全身に絡みつき、どうかするとこれが夢なのか現実なのかさえ見失いそうになる。

既に力は出し尽くした。この梯子を登り切れば、後はもう這《は》い進む程度の力しか残ってはいないだろう。

それでもたどり着いた。

機械式《きかいしき》の操作盤《そうさばん》に慎重に指を這わせ、最後のキーを押し込む。

『緊急解放《きんきゅうかいほう》コードを承認』

錆《さ》びた機械合成の声と共に、頭上の隔壁が震《ふる》える。百年近くも閉ざされていたチタン合金の隔壁がゆっくりと左右に開き、その隙間《すきま》から弱い、けれども確《たし》かな夜間照明の光が差し込む。

最後の力を振り絞って梯子に手をかけて、体を押し上げる。

一段、また一段。腕が隔壁の向こうの床を捉《とら》え、頭が縦穴の上に突き出し、体が広々とした床の上に転がり、やがて、最後に残った右足が穴を抜け出る。

広い通路の先には両開きの大きな扉と、第八階層への出口を示す標識《ひょうしき》。

「……やった……」

かすかな呟《つぶや》き。

わけも無く笑いがこみ上げ、真昼《まひる》は仰向《あおむ》けに転がったまま声を上げ、

「……おい、こっちは確認《かくにん》したか」

誰《だれ》かの声。

驚《おどろ》いて身構えようとするが思うように体が動かず、真昼は手近な左手の壁《かべ》に向かって体を這わせる。

「その先はシティ建設の頃《ころ》の作業区画だ。死んだうちの爺《じい》さんでも入ったことが無いってぐらい古い場所だぞ」

「いや、いちおう確認しよう。どこに潜《ひそ》んでいるか分からんからな」

言うことを聞かない体を強引に動かし、壁を支えに身を起こす。体の震えを抑えて立ち上がる真昼の前で、大扉が軋《きし》んだ音と共に開かれる。

ライトの強い光と共に姿を現わす、シンガポール市民らしき複数の人影《ひとかげ》。

その誰もが手に手に銃を下げ、唖然《あぜん》とした顔で真昼を見つめた。

「……お、おい……あれ……」

「ま、間違いねえよな。な？」

口々に呟《つぶや》き、顔を見合わせる市民達。

真昼は力を振り絞ってともかく両手を挙げ、どうにか笑顔《えがお》を作って、

「待ってください、僕は」

「動くんじゃねえ――！」

叫んだ市民の顔が殺気を帯びる。周囲の者がぎこちない手つきで銃を掲げ、全《すべ》ての照準をこっちに向ける。

「落ち着いてください！」

体に残された力を振り絞り、声を張り上げる。

真昼《まひる》は肩で壁《かべ》を押す反動で通路の中央に進み出て、市民達とまっすぐ向き合い、

「話を聞いてください。僕は――」

銃声が鳴《な》り響《ひび》いた。

焼けつくような痛みが、腹部を貫いた。

「……あ……」

何が起こったのか分からなかった。

真昼は笑い顔のまま、呆然《ぼうぜん》と視線《しせん》を下に向けた。

白い病人着の中央に真《ま》っ赤《か》な染みが広がり、すぐに滴《しずく》となって床に滴《したた》り落ちる。喉《のど》の奥から熱《あつ》い塊がせり上がり、とっさに口元を覆《おお》った手が見る間に真っ赤に染まる。

「おい！　いきなり撃《う》ってどうする！　生かしたまま捕まえて軍に引き渡すってさっき決めただろうが！」

「ち、違うって！　ここをこうしたら、勝手に弾がよ！」

市民の話し声が遠いことに聞こえる。

足に力が入らない。体を上手《うま》く支えることが出来ず、よろめくように一歩後退《あとずさ》り、空を切る左足。

体がバランスを失い、視界が大きく後方に回転する。

隔壁《かくへき》は開いたままだったっけ、という場違いなほど冷静な思考。気がついた時には真昼の体は再び暗い縦穴《たてあな》の中で、あれほど苦労して登って来た梯子《はしご》も視界を一瞬《いっしゅん》で流れ去っていく。

自分を撃った市民達の姿が、腹から飛び散った血が、何もかもが彼方《かなた》に遠ざかっていき、

――後頭部に衝撃《しょうげき》。

あらゆる物が、闇《やみ》の彼方へと吹き飛んだ。

＊

無数の黒い触手が闇の中を這《は》い回り、兵士達の悲鳴がその後に続いた。

ファンメイは動く者の無くなった広大な空間を見回し、よし、と一つうなずいた。

「エド、ちゃんと出来た？　誰《だれ》もケガとかさせてない？」

金髪の少年はこくこくとうなずき、金属の螺子《ねじ》を机や床に巻き戻す。二十階層中央司令部、第一司令室。数百人の士官が常駐《じょうちゅう》するシンガポール自治軍の指揮系統の中枢《ちゅうすう》は今や沈黙《ちんもく》に包まれ、物言わぬ無数の端末とディスプレイの動作音だけが支配する場所と化している。

「えっと、それでどうするの？」

「まずはプランナーからの指示を片付ける。第八階層のシステムのアクセス権に強制介入だ」

ファンメイの問いに答える祐一《ゆういち》。

黒衣の騎士《きし》は司令室中央の指揮官席に取り付き、椅子《いす》で気を失っている初老の男を脇《わき》に押しのけ、

「手早くシステムを掌握《しょうあく》する必要がある。エドワード・ザイン、手を貸して欲しい」

うなずいたエドが指揮官席に駆け寄り、正面の操作卓《そうさたく》に手を置く。司令室に並ぶ千台近い端末が一瞬《いっしゅん》だけ生き物のように震《ふる》え、すぐに、膨大《ぼうだい》な量のメッセージをディスプレイに吐き出し始める。

一つうなずいて自身も端末に有機《ゆうき》コードを接続し、何かの操作を始める祐一。

ファンメイは全《すべ》ての触手を肩の上の小龍《シャオロン》に巻き戻してその背後に駆け寄り、

「だいじょうぶ、だよね？」男の背中を見つめ、意を決して口を開き「まだ間に合うよね？これでみんな助かって、全部が良い方に行くよね？」

「当然だ」

強い声。

祐一は射殺すような目でディスプレイを睨《にら》んだまま、自分に言い聞かせるように、

「こんなところで終わらせるものか。この世界には、まだ先がある――」

＊

……小鳥のさえずりが、遠くで聞こえた。

柔らかな風が頬《ほお》をくすぐる感触に、真昼《まひる》は目を開けた。

「ようやくのお目覚めか」

一面の草が揺れる緑の平原。隣《となり》で座っていた長い黒髪の少女が呆《あき》れたように笑う。いつもの黒一色のドレスでは無く、白を基調《きちょう》にした穏《おだ》やかな色彩の服装。解《ほど》いた髪を無造作に背中に流した少女は立ち上がってスカートの裾《すそ》を整《とと》のえ、

「まったく。貴方《あなた》があまりにも気持ちよさそうに寝ているものだから帰宅予定の時刻を過ぎてしまった。貸し一つだぞ」

そう言って手を差し伸べる少女に摑《つか》まり、立ち上がる。

頭上には、どこまでも澄《す》み切った青空。

鳥の群れが緩《ゆる》やかな弧を描き、風の向かう方へと消えていく。

「どうした？　真昼《まひる》」

不思議《ふしぎ》そうに問う少女を見下ろし、少し迷ってから口を開く。

いったい何が起こったのか、世界はどうなったのか、という問い。

少女はますます不思議そうに首を傾《かし》げ、小さく笑って、

「何を言う。世界なら貴方《あなた》が救ったでは無いか」

そう言って少女が示す方角に視線《しせん》を向け、目を見開く。

降り注ぐ太陽の光に照らされて輝《かがや》く巨大なドーム型の都市、シティ。

その周囲にシティに倍する規模の広大な町が広がり、数え切れないほどのフライヤーが上空を忙しく飛び回っている。

町はシティを中心に円形に広がり、一番外周の部分では作業機械《きかい》らしきものが動き回ってこの瞬間《しゅんかん》にも新たな建設が進められていること示している。行き交う小さな点の一つ一つは人影《ひとかげ》。世界の復興《ふっこう》のために汗を流す人々の顔には笑顔《えがお》があふれ、鬨《とき》の声は遠く離《はな》れたこの場所にまで聞こえてくる。

「父《とう》さまの研究を元に貴方が生みだした理論《りろん》は世界から雲を払い、青空を取り戻した」

独《ひと》り言《ごと》のような声。

視線を向けると、少女は踊るようにその場でくるりと回り、

「同時に、貴方が作り上げた通常人と魔法士《まほうし》の協力体制は世界に平和をもたらし、人類は再び発展を開始した。……すばらしい成果だな。私も鼻が高い」

そう言って少女は視線を逸《そ》らし、深い意味では無いぞ、と呟《つぶや》く。

その姿に小さく笑い、ふと、少女の左手に光る指輪《ゆびわ》に気づく。

「これか？」少女は薬指の指輪を日の光にかざし「もはや戦うことも無くなった私には必要の無いものではあるのだがな。気に入ったのでそのまま使わせてもらっている」

良いのだろう？　という少女の問い。

もちろん、とうなずくと、少女は頬《ほお》を赤くしてそっぽを向き、

「なあ、真昼《まひる》」名前を呼び、空を見上げて「今、幸せか？」

そうだね、とうなずく。

「それは良かった」少女は口元に笑《え》みを浮かべ「私は幸せだ。色々なことがあったけれど、今、本当に幸せだ。……世界は変わった。貴方が変えた」

そう言って、少女は左手をそっと差し出し、

「誇ると良い。貴方が生みだした世界は、本当に素晴《すば》らしい」

ありがとう、と少女の手を取り、一緒《いっしょ》に空を見上げる。

そうして、心の中で祈る。

こんな幸せが広がって、みんなが笑顔《えがお》になって。

何もかもが、これから良い方向に向かって行きますように——

＊

夢からの覚醒《かくせい》は、唐突だった。

闇《やみ》の中、固い床の上に倒れ伏す自分の姿に、真昼《まひる》は唐突に気づいた。

全身に気味の悪い悪寒《おかん》が走り、もやのような物が頭の中をぐるぐると駆け巡る。痛みは無い。ただ寒い。寒いのに熱《あつ》い。全身が凍《こご》えそうなほど寒くて、同時に燃《も》えてしまいそうなほど熱い。

指先を動かそうとして失敗する。

体のあらゆる場所が、言うことを聞かない。

寒くて、熱いのに、どうかすると体その物があるのか無いのかさえ分からなくなる。

……どうなった……？

仰向《あおむ》けに転がったまま、闇の先に目を凝《こ》らす。

遠くに、縦穴《たてあな》の出口らしき丸い光。

あそこから落ちたのか、という思考と共に、かろうじて動く喉《のど》から息を吐き出す。

「……落ちた……のか……」

呟《つぶや》き、まだ声が出ることに驚《おどろ》く。いや、あるいはこの声も本当はきちんとした音では無くて、ただ自分の脳がそれを自分の声と錯覚《さっかく》しているだけなのか、どちらでも良い。

どうせ、この声を聞く者など他《ほか》に誰《だれ》もいないのだから。

「……これは、ダメかな……」

助からない、という冷静な思考。今この瞬間《しゅんかん》に助けが、それこそ龍使《りゅうつか》い並みの超常的な治《ち》癒《ゆ》能力を持った助けが現れて手当をしてくれたとしても手の施しようが無いだろう。

何しろあの高さから落ちて、強化コンクリートの床に後頭部を叩《たた》き付けられたのだ。理屈で考えれば、こうやって物を考えていられることがそもそもおかしいのだ。

あるいは、これも夢の続きなのかもしれない。

ならば、目を閉じればまたあの幸せな世界に戻れるのだろうか。

「……良い……夢だったな……」

呟いた拍子に涙がこぼれそうになり、まだ自分にそんな機能《きのう》が残っていることにまた驚く。

闇の彼方《かなた》を見つめたまま、先ほどまで見ていた夢に思いをはせる。

自分の願《ねが》いが全《すべ》て叶《かな》い、世界が青空を取り戻した夢。

思い描いた理想が現実となり、全てがあるべき姿を取り戻す夢。

もう、叶わない。

自分には、もう、どうすることも出来ない。

「……ごめん……みんな、ごめん……」

最後に残っていた力が、少しずつ失われていく。もう声を発することさえもままならない。

思考が霧《きり》に包まれたようで、何も考えられない。世界の未来に対する不安も、仲間達の行く末に対する心配も、家族への惜別《せきべつ》も、少女に対する謝罪《しゃざい》の念も、全《すべ》てが闇《やみ》の中へと塗り込められていく。

せめて最期は、あの草原に帰りたい。

真昼《まひる》は息を吐き、最後の力を振り絞って目を閉じ、

――お疲れ様。

誰《だれ》かの声。

閉じかけていたまぶたが開き、視界の焦点がぐるぐると闇の中をさまよい、

――ゲームオーバーだよ、天樹《あまぎ》真昼。

またしても、声。

目の前。たった今まで何も存在していなかったはずの場所を漂う影《かげ》を、真昼は目の動きだけで追う。

「誰……だ……」

――このゲームの審判《しんぱん》だよ。

静かな声。

揺らめく影は輪郭《りんかく》を帯び、やがて人らしい形を作り、

──お前が決めたゲームの、お前が決めた審判だよ。

「……ゲーム……だって？」

──そうさ。世界の全てを手玉にとって、世界を救う──そういうゲームだ。

──魔法士《まほうし》も軍人も政治家も、全部がお前の思う通りに動いた。

──お前の描いた夢物語に乗った。

──面白《おもしろ》かっただろう？

──世界を意のままに操《あやつ》るってのは、痛快だっただろう？

──だけど、賭《か》けは外れだ。

──同盟は破綻《はたん》し、世界はI─ブレインを持つ者と持たない者の全面戦争に向かう。

──シティに残された寿命は食《く》い潰《つぶ》され、人類の歴史は終わる。

──このゲームもそろそろ終わりだ。

──お前の負けだよ、天樹真昼。

「……遊びでやってたんじゃない……」身じろぎ一つ出来ぬまま、真昼は声を絞り出し「僕は、僕は本当に世界を……！」

──遊びさ。

──この世の全ては遊びごとさ。

――だから、止《や》めても良いんだ。

――疲れたら止めて、家に帰っても良いんだ。

「……何……を……」

――そもそも、なんでこんなことを始めたんだ。

――どうして、こんな一つの得にもならないことを始めたんだ。

――お前なら自分一人《ひとり》を幸せにすることぐらい簡単《かんたん》だったろう。

――自分と、自分の家族と、自分の大切な人と、ほんの少しの人をとびきり幸せにすることぐらい簡単に出来ただろう。

――なんで、世界中の人間を幸せにしようなんて思ったんだ。

――なんで、そんな愚にも付かないことを始めちまったんだ。

「……僕は……」

――責めてるわけじゃ無いんだ。

――お前は良くやったよ。

――誰《だれ》にも出来ないことを一人でやった。

――本当に、もう少しだったんだ。

――ただ、少しだけ運が無かった。

――仕方が無かったんだ。

――だから、そんなにがっかりするな。

――出来ることは全部やりました、って胸を張ればいいんだ。

――お前を責める資格のあるやつなんて、この世界に一人だっていないさ。

「……僕は……僕は……」

声はどこまでも優《やさ》しく、染み入るように心に響《ひび》く。最初一つだった影《かげ》はいつしか無数に分裂し、真昼《まひる》の周囲をぐるぐると巡る。

幼子をあやす母のように。

影は真昼の目の前に手をかざし、眠れ眠れとその輪郭《りんかく》を揺らす。

――お疲れ様、天樹《あまぎ》真昼。

影の手がそっとまぶたに触れ、両目を閉じさせようとする。

それを、

「……違う」

思いがけなく強い声。

真昼は身じろぎ一つ出来ぬまま声の限りを張り上げ、

「違う……！　まだ終わってない！」

たじろいだように、影が退《しりぞ》く。

真昼は視線《しせん》だけで毅然《きぜん》と影を見据え、

「まだ終わってない。僕が死んでも、僕の意志を継ぐ誰《だれ》かがいる。その誰かが諦《あきら》めない限り僕の負けは決まらない。世界の全《すべ》ての人間が諦めない限り、このゲームは終わらない！」

そうだ、という思考。

仕方が無いなんて言わせない。

初めから勝算なんて無かった。

無理を承知で、負けるかもしれないのを承知で、それでも挑んだ大博打《おおばくち》だった。

それが、ただ一度の失敗で何だ。

僕一人《ひとり》が死んだとて、それがどれほどのことだというのだ。

「そうだ、僕は」

届かずとも、手を伸ばした。

叶《かな》わずとも、挑んだ。

みんなが幸せになる世界が欲しかった。

嘘《うそ》でも、夢物語でも良いから、誰も泣かない世界が欲しかった。

仕方が無いからと言い訳して、人間が魔法士《まほうし》を殺す世界。

仕方が無いからと言い訳して、魔法士が人間を殺す世界。

どちらの世界にも居場所が無かったから、どちらでも無い世界を作ろうと思った。

その夢は潰《つい》えていない。

もし夢が潰えるとしたなら、それは僕が死んだときでは無く、僕が諦めた時だ。

……動け……

祈りを込めて意識《いしき》を向けた指が、わずかに反応する。

動く。

この右手はまだ動く。

力を振り絞って腕を懐《ふところ》に差し入れる。

指先に触れる慣《な》れた感触。

この携帯端末の操作《そうさ》なら、目で見ずとも感覚だけで分かる。

……もう少し、あと少しだけ……

残せる物はそう多くは無い。わずかな言葉を打ち込むだけの力しか、この指には残されていない。

誰に残す？

未《いま》だに進むべき道を定められずにいる弟に。自分の夢に形を与えてくれた少女に。

何を残す？

言葉を。二人《ふたり》が道に迷った時に導きとなるような、そんな言葉を。

震《ふる》える指で、一つ、また一つと文字を打ち込む。何度も間違えそうになりながら、手探りに言葉を紡いでいく。

いつか世界中のみんなが幸せになりますようにと。

祈りを込めて、自分の生きた証《あかし》を刻みつける。

……出来た……

力を失った指が、滑り落ちる。

意識《いしき》を塗《ぬ》り潰《つぶ》す闇《やみ》。

真昼《まひる》は一度だけ息を吐き、今度こそ、目を閉じた。

＊

ノイズメイカーの停止を示すメッセージがディスプレイに映し出された。

第八階層、通信センター支局。ヘイズは端末から有機《ゆうき》コードを引き抜き、背後のクレアを振り返った。

「いいぞ！　初めてくれ！」

うなずいた少女が飾り物の目を虚空《こくう》へ向ける。

何かを探すように揺らいでいた瞳《ひとみ》が急に焦点を結び、

「見つけた！」クレアはディスプレイに表示された地図の一点を示し「ここ！　市街地の外れから作業区画に入るための扉があって、その先の縦穴《たてあな》の下に！」

錬《れん》とサクラが顔を見合わせ、先を争うようにして部屋《へや》を飛び出していく。ヘイズはその背中を見送り、息を吐いて手近な椅子《いす》に座り込み、

「とりあえず、何とかなったな」一つ指を鳴らそうとしたところで、クレアの様子《ようす》がおかしいのに気づき「おい、どうした」

「待って……これ……」

端末を操作《そうさ》していたフェイとルジュナが振り返る。兵士達も怪訝《けげん》そうに少女を見つめる。が、クレアはその全《すべ》ての視線《しせん》にも気づかず、必死の形相《ぎょうそう》で虚空を凝視《ぎょうし》し、

「……嘘《うそ》……」

ガラス玉のような少女の瞳《ひとみ》に、涙があふれる。

その意味を理解するのに、少し時間が必要だった。

＊

開け放たれた扉の向こうには、銃を手にした数人の市民が座り込んでいた。

サクラは状況が飲み込めないまま、目の前の一団に駆け寄った。

慌てた様子で振り返った市民が、驚愕《きょうがく》に顔を歪《ゆが》める。「こいつ、賢人会議《けんじんかいぎ》の！」と言いかける市民を氷の鎖《くさり》で搦《から》め捕《と》り、まとめて床に叩《たた》き伏せる。

「ここに我々の参謀《さんぼう》が来ているはずだ」最も近い位置に倒れる男に顔を近づけ、かろうじて平静な声で「どこだろう。知っているなら教えてもらいたい」

瞬間《しゅんかん》、男の顔が恐怖に染まる。

男は訳の分からない悲鳴を上げ、身をよじって必死に逃げようとし、

「お、俺《おれ》じゃねえ！　あいつだ、あいつがやったんだ！」

「な、何を言う！」指さされた男が真《ま》っ青《さお》な顔を震《ふる》わせ「お前らみんな、やる気だったじゃねえか！　俺が撃《う》ったのはたまたまだろ？　それを——！」

意味が分からない。サクラは立ち上がり、周囲に視線《しせん》を巡らせる。

闇《やみ》の向こう、通路の突き当たりには地下に通じているらしい丸い穴。おそらくこれがクレアの言っていた縦穴《たてあな》だろうとサクラは一歩足を前に進め、

穴のすぐ手前、床に広がる赤黒い血痕《けっこん》。

息を呑《の》んで振り返り、ようやく、市民の足下に転がる銃の存在に気づく。

「ち、違う、違うんだ……」男は何度も奥歯を鳴らしつつかろうじて声を絞り出し「本当に、撃とうと思って撃ったわけじゃないんだ。ただ、銃なんて触ったこと無かったから、それで……」

視界が急速に狭《せば》まったような錯覚《さっかく》。

サクラは縦穴に駆けより、縁《ふち》に手をついて下をのぞき込み、

「彼はこの中か？」

「は……？　え……」

「この中かと訊いている――！」

糸が切れた人形のようにうなずく市民。

サクラは自分でも理解出来ない叫びをあげ、縦穴へと飛び込んだ。


闇に包まれた縦穴を、空気結晶の弾丸を足場に下っていく。

それなりに深い。十メートル下ったところでようやく床が見えてくる。強化コンクリートむき出しの古びた作業道。その中央に仰向《あおむ》けに倒れる人影《ひとかげ》らしき物を、Ｉ―ブレインの仮想視界が捉《とら》える。

それでも信じない。

何度も荒い呼吸を繰《く》り返しながら、闇の中を下っていく。

二十メートル。人影はその輪郭《りんかく》をはっきりと現わし、真昼《まひる》の姿を形作る。全身傷だらけで血にまみれた痛々しい姿。眠っているように目を閉じるその口元には、呼吸の気配《けはい》が無い。

それでも信じない。

この青年に驚《おどろ》かされるのは、いつものことだから。

きっと今回だってそうだ。自分がたどり着いたら真昼は何でも無いことのように起き上がって、「どうしたの？」なんてからかうに決まっている。それで私が安心して泣きそうになると「泣いてるの？」なんてからかうに決まっている。

そうして私が怒り、ディーとセラが困り、皆が笑う。これまでずっと繰《く》り返されてきた日常が、明日《あした》からもきっと続く。

そうなのだろう？　これもまた、貴方《あなた》のいつものやり口なのだろう。

私を心配させて、驚《おどろ》かせて、喜ばせる——そういう作戦なのだろう？

なあ真昼《まひる》。

真昼——

＊

泣き叫ぶサクラの声を、錬《れん》は聞いた。

少女の後を追ってたどり着いた第八階層の外れ、通路の先に口を開けた縦穴《たてあな》。飛び込んだ錬の耳に、その泣き声は何の前触れも無く響《ひび》いた。

すすり泣くような声とは違う、声を殺して泣くのとも違う。子供がするようにあらん限りの声を張り上げた絶叫。初めて聞く少女の泣き声は強化コンクリートの壁《かべ》に幾重にも残響《ざんきょう》し、唸《うな》りを伴って闇の中に響いた。錬は胸をよぎる不安を必死に押し込め、ただ無心に穴の底を目指した。

降り立った場所は、古びた機材《きざい》が幾つも積《つ》み上げられた強化コンクリートの坑道。

そこで、少女は一人《ひとり》、狂ったように泣き叫んでいた。

「ねえ、サクラ……」声の震《ふる》えを抑えることが出来ないまま、問う「サクラ……それ、何？」

少女は答えない。

冷たい床の上に座り込み、青年の頭を膝《ひざ》に抱きかかえたまま、声を枯らして泣き続ける。

辺りには一面に鮮血《せんけつ》が飛び散り、ここで起こった惨劇《さんげき》を生々しく物語っている。よく見れば青年の手足は有り得ない場所で有り得ない方向に折れ曲がり、頭もおかしな形に陥没している。

それでも、理解できない。

死んだ？　真昼が？　何故《なぜ》。

呆然《ぼうぜん》と見つめる錬の前で、サクラは捻《ねじ》れた息を飲み込み、

「何故だ！」とうに生気を失った青年の顔に頬《ほお》をすり寄せ「彼が私欲を抱いたか？　自らのために世界を意のままにしようとしたか？　違うだろう！　彼は、真昼はいつだって世界のために、人々の未来のために我が身を顧《かえり》みず尽くしてきただろう！　その彼が、何故死ななければならないのだ！」

叫びと共に少女は頭上の闇《やみ》を見上げ、

「殺すなら私を殺せば良い！　魔法士《まほうし》が憎いなら、自分の暮らしを脅《おびや》かされるのが恐ろしいな

ら私に銃を向ければ良い！　何故《なぜ》、私では無く真昼《まひる》なのだ！　世界を敵に回したテロリストでは無く、世界を救おうとした青年の命を、何故貴方《あなた》達は奪ったのだ！」

細い指が、青年の頰《ほお》を撫《な》でる。

サクラは左手の指輪《ゆびわ》を土気色《つちけいろ》をした唇に押し当て、愛《いと》おしむように、

「……貴方は、勝手だ……いつもいつも私をからかって、素直に礼も言わせてくれなかった。……本当はいつも貴方に感謝《かんしゃ》していた。貴方のことを頼りに思っていた。……私の傍《そば》にいてくれてありがとうと、これからもずっと傍にいて欲しいと……いつかそれを伝えようと、私はいつも、いつも思って……」

言葉が途切《とぎ》れる。

少女は泣き濡《ぬ》れた顔のまま笑い、

「ああ——そうか」

青年の頭を強く胸に抱き寄せ、その髪に顔を埋《うず》めて、

「これが、恋か」

響《ひび》き渡る慟哭《どうこく》の声。

為《な》す術《すべ》も無く見守る錬《れん》の前、サクラは青年の体を両腕に抱えて抱き起こし、

——滑り落ちる、青年の携帯端末。

「……これ……は……？」

呆然《ぼうぜん》と呟《つぶや》いた少女が、おそるおそるというふうにタッチパネルに手を伸ばす。

錬からはよく見えない角度で立体映像ディスプレイが展開される。おそらくは何かの言葉が表示されているらしい画面。少女の視線《しせん》が短い言葉をゆっくりとたどり、ディスプレイの隅にたどり着く。

細い指が携帯端末を取り上げ、黒い外套《がいとう》の裏にそっと押し込む。

……心臓《しんぞう》が凍るのを、錬は感じた。

サクラは、もう、泣いてはいなかった。


黒い手袋に包まれた少女の両腕が、青年の体を抱き上げる。

物言わぬ青年の骸《むくろ》を捧《ささ》げ持つように抱えて、少女が闇《やみ》の中に立ち上がる。

「ちょっと待って！　ねえ——！」

叫ぶ錬の声には応《こた》えず、少女は通信素子を取り出す。小さな黒い素子を指先で何度か弾《はじ》いて通信妨害が既に解除されているのを確認《かくにん》し、一度だけ青年の顔に視線を落として、

「賢人会議《けんじんかいぎ》、並びにシンガポール自治軍の全軍に告げる」

錬が止める間もなく声を張り上げ、周囲の闇を無表情に見つめたまま、

「賢人会議の参謀《さんぼう》、天樹《あまぎ》真昼は死んだ。シンガポール市民の手により殺された」

周囲の壁《かべ》から生《は》え出した強化コンクリートの翼《つばさ》が、少女の体を足下から支える。灰色《はいいろ》の巨大

な翼《つばさ》に支えられて、青年を抱えた少女はゆっくりと闇《やみ》の中を上っていく。

「賢人会議《けんじんかいぎ》は現時点をもってシンガポールとの同盟を破棄、このシティより撤退《てったい》する。……同胞達は速やかに戦闘《せんとう》を中断し、退去の準備を開始していただきたい。怒りを向けるべき時は今では無い。復讐《ふくしゅう》の機会《きかい》はいずれ必ず与えられる」

「待ってよ——！」

錬《れん》は叫ぶ。

空気結晶を足場に跳躍《ちょうやく》を繰《く》り返して少女の前にたどり着き、サバイバルナイフを目の前に構えて、

「真昼兄《まひるにい》を返してよ！　どんな姿になったって、真昼兄には帰る場所があるんだ！　待ってる人がいるんだ！　僕だけじゃなくて他《ほか》にもたくさん、だから——！」

その言葉に、少女は無言で右手を掲げる。

答えの代わりに、返るのはI—ブレインの警告《けいこく》。

気がついた時には既に遅く、錬は壁面《へきめん》から突き出た巨大な腕に横殴りに弾《はじ》き飛ばされる。

「真昼は我が賢人会議の最重要人物だ。その葬儀《そうぎ》は一つの国家としてしかるべき形で執《と》り行う」

わずかの乱れも無い、凜《りん》とした声。

宙に身を捻《ひね》って見上げた先、少女は彫像のような無表情でこっちを見下ろし、

「月夜《つきよ》には、どうか謝罪《しやざい》の言葉を。葬儀に招くことは出来ないが、遺骨《いこつ》はいずれ何らかの形で

届けさせていただく」
すまない、と頭を下げた少女が、闇の向こうに消える。
錬は、それをただ見送ることしか出来なかった。

幕間　最後の審判　～The struggle for existence～

先を行く兵士が立ち止まり、こちらです、と扉を示した。

リン・リーはうなずき、簡素《かんそ》なスチールの扉をくぐった。

一面を白一色に塗り込められた簡素な部屋《へや》。中央を隔てる透明な壁《かべ》の向こうで、四人服姿の男が椅子《いす》から立ち上がる。

シティ・シンガポール前首相、カリム・ジャマール。

思いの外健康状態の良さそうなその姿をしばし無言で見つめ、背後の兵士達に部屋の外に出るよう指示する。

「先ほど言った通り、ここでの会話は録音《ろくおん》せぬよう」

兵士がうなずき、扉の外に消える。

それを待ちかねたかのように、カリムは透明な壁の向こうで笑《え》みを浮かべ、

「壮健の様子《ようす》で何よりだ。首相という仕事は、とにかく体が資本だからな」

「そちらは、少し痩《や》せたようだな」

そう言葉を返すと、カリムは声を上げて笑い、

「体重は少し増えたぞ？　重責から解放され、ここ数日は食も進んでおる」そんな軽口と共に椅子に腰を下ろし「それで？　世界はどうなった」

「賢人会議《けんじんかいぎ》を人類共通の脅威と定め、これに対抗すべくシティ間の連合が設立されることとなった」リン・リーはカリムと向かい合う形で置かれた椅子に座り「中立を表明したニューデリーを除く五つのシティがこれに参加する。無論《むろん》、我がシンガポールもだ。当面の目標は、アフリカ海《かい》に隠された彼《か》の組織《そしき》の本拠地をあぶり出すこととなる」

「例の、『雲の除去手段』については？」カリムは膝《ひざ》の上で両手を組み「彼の研究がアルフレッド・ウィッテンによって為《な》されたという事実は。必要な資料は我が国から提供したと聞いているが」

「各国首脳陣は、これを黙殺《もくさつ》する考えだ」リン・リーは息を吐き「出所がどうであれ、現実にその理論が存在することに違いは無い。である以上、彼の組織が人類にとっての脅威であることは明白だ——というのが連合の主張だ」

カリムは、ふむ、とうなずき、

「多くのシティは賢人会議に研究施設を破壊《はかい》され、魔法士《まほうし》戦力を奪われたことで疲弊《ひへい》している。これを潰《つぶ》すのに細かな大義名分など不要、といったところか」傍《かたわ》らのコップを取り上げて水を一口飲み下し「賢人会議側の動きは」

「天樹真昼《あまぎまひる》の国葬を最後に、沈黙《ちんもく》を守っている」リン・リーはわずかに視線《しせん》を伏せ「事件からすでに半月。各シティの動向は摑《つか》んでいるはずだが、未《いま》だに何の動きも無い。あるいは、参謀《さんぼう》の死によって組織《そしき》としての方針が失われ、身動きのとれぬ状態となっているのかもしれん」

なるほど、というカリムの呟《つぶや》き、

四人服姿の男は透明な壁《かべ》の向こうから鋭《するど》い視線を投げ、

「後悔しているのか？　リン・リーよ」

「……違う結末があったかもしれんと、考えることはある」男の言葉にうなずき「が、もはや後戻りは出来ん。我が国が再び賢人会議《けんじんかいぎ》と友誼《ゆうぎ》を結ぶのは不可能であるし、他《ほか》のシティも我が国での惨状を見てあえて火中の栗《くり》を拾おうとは考えぬだろう。シティと賢人会議の間の関係は、もはや対立以外にあり得ぬ」

半月前の事件で命を落とした青年のことを思い出す。リン・リーはついに直接言葉を交わす機会《きかい》は無く、優《すぐ》れた考えの持ち主であったと知った時には全《すべ》てが遅かった。

一番の咎人《とがにん》は、紛れもなく自分。

だが、シティの市民に彼《か》の青年の理想を受け入れるだけの度量が無かったこともまた事実だ。

「自分を責めるな、リン・リーよ。この結末もまた、人々の意志の総意だ」カリムは息を吐き「いや、今日《きょう》は時間を取らせた。礼を言う」

こちらこそ、とうなずいて席を立つ。男に背を向け、部屋《へや》の出口へと歩を進める。

「……そういえば」扉に手をかけたところでふと動きを止め「フェイ・ウィリアムズ・ウォンだが、シティ・ロンドンでそれらしき人物を見かけたとの報告がある」

ほう、というカリムの声が背中越しに聞こえ、

「いつか会うことがあれば、よろしく伝えて欲しい」思いがけなく強い足音に扉の開く音が続き「ではな。このシティの行く末を頼む」

背を向けたままうなずき、部屋の外に進み出る。兵士の一人《ひとり》が駆け寄り、立体映像の公文書を示す。

前首相カリム・ジャマールの、銃殺刑の執行文書。

「刑の開始はいつであったか」

「本日十四時となっております」

淀《よど》みの無い答え。

リン・リーは息を吐き、文書の隅に自分の電子署名を記入した。

軍病院最上階の特別病室は、見舞客《みまいきゃく》が持ち込んだ色とりどりの花であふれていた。

無言で歩を進めるリン・リーに、ベッドの上の患者は「どうも」と頭を下げた。

「また、花が増えたか」

「ええ。毎日違う方が届けてくれるもので。……本物の花がこんなにあるというのも、なかな

か緊張《きんちょう》するものですね」

そう言って、病人姿の男は屈託無く笑う。

元神戸《こうべ》自治軍情報部中尉、真田《さなだ》遙人《はると》。

調印式《ちょういんしき》での事件の際に自ら毒を飲んだ男は、今、全《すべ》ての記憶《きおく》を失ってこの病院に収容されている。

本人は自分が何をしたかはおろか、どんな人間であったかさえも覚えていない。自分を日々訪ねてくるのが同盟反対派に属していた議員《ぎいん》や軍人であることも、目の前にいるのがシティ・シンガポールの新首相であることもおそらく理解していない。

彼のかつての部下二十一名と彼が守ろうとした元神戸市民の全てがシンガポールの市民権を獲得《かくとく》したことも、唯一、副隊長であった女少尉だけが戦いの最中で行方不明《ゆくえふめい》となったことも、伝えたところでおそらく理解出来ない。

「今日《きょう》は、どうかされましたか」

「ちょうど近くに用があったので、そのついでだ」リン・リーはテーブルに置かれたままの花束を適当な花瓶に挿《さ》し「午後からはまた肩の凝《こ》る仕事に付き合わねばならん。面倒《めんどう》なことだが、これも職務《しょくむ》だ」

大変ですね、と男が笑う。

ややあって、男はふいに表情を曇《くも》らせ、

「一つ、訊《き》いてもよろしいでしょうか」

「なんだ」

「私は、いったい誰《だれ》なのでしょう」男は思い詰めた顔で自分の手を見つめ「毎日見舞《みま》いに来られる方も、この病院の先生も、その答えを知っているようなのに教えてはくれません。私の市民証は無いのかと訊いてもはぐらかされてしまって、そもそも自分がこのシティ・シンガポールの住民だったのかさえ分かりません」

そう言って、男はためらいがちにリン・リーに視線《しせん》を向け、

「私は、いったいどういう人間だったのでしょう」

数秒。

リン・リーはテーブルの上のはさみを取り上げ、花瓶に挿したばかりの花を一房、中程から茎ごと切り取り、

「……英雄だ」

え？という男の声。

リン・リーは切り取ったばかりの赤い花を天井《てんじょう》のライトにかざして息を吐き、

「貴殿は英雄と呼ばれるにふさわしい人物だった。……それだけは、間違いない」

＊

——サクラ。

聞いていますか、サクラ。

ロンドンが連合への加盟を宣言しました。

ニューデリーを除く全《すべ》てのシティが、我らの敵となりました。

彼らはシンガポールにおける惨劇《さんげき》の原因が我々の側にあるとして、批難決議《ひなんけつぎ》を採択しました。

世界中で、魔法士《まほうし》に対する風当たりが強まっています。

モスクワとベルリンの魔法士が、新たに亡命を希望しています。

——サクラ。

こちらの文書をご覧《らん》ください、サクラ。

マサチューセッツで行われた大規模な市民集会の報告です。

彼らは通常人と魔法士の共存は不可能であるとし、賢人会議《けんじんかいぎ》を含めた全ての魔法士を世界から排除し、全てのシティをファクトリーシステムのみによって運営すべきだと主張しています。

多くの市民がこれに賛同《さんどう》し、自治政府の主要機関《きかん》を取り囲んでいます。

マサチューセッツ周辺に暮らす多くの魔法士が、賢人会議への帰属を希望しています。

――サクラ。
決断の時です、サクラ。
連合が、アフリカ海《かい》への大規模攻撃《こうげき》を決定しました。
彼らはこの本拠地をあぶりだし、我々を根絶やしにするつもりです。
もはや一刻の猶予《ゆうよ》もありません。
戦いましょう。
戦って、我らの権利を勝ち取りましょう。
所詮《しょせん》、シティとの共存など不可能だったのです。
叶《かな》わぬ夢を見ていたのです。
サクラ、どうか決断を。
サクラ。
サクラ――！

＊

閉ざされた寝室からは、今日《きょう》も返事が無かった。
フィアは意を決してドアを開き、照明の落ちた暗い室内に足を踏み入れた。

「鍊《れん》さん、もう朝ですよ」

答えは無い。

少年は部屋《へや》の隅のベッドの上で膝《ひざ》を抱えたまま、身じろぎ一つせずにうつむいている。

「リチャード先生から連絡がありました。フェイさんは、とりあえずペンウッド教室で管理することに決まったって」

机の上に置かれた昨夜の夕食のトレイを取り上げ、中身が少し減っていることに安心する。

代わりのパンを皿に置き、コップの水を取り替え、

「あの少尉さんも、足の再生手術は上手《うま》くいったそうです。リチャード先生はシンガポールに戻って市民権をもらうように勧めたけど、少尉さんにはそのつもりは無いみたいで……」

言いかけて息を吐き、一歩だけベッドに近寄る。

着替えの服を少年の傍《そば》にそっと置き、手を伸ばしかけて止《や》め、

「……それじゃあ、わたしはお母《かあ》さんのお手伝《てつだ》いに行きますね」

無言でうつむいたままの少年に手を振り、部屋《へや》を後にする。

動く者の無い廊下を満たすのは、凍《こご》えるような静寂。

アジア地方に位置する小さな町。かつて天樹家《あまぎけ》の三人が暮らしていたこの場所に戻って既に二週間。ふさぎ込んでしまった鍊の代わりに住民に事情を説明し、真昼《まひる》の死を伝えるのはフィアの役目だった。

『……バカよ……真昼はバカよ！　どうして、どうしてこんな……』

人々は皆、怒り、悲しんだが、中でもフィアの養い親である弥生《やよい》の嘆きは見ていられないほどだった。ショックのあまり寝込んでしまった義母の心臓病《しんぞうびょう》が悪化しないよう、フィアは毎日同調能力を使った治療《ちりょう》を行い、動けない弥生の代わりに病院を切り盛りした。

「……あ……」

廊下を少し進んだところで足を止め、振り返る。泣きそうになるのを堪《こら》えて、左右に向かい合うドアに交互に手を当てる。

右側のドアの主は再びシティ・モスクワに戻り、賢人会議《けんじんかいぎ》と戦う道を選んだ。

左側のドアの主は、もう二度と、戻ることは無い。

「どうして……なんでしょう……」

呟《つぶや》いた拍子に涙が一滴こぼれ、足下の床に跳ねる。ここにはかつて、家族の情景があった。双子の姉弟と小さな弟と、三人が暮らす暖かな時間があった。それはとても幸せで、そこに加わっている時だけはフィアも世界のあり方とか自分の過去とかいった悲しいことを忘れることが出来た。

沈んだ気持ちのままドアから手を離《はな》し、歩き出す。

と、I—ブレインに反応。

誰《だれ》かが専用デバイスを介して通信を送ってきている気配《けはい》を感じ取り、フィアは目の前の空間

に頼んで何も無い場所に立体映像の画面を生み出し、

『お久しぶりです。フィアさん』

姿を現わす、修道服姿の女性。

シスター・ケイトはしばらくこっちを見つめてから難《むずか》しい顔で息を吐き、

『そちらはお元気……とはいかないようですね』

「……すみません」フィアは視線《しせん》を伏せ「月夜《つきよ》さんは？」

『ようやく、ご自分の部屋《へや》から出てこられるようになりました』ケイトは硬い表情のまま『と言っても少しの時間だけ。食事をされないのも相変わらずです』

そうなんですか、とフィアは唇を噛《か》み、

「錬《れん》さんもずっとです。毎日ふさぎ込んで、私がいない時は泣いてるみたいで」言葉を切り、少し考え「あの……沙耶《さや》さんは？」

──わたしも連れて行ってください。

事件の後、傷ついた少尉をシティの外に運び出そうとするケイトとリチャードに沙耶は懇願《こんがん》した。このままシンガポールに残って何も知らなかった頃《ころ》に戻って暮らすことは出来ない。自分も何かがしたいと。

ケイトはそれを呑《の》み、少女を自分の孤児院に引き取ることに決めた。どのみち、少女にはもはや帰る場所は無い。少女自身は気づいていないようだったが、一連の事件の真相を知る少女が存命であることをシンガポール自治政府が知れば、口封じに動くことは想像するまでも無かった。

もちろん、『神戸《こうべ》のマザーコア』という自分の正体が少女の口から漏れる危険については気がかりではある。

が、それ以上に、神戸の崩壊《ほうかい》からわずかの間に再び住む家を失った少女の身が。フィアには心配でならない。

『そちらはとりあえずお元気で。暮らしに慣《な》れるのは時間が掛かりそうですが』初めて、ケイトは少しだけ表情を和《やわ》らげ『フィアさんのことについては私からもお願《ねが》いしておきましたから、ご心配無く』

「あ……」

ありがとうございます、とフィアはぎこちなく頭を下げ、

「あの、それで、今日《きょう》は？」

『はい。実はお知らせしておきたいことが』ケイトは表情を改め『賢人会議《けんじんかいぎ》なのですが、実は少し動きがありまして』

「動き？」

とっさに、足を止める。

『と言っても、具体的なところは不明なのですが』ケイトはうなずき『ただ、二週間前の事件

以来完全に止まっていた魔法士《まほうし》達の動きが、ここ数日の間に再び世界中で見られるようになってきています。それもかなり広範囲《こうはんい》に。おそらく、何らかの大規模な作戦行動の準備に入ったと考えるべきでしょう』

「そう……ですか」

かろうじてそう答え、視線《しせん》を下に向ける。

うつむいたまま自分の両手を見つめ、何度もためらってから、

「……世界は、これからどうなるんでしょうか」顔を上げることも出来ず、床の模様を見つめたまま「やっぱり戦争になって、みんなで撃《う》ち合って、たくさんの人が死ぬんでしょうか」

それは、というケイトの声に、沈黙《ちんもく》が続く。

フィアは両手を強く握りしめ、意を決して顔を上げ、

『——地球上《ちきゅうじょう》、全《すべ》ての人類に、ご挨拶《あいさつ》申し上げる』

天井《てんじょう》のスピーカーから、声が響《ひび》いた。

＊

世界中のあらゆる場所、通信が届くあらゆる端末に、そのメッセージは届けられた。

ディスプレイに映る黒髪の少女、二週間ぶりに姿を現わした賢人会議《けんじんかいぎ》の代表を、世界の全ての人が凝視《ぎょうし》した。

『今日《きょう》は貴方《あなた》達に重大な知らせがある。二週間前のシンガポールでの事件の際に流出した「雲の除去手段」、あの理論《りろん》の扱いを巡って我々は話し合いを重ね、本日、一つの結論に達した』

言葉が途切《とぎ》れる。

少女はディスプレイの向こうから傲然《ごうぜん》と全人類を睥睨《へいげい》し、

『結論から言おう。我々は、あの理論を現実の物とすることを決めた』わずかも語調《ごちょう》を乱すこと無く、静かな声で『これは最後通告だ。返答は不要。交渉も不要。我々はこの地球上からI―ブレインを持たない人類を一人《ひとり》残らず駆逐し、魔法士のための王国を作り上げる』

黒い外套《がいとう》が翻《ひるがえ》る。

少女は執務椅子《いす》から立ち上がり、ディスプレイに向かって歩を進め、

『この結論に憤《いきどお》る者は我が身を顧《かえり》みよ。邪悪な魔法士の暴虐《ぼうぎゃく》と誹《そし》る者は己《おのれ》の暮らしを思い返すが良い。人類はシティを維持するために何人の魔法士を殺した。何人の罪無き子供を切り刻んだ。人々の安寧《あんねい》を守るためにはやむを得ない犠牲《ぎせい》か。そのために魔法士が死ぬのは仕方の無いことか。……ならば逆は？　魔法士のために人類が犠牲となるのが何故《なぜ》おかしい。罪も無い民衆を犠牲とすることが、何故倫理に反する』

それは、マザーコアによってシティを運営する人類が、当然のこととして理解してきた言葉。シティの機能《きのう》を維持するために魔法士《まほうし》を使い捨てるのは仕方のないことなのだと。

人類の未来を守るためにこれは必要な犠牲《ぎせい》なのだと、シティの為政者《いせいしゃ》達が幾度となく繰《く》り返したその言葉が、

『いつか我が身に返ってくる日があるかもしれないと——まさか、考えなかったわけでは無いだろう？』

闇《やみ》の中、黒ずくめのドレスを纏《まと》った少女はその表情に余裕すら浮かべて佇《たたず》み、

『マザーシステムに頼ったところでシティの寿命は残り五十年足らず。それを過ぎればI—ブレインを持たない貴方《あなた》達は滅びるしかない。人類は既に終わった種族なのだ。だが我々は違う。我々魔法士はこれからもこの地球上《ちきゅうじょう》に連綿と歴史を刻み、繁栄《はんえい》を続ける。——理解せよ。これは人類と人類の争いでは無い。人類と魔法士という、全く異なる生物種の生き残りを懸《か》けた生存競争《せいぞんきょうそう》だ』

少女が高く右手を掲げ、ディスプレイの向こうに明かりが灯《とも》る。

浮かび上がるのは銀の縁取《ふちど》りを施された黒い儀典《ぎてん》正装の隊列。

千を越える魔法士の隊列を従え、少女は高らかに声を張り上げ、

『これから数千年と続くであろう魔法士の未来のために、そこで生まれるであろう何百億、何千億という我らの子孫のために——』

静寂。

少女は断罪の剣のようにその右手を振り下ろし、

『そのために――わずか数億の、「少数」の「弱者」に過ぎない貴方達には、今、ここで滅びていただく』

あとがき

（近況）部屋《へや》の棚に未プレイのボードゲームが貯まりまくったあげく、とうとうコレクションを整理することになりました。買ってはみたものの趣味に合わなかったり重すぎてプレイする機会《きかい》がなかったりするゲームをダース単位で人に譲《ゆず》った結果、棚一面にぎゅうぎゅうに押し込まれていたボードゲームはめでたく棚からあふれて床の一画を占拠するようになりました。ありのままに今起こったことを説明するぜ。俺《おれ》はボードゲームを減らしたと思ったらいつの間にかボードゲームが増えていた！　何を言ってるかわからねーと思うが俺も（以下略）。

ところで、三年あれば生まれたばかりの子供が歩いて言葉を話すようになるそうです。すごいですね三年。三枝《さえぐさ》です。

ウィザーズ・ブレインⅧ「落日の都」下巻、ここにお届けします。それにしてもすごいですね三年。

………

うん、正直すまんかった（平身低頭）。

前作であるところの「落日の都」中巻を書き上げてたあたりからちょっと現実世界の方でいろんなことがありすぎまして、気がつけばカレンダーは一年切り替わり、二年切り替わり、「これやばい。マジでやばい」と思いつつも身動きが取れないままこんなにお待たせすることになってしまいました。

もうこれ続き出ないんじゃ無いかと思いました？　うん。ぶっちゃけ僕もそう思った。

諦《あきら》めずに励まし続けてくれた担当さんと、ネットなんかで「続きまだー」と声を上げ続けてくれた読者の皆様には感謝《かんしゃ》の言葉もありません。

次はさすがに常識的《じょうしきてき》な間隔で書けると思いますので、これからもどうか見捨てないでやってください。


さて。

そんなこんなで魔法士《まほうし》達の物語、第八のエピソードの完結です。お楽しみいただけましたでしょうか。この展開をある程度覚悟されていた方……はともかく、全く予想されていなかった方にはけっこう厳しい結末になってしまったかもしれません。

でも仕方ない。これは十年以上も前に「ウィザーズ・ブレイン」というお話が始まった時から決まっていたこと。今さら修正も出来ません。

世界は登場人物達が望んでいたのとは少し違う形の変革を迎えてしまいました。

残るエピソードはあと二つ。

完結まで、どうぞお付き合いください。

次回の舞台は全《すべ》てのシティと南極衛星、あるいは地球上の全て。

人類と魔法士《まほうし》の生き残りを懸《か》けた戦いの中で、物語は再び悪魔使いの少年へと収束します。

十二月某日、自宅にて。「Crowds」を聴きながら。

三枝零一《さえぐされいいち》

なんとなく
クレア（制服）
描いてみる

◉三枝零一著作リスト

「ウィザーズ・ブレイン」(電撃文庫)
「ウィザーズ・ブレインII 楽園の子供たち」(同)
「ウィザーズ・ブレインIII 光使いの詩」(同)
「ウィザーズ・ブレインIV 世界樹の街〈上〉」(同)
「ウィザーズ・ブレインIV 世界樹の街〈下〉」(同)
「ウィザーズ・ブレインV 賢人の庭〈上〉」(同)
「ウィザーズ・ブレインV 賢人の庭〈下〉」(同)
「ウィザーズ・ブレインVI 再会の天地〈上〉」(同)
「ウィザーズ・ブレインVI 再会の天地〈中〉」(同)
「ウィザーズ・ブレインVI 再会の天地〈下〉」(同)
「ウィザーズ・ブレインVII 天の回廊〈上〉」(同)
「ウィザーズ・ブレインVII 天の回廊〈中〉」(同)
「ウィザーズ・ブレインVII 天の回廊〈下〉」(同)

「ウィザーズ・ブレインⅧ　落日の都〈上〉」（同）
「ウィザーズ・ブレインⅧ　落日の都〈中〉」（同）
「ウィザーズ・ブレインⅧ　落日の都〈下〉」（同）

本書に対するご意見、ご感想をお寄せください。

電撃文庫公式ホームページ 読者アンケートフォーム
http://dengekibunko.dengeki.com/
※メニューの「読者アンケート」よりお進みください。

ファンレターあて先
〒102-8177　東京都千代田区富士見2-13-3
電撃文庫編集部
「三枝零一先生」係
「純 珪一先生」係

本書は書き下ろしです。

電撃文庫

ウィザーズ・ブレインVIII

落日《らくじつ》の都《みやこ》〈下〉

三枝零一《さえぐされいいち》

◆◇◇

2014年２月８日　初版発行
2023年４月５日　再版発行

発行者　山下直久
発行　株式会社KADOKAWA
〒102-8177　東京都千代田区富士見2-13-3
0570-002-301（ナビダイヤル）
装丁者　荻窪裕司（META＋MANIERA）
印刷　株式会社 KADOKAWA
製本　株式会社 KADOKAWA

ISBN978-4-04-866310-6　C0193　Printed in Japan

電撃文庫　https://dengekibunko.jp/

電撃文庫創刊に際して

文庫は、我が国にとどまらず、世界の書籍の流れのなかで〝小さな巨人〟としての地位を築いてきた。古今東西の名著を、廉価で手に入りやすい形で提供してきたからこそ、人は文庫を自分の師として、また青春の想い出として、語りついできたのである。

その源を、文化的にはドイツのレクラム文庫に求めるにせよ、規模の上でイギリスのペンギンブックスに求めるにせよ、いま文庫は知識人の層の多様化に従って、ますますその意義を大きくしていると言ってよい。

文庫出版の意味するものは、激動の現代のみならず将来にわたって、大きくなることはあっても、小さくなることはないだろう。

「電撃文庫」は、そのように多様化した対象に応え、歴史に耐えうる作品を収録するのはもちろん、新しい世紀を迎えるにあたって、既成の枠をこえる新鮮で強烈なアイ・オープナーたりたい。

その特異さ故に、この存在は、かつて文庫がはじめて出版世界に登場したときと、同じ戸惑いを読書人に与えるかもしれない。

しかし、〈Changing Times,Changing Publishing〉時代は変わって、出版も変わる。時を重ねるなかで、精神の糧として、心の一隅を占めるものとして、次なる文化の担い手の若者たちに確かな評価を得られると信じて、ここに「電撃文庫」を出版する。

1993年6月10日
角川歴彦